言葉に出会う現在

Makiko MIYANO

宮野真生子

ナカニシヤ出版

言葉に出会う現在◎目次

【エッセイ】恋とはどういうものかしら？……3

第一章　道具・身体・自然──宗悦と宗理──……7

1　近代化と生活する身体　7

2　柳宗悦における風土的身体──フィクションとしての自然──　10

3　柳宗理における風土的身体──別な自然への視線──　15

【書評】伊藤徹編『作ることの日本近代──一九一〇-四〇年代の精神史』世界思想社、二〇一〇年……23

第二章　押韻という夢……33
　　――ロゴスからメロスへ――
序　33
1　『日本詩の押韻』という試み　34
2　呼びかけとしての押韻　42
結　50
【書評】佐藤康邦・清水正之・田中久文編『甦る和辻哲郎――人文科学の再生に向けて』
　　ナカニシヤ出版、一九九九年……52
第三章　恋愛・いき・ニヒリズム……59
序　59
1　「いき」をめぐる諸言説　60
2　「恋愛」を求めて　63
　　――透谷・泡鳴・有島の試行錯誤――
3　「恋愛」と「他者」をめぐる問題　69
結　76

【エッセイ】ここにいることの不思議……82
第四章　死と実存協同……86
——無常を超えて偶然を生きる——
はじめに　86
1　「無常」を語る危険性　87
2　「メメントモリ」　90
3　「愛」としての「死者からのはたらきかけ」　92
4　偶然性における実存協同　96
おわりに　101
【書評】佐藤啓介『死者と苦しみの宗教哲学——宗教哲学の現代的可能性』晃洋書房、二〇一七年……105
第五章　恋愛という「宿痾」を生きる……111
1　問題の所在　111
2　北村透谷の「恋愛」　113

3 「コケットリー」とは何か 116
4 「賭け」の先にあるもの 119
5 「いき」とは何か 123
6 「コケットリー」と「いき」 126
7 「いき」の魅力 128
さいごに 132

【エッセイ】愛……136

第六章 近代日本における「愛」の受容……141
1 「愛」をめぐる問題状況 141
2 「愛」という言葉は何を意味しているのか 143
3 「色」から「ラブ」へ 148
4 恋愛としての「ラブ」に託されたもの 151
5 恋愛としてのラブの危険性 155
6 「愛」があれば、どうなるのか 159

7 「一つになる」愛の果てに 163
さいごに 170
【エッセイ】性 173
第七章 母性と幸福 177
――自己として、女性として生きる――
はじめに 177
1 母と子の関係をめぐる変化 178
2 子どもへの違和感 183
3 「自己」として生きること 186
4 平塚らいてうの「自己」と「自然」 188
5 「母性」への転回 192
6 母性という桎梏、その別の可能性 197
さいごに 200
【エッセイ】家族 203

第八章　「いき」な印象とは何か……206
――「いき」をめぐる知と型の問題――
はじめに　206
1　印象とは何か　208
2　「いき」という美意識　210
3　「いき」の「意味体験」とは　215
4　印象を成立させる動性　219
5　「二元的動的可能性」としての自己と他者　221
おわりに　225
【書評】谷口功一・スナック研究会編『日本の夜の公共圏――スナック研究序説』白水社、二〇一七年……230
第九章　カウンターというつながり……233
――『深夜食堂』から考える――
はじめに　233
1　『深夜食堂』以前　234

2 『深夜食堂』の紹介 235
3 居酒屋とサードプレイス 236
4 カウンターという空間 239
5 『深夜食堂』における食の機能 240
6 「サードプレイス」の「やわらかな公共性」 242
さいごに 244
——ふたたび『深夜食堂』——
【エッセイ】カウンターには何があるのか？ 247
第十章 食の空間とつながりの変容 252
はじめに 252
1 どのように共食するか 253
2 共食に何が託されてきたか 254
3 どこで食事をするのか 256
4 「家事」という大問題 258
5 戦後の「共食」のあり方と現代の「食」 261

【書評】伊藤邦武『九鬼周造と輪廻のメタフィジックス』
ぷねうま舎、二〇一四年……264

第十一章　言葉に出会う現在……276
——永遠の本質を解放する——
はじめに　276
1　偶然性における「永遠の現在の鼓動」　277
2　回帰的時間における「永遠の今」　281
3　詩の時間性　285
4　押韻と偶然性　288
おわりに　295

編集後記（奥田太郎）　300
初出一覧　303
事項索引　309
人名索引　310

言葉に出会う現在

ともかく場を作っていくこと。
学問のコトバを広げること、
その広がりにのってゆくことが出来るのが一番。
昨日のイベントに至る皆様との出会いに感謝を。
そしてここからの広がりに願いを！

——宮野真生子、二〇一九年六月二十二日のツイート

【エッセイ】

恋とはどういうものかしら？

すこし前、学生さんとお酒を飲みながら、恋人ができたという報告を受けた。ちょっと恥ずかしそうにしている学生さんを相手に、年甲斐もなく、「相手は？」「どうやって知り合ったの？」などと思わず質問攻めにしてしまい（ごめんなさい……）、でも学生さんは「いや、じつはけっこう前から好きで……」「でも、なかなか言えなくて」と恥ずかしそうに答えてくれた。それを聞いて、私はさらに年甲斐もなく、「わー、恋だねぇ、いいねぇ」と羨ましがってしまったのだった。

「恋がしたい！」というフレーズはわりと頻繁に耳にする。だが、そういうときに求められている「恋」の体験は一様ではないと思われる。「恋って素敵！」といっても、そこで想定されている「恋」の魅力は色々あるということだ。

まずは、恋人になるずっと手前、たとえば合コンやあるいはバーや居酒屋で隣に座った人と、何も知らないまま話し始め、「あれ、この人なんかいいかも」と感じる瞬間。言ってみれば、出会いの感覚、何かが始まる予兆へのドキドキである。次はもう少し進んだ段階で、まだ付き合ってはいないけれど、明らかに相手も自分に関心があるし、これはいけるかもと思いながら距離を測りつつ近づいていくプロセス。ちょっと露悪的にいうと「恋のかけひき」を楽しんでいるとき。そして、ようやく恋の成就。つまり、相手と想いが通じ合い、相思相愛になるとき。それは、相手に想いが届いたという喜びと同時に、相手から愛され、「あなたじゃないとダメ」と自分の唯一性が認められたことの満足感だろう（こうした唯一性の感覚を「確固としたもの」として手元に置いておきたいと思うからこそ、人は恋の相手を束縛し、嫉妬に駆られる。そして、そんなふうに束縛し嫉妬する自分を嫌悪し、そういう自分は愛されないかもしれない、と脅えて、自分から愛されることの満足感を削り取っていく）。

私が「恋っていいな」と思うのは、とくに出会いとかけひきのプロセスに関してである（じつは唯一性の承認は、恋人以外でも手に入るので）。恋を分析するなんて、色気のカケラもない野暮の極みだが、こういうことを言語化したいと思うのが哲学をやる者のいけないところだ。でも、すこし考えてみよう。

合コンやバーでたまたま知り合った人と話をする。こういうとき、とりあえず簡単に自分について（あるいは自分が考えていることについて）話すことがあるだろう。どういう仕事をしているのか、何が好きなのか、最近どんなことが面白かったか……など。それは社交辞令的で、とてもありふれた会話のように思えるけれど、じつは、私たちは自分が何者であるか／自分は何を考えているか、ということをイチから語る場面に出くわすことはそんなにない。もちろん、日々私たちは多くの人に出会い、様々な形で関わっているけれど、友だち同士だと、すでにある程度、お互いの情報が共有されているところから会話は始まるし（とくに最近ではSNSで事前に相手の状況を知っていることが多いので、会話が始まる時点で前提されている内容が多い）、他方、全然知らない人と関わる場面では、たとえば、駅に忘れ物をして駅員さんに問い合わせをしてお話したところで、それは、駅員さんとお客さんという関係のなかで関わっているだけで、その駅員さんがどんな人なのか、何を考えているのか、なんていうことに思いをはせることはない。

しかし、合コンや、酒の場でたまたま一緒になった人とはそうはいかない。「私は何者なのか」「何を考えているのか」ということから説明する必要がある。とくに、合コンとは違って、酒の場でたまたま会話をかわした人との関係は難しい。いわゆる、酒場の会話の一つの特徴として、その場限りで流れていく良さというのがあり、その意味で、酒場で「私は何者か」について詳しく喋るのは、むしろ野暮の極みである。もちろん、相手にたいし、「あなたは何者か」と根掘り葉掘り尋ねるのも野暮というものだ。しかし一方で、そうすると、知らない者同士が並ぶ酒場のカウンターでは、会話のとっかかりというものがない。（もちろん、だから一人で静かに飲む、というのもそれはそれで心地良い）。相手がどういう考えの人で、どのような背景をもっているのか、そういうことがわからない。そのなかで、何かの拍子に（良いバーテンダーさんというのはそういう拍子をとるのがうまい）、会話が始まる。手探りでそろりそろり。だけど、相手が知らない人だからといって、当たり障りのない話だけしていても、会話は弾まない。だから、様子を見つつ、自分の思っていることをぽつりぽつりと話してみる。それに対する相手の反応を見つつ、あるいは、相手の話す言葉を捉えつつ、酒場で出会ったそのとき限りの二人が「自分」だけを手札に会話することになる。だからこそ、酒場での会話には、本音がぽろりと漏れることがあるし、そんなとき意図せず人は無防備な状態になってしまったりする。そういう無防備な状態で、「すごくわかります」などと理解を示されてしまったりすると、思わず「おっ」となってしまうことがある。

たぶん、それは合コンでも同じことで、要は自分をある程度晒さねばならないところで、思わず、自分の弱いところ、プライベートな感覚を晒してしまうことがあって、多くの場合は、そういうふとした瞬間は見逃されてしまうのだけれど、時々、そこにスルリと入って来る人がいる。そうすると、なにせ元が無防備な状態なので、こちらは驚いてしまう。その驚きは、心を動かすことがある。その動いた、という感覚。それは恋というにはまったく及ばない。あるいは単なる動揺のままの場合もある。けれど、その驚きや動揺は、安定した日常に小さな風穴を開けるだろうし、その風穴から吹く風に何かが始まる予兆を感じ取ることができる（ただし、この風に乗るか乗らないかは自分次第だ）。結局のところ、「恋がしたい」という呟きは、日常を覆うベールを壊したい、あるいは、様々な前提に隠された自分を引き出したい、それに触れてもらいたいという、ある種の自己破壊的な願望なのかもしれない。

そして、恋は進みはじめる。恋のかけひきも自己破壊的な側面をもつものなのだが、その話はまたいずれ。

〔二〇一七年三月三十日（木）〕

第一章　道具・身体・自然
――宗悦と宗理――

1　近代化と生活する身体

(1)　道具への視線

近頃、街を歩いていると、しゃれた生活雑貨を扱う店舗が増えたことに気づく。多くの雑誌が器や家具の特集を組み、「良い道具」に囲まれた快適な生活を謳う。かつて道具は、生活を助けるただの手段であったが、今や道具はそれ以上の意味をもち、生活のスタイルや人間の生き方を作り上げるものとして機能している。このような道具の性格を初めて発見したのが、柳宗悦の民芸思想であった。彼にとって、民芸品はただの道具ではなく、人の生き方、社会のあり方を映す鏡でもある。それゆえに彼は民芸美が失われつつあることを嘆いて、「器の美に破綻が来たのは、社会に破綻が来たからである」（柳宗悦、第八巻、一二九頁）と言い、同様の志向は、息子のプロダクトデザイナー・柳宗理にも受け継がれる。いわく「健全な社会には健全な物が宿る」（柳宗理、二〇〇三、五六頁）。宗悦の民芸運動は戦前各地に広まり、宗理の品々は現在多くの人に受け入れられ若者たちにも人気を博している。なぜ人々は道具とのかかわりというきわめて当たり前の身体的行為に特別な意味づけを必要とし、そこに大きな意義を見いだそうとしたのか。今にも続くこの動向の背景には日本が近代化の道を辿るなかで、被らざるを得なかった身体――生活する身体――の変化がある。本論考において私は、柳親子の歩みを辿ることを通じて、その変化をあぶり出し、それが意味するところを考えてみたいと思う。

(2) 生きられる自然と身体――風土的身体の構造

私たちの生活する身体は、つねに具体的な土地に生き、周りの自然や環境とかかわり合うなかで形成されている。そこで見いだされる自然や環境は、一般化された意味でのいわゆる「自然」ではなく、具体的な土地と歴史を背景としてもつ個別的な「風土」である。「風土」は古くは和辻哲郎（一九六二）が、そして最近ではオギュスタン・ベルク（一九九二）が指摘したように、単なる地域的な自然という意味にとどまることなく、生活の場として人間のあり方を規定する一方で、人間の生活によって彩られる自然――生きられる自然という意味をもつ。「寒さ」といっても、飛騨の寒さは、山中の降りしきる雪のなかで感じられ、特有の合掌造りの住居を生み出す。寒さはそれぞれの土地に独自な形を与え、同時に人は寒さをその地に独自な形で了解し、生きる。「自然」は常に意味の源泉となると同時に、意味づけられたものとして発見される。そのような自然と人間の関係性の上に成り立つのが、「風土」であり、人間の生活は、身体によって外部とかかわるゆえに、「風土」が立ち現れる現場なのである。そこで人間の身体は、人間と自然とを結びつけ風土を成立させるもの、いわば風土的身体として立ち現れてくる。

このような風土の現象は二つの側面に分けて考えられる。一つは、風土的身体によって結ばれる人間と自然のあいだの相互規定的関係性そのもの――風土の構造面――であり、もう一つは関係性のなかで具体的に現れる現象としての個別的歴史的風土――風土の事実面――である。もちろん、この構造面と事実面は実体的に区別されたものとして存在しているわけではなく、相互規定の内にのみ現前し一つの風土として現れてくる。しかし、本論考において私は敢えてこの二局面を「構造としての風土的身体性」と「具体的風土」として区別したいと思う。というのも、風土的身体性が人間存在の基本構造であるかぎり、私たちは今も昔も常に何らかの風土のなかを生きているとはいえ、グローバリズムが進む現代、具体的事実的風土の方は、少なくともかつてと同じ相貌を呈しているとはいえないからである。この具体的風土の変質こそが、冒頭で言及した日本の近代化が生活する身体に及ぼした変化を誘発した一因であり、現在、テクノロジーとグローバリズムの進展のなかで私たちが様々に抱く危機感に繋がる。

もとより、そのような危機感は決して昨日今日始まったものではない。明治維新以後、西洋に倣って進められた殖産興業は、地を耕しそこに生きる者たちを賃金労働者へと変えていった。そこに、賃金労働者であり消費者として生活する者たちが集まる都市が成立する。このような都市は、近代化を急ぐ政府が政策的に「具体的風土」を西洋化することで成立させたものであり、それは同時に「故郷」「田舎」という対立項を生んだ（成田、二〇〇〇）。例えば「都市」が浅薄な西洋文明に浮かれる地であり、「故郷」「田舎」が地に根づく健康で真摯な生活の営まれる場所といった意味づけ[1]は、そこから生まれた対立の一つの形態であるといわれるように（若林、二〇〇三）、東京生まれ東京育ちの武者小路実篤が一九一八（大正七）年に始めた「新しき村」は、その具体化だといえるだろう。周知のとおり、この出来事は、宮崎の山奥で未開の地を開墾し自給自足の共同生活をおこなう試み、武者小路の言葉を借りれば「人間らしい生活」を目指す企てだが、「人間らしさ」ということで思い描かれたのは、「都市」のなかで失われつつある具体的風土を「田舎」へと求め、近代消費社会のなかで根こぎにされた身体を再び自然へと繋げることにほかならなかった。それは、武者小路のみならず都市に生きる少なからざる者たちが感じていた危機感に促されての行動であった。特に大正から昭和という時代は、近代化による具体的風土の崩壊が顕著となり、それに抗して、具体的風土の回復とそこに根づく風土的身体として生きる方策が捜し求められた時代であったということができるかもしれない。このような動向のなかで登場し、広く人々に支持されるのが、武者小路の『白樺』時代の盟友・柳宗悦による民芸理論である。

2　柳宗悦における風土的身体
――フィクションとしての自然――

(1) 具体的風土への回帰

民芸思想で有名な柳宗悦であるが、若き日は「この世の二元性」の救いを求める宗教哲学者として、「自然に則る」ことを志向していた。しかし、彼が生まれ育った東京では具体的風土自体が失われ、近代的自我に目覚めた人間の前では、自然は客観的対象となっている。そのような状況のなかで「自然に則り生きる」とは、具体的にいかにして遂行されうるのか。「民芸」は、早くから近代的科学的思考の限界を意識し始め、都市文明を逃れて我孫子に芸術家コロニーを作ることになった宗悦が、こうした問いの行く末に発見したものである。彼にとって、それは美的鑑賞の対象であるだけでなく、人間の身体を具体的風土へと繋げていく媒介でもあった。

柳によれば、鑑賞される純粋な美術品とは異なり、工芸は「下手物」、つまり日々の生活のなかで使われる道具である。それゆえ、「用途なき世界に、工芸の世界はない」(柳宗悦、第八巻、七六頁)。用に即することで、工芸の美は生まれる。それはあくまでも、普段使いの工芸として、民衆が生活のため、土地のなかで与えられた天然の資材によって作り、用いられるものである。だが、こうして自然の材料を基にして民衆が作った「器には自然の加護がある。器の美は自然の美である」(同前、八六頁)と柳は言う。もちろん、ここに現れるのは、一般化された「自然」ではなく、「鮮やかな地方性や国民性」(同前、八三頁)を宿した自然である。それは、その地を生きる民衆が、与えられた特有の自然をもとに、その地の生活のために製作するときに現れるものゆえに、「めぐる自然や流れる血液によって定められている」(同前)。例えば、沖縄の芭蕉布を暑い土地の風が吹き抜けるように、北国の蓑が冷たい雪をしのぐための知恵であるように、工芸は土地の自然と生活の関係性から作られるものであり、そこには「具体的風土」が現れている。民芸品を製作する工人の身体は、与えられた自然を生きると同時に自然に働きかけることで風土を形作る身体になる。工人は、まさに風土的身体をもって具体的風土に根づいて生きている。

しかし柳の見解によれば、こうして作られた工芸品は即座に「美しい」ものとなるわけではない。器は工人によって作られた段階では、いまだ自然のなかから生まれてきただけのものであって、それを「美しい器」とするには、作る者の手を離れ、見る者を必要とする。そのような「美」を発見する者は、工芸品が作られた土地の人々ではない。なぜなら、「美」は習慣や日常から離れた純粋な直観によって発見されるからである。「直観の加わらない器は、まだ無内容である。それは単に生なものに過ぎない。……器の存在は見方の裡に在るのである。……ものの美醜は見方の創作である」(同前、五一一頁)。朝鮮の雑器を茶人が「大名物」として発見したように、むしろ工芸品が属していた具体的風土から離れた地に生きる者――ほかならぬ柳宗悦――が初めて美しい器を見いだす。さらに器はどこまでも「用いられる」ための器、「用いられずば器は其の意味を失い又美をも失う」(同前、八〇頁)のであって、発見された器は用いられなければならない。もちろん、ここでいわれる「用いる」こともどのような用い方でもよいというわけではない。「私の云う「用いる」とは用いこなすことを云うのである」(同前、五一五頁)と宗悦が言うように、正しい「用い方」において器は使い込まれ、手づれによって器は更に風合いを増す。そうして次第に用いる者の「生活に美が即してくる……美が身にしみてくる」(同前、五一六頁)とき、初めて工芸の美は完成するのである。このような美に即した生活を宗悦は「真の生活」(同前、一三三頁)と規定する。なぜなら、工芸の「美」は「自然の加護」に基づくものであり、それを「用いることによって、器物と生活とが一枚になる」(同前、五一五頁)なかで、用いる者は生活と一体になった器から「自然の加護」を受け取ることができるからである――そう考える宗悦にとって、見かつ用いる生活は、「自然の加護」に基づく「正しく地に活きる……生活」(同前、四三一頁)として、工人たちと同じような自然に根づく生き方となる。彼は、宗教哲学者だった若き日々に求めた「自然に則る」生活――具体的風土を生きる身体――をここに形を変えて実現したといえるわけである。

(2) 都市生活者の憧憬と宗悦の欺瞞

しかしながら、この使い手の理想的身体が成立する背後には、宗悦が気づかずして犯してしまったある欺瞞と隠蔽が潜んでいる。そもそも、宗悦が思い描く正しい眼と生活をもつ使い手は、工芸品が生まれた土地の者ではない。彼らは、都市のなかでそれを眺め、使用するに過ぎない。しかし、工芸品が具体的風土とそこに生きる工人や生活者の風土的身体から切り離されて眺められるとき、事実面としての生きた風土や自然は失われているのではないだろうか。一方、工芸品は工人の風土的身体が自然から呼びかけられ同時に自然に働きかけるところで、具体的風土の現れとして生まれたものであった。そうであるなら、そこから切り離された工芸品を、仮にローカルな産物と見なしたとしても、見られているのは、かつてどこかで根づいていた自然の残像に過ぎないものである。すなわち使い手にできるのは、ある工芸品を基にして、そのような風土の名残を聞き、失われた自然を回顧することだけである。たしかに、それも一つの自然とのかかわり方ではあろうが、宗悦の議論では、自然のそのような残像性・過去性が捨象されてしまい、工人の製作において身体的に働きかけていた事実的自然と同一視されることによって、使い手も同じ「風土的身体」として生き「自然の加護」を受け取って「正しい」生活に入ることが可能だと考えられている。自然の残像が「実像」として受け取られるとき、そこには「正しい用い方」という名の欺瞞が発生している。

それだけではない。そもそも工芸品を「美」として発見するという直観と「正しい用い方」とは何であったか。「眼はものを創造する」（柳宗悦、第八巻、五一〇頁）、「凡ての美しい器は、正しく用いられることに於いて、凡て茶器に甦る」（同前、五一五頁）と宗悦が語るところからすると、原石に過ぎない工芸品を発見するのが直観であり、「美」へと磨き上げる「用い方」が、「正しい用い方」である。いわば原石を磨く「洗練」の工程において初めて「美」が現れ、さらにそれを使いこなすことによって「正しく地に活き」、自然へ繋がると宗悦は考えるのである。しかし、直観と洗練もまた、工人の製作とは異なる想像力を伴う加工性・制作性を帯びた行為である。たとえ、使用のなかで美へと洗練し高めていくことが、一方で「自然」へと繋がることだとしても、そこに現れる「自然」は同時に「作られた自然」なのである。にもかかわらず彼は、直観と洗練の制作的運動によって生まれた美を「自然の加護」とし、工人の背後の自然と重ね合わせ同一視することによって、こうした制作性、フィクション性を隠蔽してしまう。特に「自然の加護」は、宗教哲学の展開とともに柳が接近していった「他力道」と結びつき、人為一般を退けることによって、自らの直観や使用に潜んでいる制作性に対して、眼を塞がせてしまうのである。

かつての具体的風土性が失われつつある都市に住む者たちに柳の言説が好意的に受け取られるところには、このような隠蔽が寄与しているのではないだろうか。彼らが具体的風土の喪失の危機感を埋め合わせようとして、工芸品を都市生活のなかに導入しても、そこにある自然は借り物でしかない。使い手の身体は、工人のように具体的風土と直接に響き合う身体ではなく、いわば残像としての自然を洗練することでフィクションとしての自然を創り出す、別な風土的身体である。その差異を宗悦の言説は覆い隠し、だからこそ都市住民たちの埋め合わせ切れない空隙を満たすことができたのではないだろうか。

しかし、近代化の進行とともに、都市住民の風土的身体と相関関係にある具体的風土は、もはや工人たちが生きたそれとは、大きく隔たってしまった。その拡大した差異は、もはや宗悦の志向した自然と風土的身体の射程を大きく凌駕するものである。いずれにせよ私たちは、この差異から眼を逸らしてはならないと思うのである。

3　柳宗理における風土的身体
――別な自然への視線――

(1) 宗理の製作と美

一九一五(大正四)年生まれの柳宗理は、バウハウスとル・コルビュジエの影響を強く受け、「デザインというものは社会のため、用途のためにあるべきで、社会との関係性の中に生きていく」(Casa、二〇〇三、二四頁)という信条に基づいて製作をおこなっている。それゆえ、彼は目の前に広がる日本の状況――科学技術の進歩、消費の増加、グローバル化――から眼を逸らすことなく、「現代はなんといっても機械・科学の時代」だと断言する。大切なのは、今の日本に合うデザインをおこなうこと、「現代の製品の生産体系のなかから、いいものをつくり出」(セゾン日経、一九九八)すことである。そのような彼の言葉には、失われゆく具体的風土や伝統への回帰ではなく、具体的風土から切り離されてしまった今の地点から出発しようという自覚が感じられる。[2]

民芸の美に対して感傷にばかり浸ることは許されない。……プロダクト・デザインに係わる人は、手造りによるかつての民芸品に、庶民の用に供するということからのみ、必然的に輝かしい美が生まれて来ているということに注目すべきである。手造りのものが美しいからとて、そのままそれを機械にのせて量産することは馬鹿げている。……民芸は地域文化、或いは民族文化と言えようが、デザインは人類の文化である。（柳宗理、二〇〇三、五三－五四頁）

特定の風土に規定された生活から解放された私たちは、今やどんなスタイルでも暮らすことができる。道具は、具体的風土固有の生活に縛られたものではなく、誰もが使うことができる、普遍的な「用」に向かって開かれている。そのような状況だからこそ、宗理がデザインしたカトラリーはアランデュカスのレストランで使われ、エレファントスツールは日本民藝館の入口にたたずむ。プロダクト・デザインは、いってみれば「人類の文化」となっている。

そのようなプロダクト・デザインの条件として、機械時代に生きる宗理は「すぐれた近代的技術（テクノロジー）が用いられていること」（同前、二二頁）を挙げる。しかし、実際のデザインにおいて「僕は徹底的に「手」を使う」（Casa、二〇〇三、二八頁）と宗理は言う。彼はデザインの依頼を受けると、まず紙や石膏、発泡スチロールなどで形を探り、試作品を作り、使い勝手や形、重さのバランスなどを考えつつ、変更を加えていく。設計図が描かれるのは、これらの過程を経て、完全な試作品が出来上がってからである。

なぜ、デザイナーである宗理がそこまで「手」を重視するのか。それは、宗理にとって、デザインとは外側を作るものではなく、「用いること」「機能」から物を形作ることだからである。第一に「用いること」があり、それを生かす形が作られる。それゆえ、彼がまず追求するのは、機能的なもの、使い心地の良い物となる。そうすれば、美は意図しなくてもついてくる。しかし、使い心地の良さとは何だろうか。それは何よりも、手にとった器が手に馴染む、椅子に座った体が自ずとリラックスするといった、身体に馴染む感触である。しかもそれは、人間工学的にデータ化されうるものではなく、あくまでも身体で感じられるものである。宗理はこの感覚を自らの手にのせて、デザインを立ち上げていく。その結果、宗理の作品を使う人々は、それを「触りたい器」[3]と称え、バタフライスツールには「独特な触感覚性や身体性を触発して、人間を抱き込むような抜群の美」（セゾン日経、一九九八、一八四頁）があるという評価が贈られる。宗理自身も身体性における快適さを重視して製作をおこなっているのであり、彼が取り上げる日用品に対する賛辞にも「ふっくらとした」や「柔らかい感じ」、「暖かみのある」と身体感覚を表す言葉が並ぶ（柳宗理、二〇〇三、一一二―一六〇頁）。では、そうした快適な作品に宿る美とは一体どのようなものなのか。

デザインの形態美は、表面上のお化粧づくりからだけでは出て来ない。内部から滲み出たものである。本当の美は生まれるもので、つくり出すものではない。デザインは意識活動である。しかし、自然に逆らった意識活動は醜くなる。なるたけ自然の摂理に従うという意識である。この意識はデザインする行為の中で、究極のところ無意識となる。この無意識に到達したところより美が始まる（同前、四五頁）

自然の摂理に従って無心の製作をおこなうところに現れる美――こうした言い回しは、父宗悦が民芸の工人に見た製作のあり方を思い起こさせる。民芸の工人は、製作にひたすら没頭するなかで、意識をそぎ落とした手となり身体となることで、工芸品と自然の間に通路を開き、そこに具体的風土が現れた。それに呼応するかのように、宗理もまた自分のデザインを「手でいじっているうちに出てくる。初めからこういう形というものは、最初、頭にはほとんど存在しない」（Casa、二〇〇三、二八頁）と述べる。そこでもやはり無心となった手から、作品が生まれてくる。その作品に宿るのが、「内部から滲み出たもの」といわれる「美」である。しかし、宗理の手が作品へ映し出す美としての「内部から滲み出たもの」とは一体何なのだろうか。民芸の工人の手は風土的身体として、器のうちに具体的風土を現したが、宗理の手が作品へと導き出す「内部」とは一体何なのか。

（2）都市生活者の身体

宗理にとってデザインの創造とは「内部機構を改革することである」（柳宗理、二〇〇三、四五頁）。宗理がデザインのベースに「用」を据えていたことからも分かるように、この内部機構とは、日用品の要である「機能」を指している。先の「内部から滲み出す」というその内部は、物本来の役目である「機能」のことである。もちろん「内部」を構成する要素としては、材料美も考えられる。しかし、「機能」と「材料」は決して同等の位置にあるわけではない。というのも宗理は、すぐれたデザインの条件として「すぐれた材料が適宜に利用されていること」（同前、二二頁）と述べているが、材料としての優秀さは、結局のところ「機能」を生かすことに存していることからである。民芸では、土地に生きる人々が、風土によって限られた素材をもとに、その地で生きていくために必要で、製作可能な日用品（機能）を考えたが、プロダクト・デザインではまず「機能」が優先する。器に強度をもたせたいと考えれば、宗理はそれを陶器ではなく、ボーンチャイナに変更する。材料はもはや風土に縛られた素材ではない。プラスチックはもちろん、天然素材の木やガラスでさえ、それはもはや地域性を取り除かれた「材料」でしかない。「内部」とは第一に「機能」である。

しかしながら宗理のいう「機能」は、テクノロジーによって生み出される機能とは、明らかにちがっている。それは使い勝手であり、使い勝手の良いものとは、身体の感覚に適合したものである。握りやすいグラス、手に添うレードル……。そうだとすると美の源である「内部から滲み出るもの」の「内部」とは、身体性以外にはないだろう。宗理は製作において、無心となり「自然の摂理」に従うことを第一とするというが、彼が目指すのは、身体の感覚を研ぎ澄まし、身体の働きに同化するなかで、身体に添う機能的な形を探し出すことなのだ。そこに現れる身体は、物を使用するという、ごく普通に見られる日常的身体である。しかし、その使用は、もはや宗悦がイメージしたような特定の地域的自然と器を結びつけることはない。むしろ、現代の私たちにとって、道具の使用とは、自然から切り離されて近代化された都市空間のなかで営まれる生活のなかにあり、そのなかで私たちの身体は、切り離された都市空間を浮遊し、あてどなく生活するだけである。宗理が作る道具が写し出すのは、まさに、そのような身体であり、都市生活の使用的空間性なのである。

（3）別な自然への誘い

宗理の作品に映っている身体は、都市を漂う身体であって、たしかに失われた故郷の自然を媒介する身体ではない。だが、それを裸形の身体ということもできない。人間存在に構造としての風土性が属している限り、この身体もまたやはり、なんらかの自然との相互規定性のなかにあるはずなのだから。そうだとすると、そこには、民芸の工人たちが生き、民芸運動がノスタルジーとともに思い描いた自然とは異なる自然が現象しているのではないだろうか。

宗理は、「人類の文化」と言いながらも、ときとして地域的特殊性を志向する。いわく「日本人が日本の土地で、日本の今日の技術と、材料を使って、日本人の用途のために真摯にものを造れば、必然的に日本的な形態が出現することになる」（柳宗理、二〇〇三、五五頁）。この志向は、彼自身の自己評価だけに現れるわけではない。海外でも人気を博したそのデザインの普遍美を多くの人が賞賛すると同時に、「日本的デザイン」だともいう[4]。しかしながら、ウェグナーの椅子に「デンマークの伝統的な素朴さ」を、キャセロールに「スカンジナビア特有の伝統的様相」を見て、それこそが「今日の生きた民芸」（同前、一一三頁）だとする彼は、なお父宗悦の言説の支配下にあるのではなかろうか。「日本的なもの」や「デンマーク的なもの」は、たとえあったにせよ、近代化の果ての具体的風土や自然の残像に過ぎないのであって、それを強調することは、かつて父が犯したように、制作の実相を偽装し、近代化の過程で日本の知識人たちが繰り返し陥った「日本的なもの」という伝統の陥弄にはまることに繋がる。

いま私たちがなすべきことは、むしろ、宗理自身のもっている、伝統から断絶され風土的身体でさえおぼつかない時代に生きる者という自覚のもとで、作られたものに現れている別な自然へと眼を凝らすことではないだろうか。

そのような見方をとるとき、特定の風土へと回帰させる擬似民芸的な賞賛よりも、むしろ次のような批評の方が目につく――「柳さんのデザインの曲線に注目すると、……どことなく「壺」に似たふくらみがあります。壺に似た曲線は、僕には母胎を想いださせる」（セゾン日経、一九九八、一八四頁）。「母胎」は、具体的な形をもった風土ではないが、私たちが生まれた原初の場所である。それは、私たちを生む無名の胎動であり、また私たちが帰る匿名の空間という比喩を喚起する。そして、宗理の作品が「触ってみたい、座ってみたい」と思わせる仕方で私たちを誘う空間は、特定の風土から切り離されたという意味で、身体が浮遊する都市空間のイメージでもあるのだが、それは単に近代化がもたらした自然喪失後の均一的な空間であるにとどまらず、原初の匿名性という意味での人間存在の基層へと導くものであるように思われる。宗理の作品がもつ身体的「快適」さとは、そうした原初へ開くことを誘い、その人間存在の基層と呼応し、無名の胎動を感受するところに成立するのではないだろうか。もしもそうだとすれば、そこには近代化の果てに私たちが出会う別な自然が開かれているかもしれないのである。

（1） 明治四〇年代からおこなわれる大手私鉄による「田園都市」をキャッチコピーとした郊外の開発もこの一環であるといえるだろう。そこでは都心の環境悪化を逃れた文化的健康的生活が理想とされた。
（2）「伝統なんていうのは、あんまり気にしないですよ。伝統なんか気にしたら、ちょっと怪しげな、こびたものになる。」とも宗理は語っている。（セゾン日経、一九九八、二〇三頁）
（3）『季刊銀花２００３秋　百三十五号』（二〇〇三、文化出版局）は、「現代の用と美考【柳宗理】」と特集を組み、宗理のグラスとピッチャーを「触りたい器」として紹介し、「触ってごらん、と誘惑する人間臭い親しさが滲み出る。……その上ここに流れるのは直接手で触れる触感」（一九頁）と述べている。

（4） 例えば、ロンドンでモダンファニチャーを売買するサイモン・オルダーソンは「（柳宗理の）バタフライスツールは鳥居や〝天〟の字を連想させる微妙な曲線が日本的。シンプルな構造もスバラシイ」（Casa、二〇〇三、三四頁）、またフランスの有名セレクトショップコレットのオーナーサラは、そのデザインを「偉大なるクラシック」（同前、三三頁）と評する。

■文献

オギュスタン・ベルク（一九九二）『風土の日本――自然と文化の通態』篠田勝英訳、ちくま学芸文庫。

Casa BRUTUS特別編集（二〇〇三）『Casa BRUTUS　柳宗理』マガジンハウス。

セゾン美術館／日本経済新聞社編（一九九八）『柳宗理デザイン』河出書房新社。

成田龍一（二〇〇〇）「都市空間と「故郷」」成田龍一・藤井淑禎・安井眞奈美・内田隆三・岩田重則『故郷の喪失と再生』青弓社。

柳宗理（二〇〇三）『柳宗理エッセイ』平凡社。

柳宗悦（一九八〇-九二）『柳宗悦全集』筑摩書房。

若林幹夫（二〇〇三）『都市への／からの視線』青弓社。

和辻哲郎（一九六二）『和辻哲郎全集』第八巻、岩波書店。

【書評】

伊藤徹編『作ることの日本近代――一九一〇‐四〇年代の精神史』世界思想社、二〇一〇年

近年、研究の「学際性」が求められ、ジャンル横断的な言説が増えてきている。たしかに、「学際性」というプリズムを通して露わになる事態のスペクトルを見ることは知的興奮をもたらすし、たとえば、私たちはそこで歴史の隠れた側面に出会うことができるだろう。しかし、その「出会い」が意味するところのものは一体何なのか。あるいは、「出会い」の新奇さに喜ぶのは、「学際性」という言葉のマジックに惑わされているだけではないのか。問題は、「歴史を問う」という行為がそもそもどのような行為であり、そこで「学際的である」とは何を意味するのかという点である。この点を問わないままに、ジャンルを横断していくとき、それは単なる比較に止まり、新奇さはあっても、事態の核心へと迫る力に欠ける。

『作ることの日本近代――一九一〇‐四〇年代の精神史』と題された本書は、哲学から政治、文学、芸術、建築に至る、まさに学際的な立場から歴史を問うことを目指すものである。だが、この書で試みられる諸探究は、決して単なる比較や視点の新奇さを競うものではない。序において編者の伊藤徹が、「歴史として伝わっている過去とは、常に語り手の現在に存在し、問題として私たちに挑み、問いかけ

る――かつてあった人間のあり方を、いま一度、己れの生の可能性として、どこまで考えうるのか。私は、そのような問いが執筆者たちに受けとめられることを編者として願った」（四頁）と言うように、各論考において、過去への問いかけは、現在へと差し戻され、いまを生きる私たちの足元を照らし出してくる。もちろん、それは、近ごろ耳にする戦前と現代が似た状況にあるというような類似性を確認する作業などではなく、「過去との本質的な共通性、類似性を生み出した時代の普遍的運命にまで遡る仕方で精神史的形象に問いかける」（六頁）ことで、現在を生きる私たちの地盤へ迫る営みである。このような遡及が、「作ること」「無」「個人」をキータームとしておこなわれることで本書は構成されている。すべての論考は、単なる思弁に止まるものではなく、具体的事象や実践に沿う形で語られているが、本書評では見取り図を提示するためにも、事象の基礎となる普遍的なものに迫ろうとする論考と、実践に沿うことで、当時の限界点を明らかにし、現在へと接続する歴史的論考、という二つのタイプに分けて論じる。では、まず前者の論考を見ることで、過去から時代の普遍的運命に遡り、その普遍的運命が具体的に時代のなかでどのような変容を被っていったのかを後者の論考からたどっていこう。

第一章「深淵をなぞる言語――夏目漱石『彼岸過迄』のパースペクティヴィズム」は編者伊藤の手によるものである。ここで伊藤は、『彼岸過迄』において、漱石がとる短編の連鎖という手法が、出来事を超越的に俯瞰する視点を設定せずに、登場人物それぞれの視点から語らせることで、人が不可避的に持つ視点の有限性を明らかにするものであったことを指摘する。視点の有限性を通して明らかになるのは、千代子と須永の関係に代表される、人間関係が孕むズレであり、それに直面したときの人間の無力さである。この無力さの背後にあるものを、伊藤は「視野の限界の向こうに拡がり、偶然的な関係の生成を可能にさせ、人間に働きかける「無形の運命」」（二七頁）と呼ぶ。「無形の運命」と呼ばれるものは、時代を問わず生の根柢に潜むもの（「存在論的な無底性」）だが、一方で、生の地盤が共有されていた近代以前においては隠されており、近代化・産業化の進展が有用性を徹底化するなかで露わになってきたものである。しかし、人は生の無底性にとどまるより、それを形あるものとすることで安定したいと望む。白樺派の言う自然や、あるいはマルクス主義の流行、そして国家主義の勃興も生を蝕む無に形を与えることで自己を守る試みであったと言えるだろう。このような「神話の産出による「無形の運命」の隠蔽」を剥ぎ取る稀有な可能性を漱石の『彼岸過迄』のうちに見た伊藤は、最後に「虚構性としてあらわになる「生の深淵」を、語りえないもの、したがって覆うことのできないものとして指し示す力が、なお語ることの内に残ってはいないか」（三〇頁）と課題を提示して論を閉じる。この課題を別の角度から深めていくのが第六章の「虚無のなかの構想力――三木清・技術哲学の立場」（秋富克哉）である。第一章では、「作ること」によって、生を蝕む無を隠蔽し生きていく個人の有り様が指摘されていたが、「無」と「作ること」の関係はこのような「我有化」の側面だけなのか。これに対し、秋富は三木清の『構想力の論理』を手掛かりに論を進めていく。人間を中間者と捉えた三木にとって「無」は決して避けるべきものではない。彼が求めたのは「本来の無」へと至ることであり、そこで「作る」という働きは重要な役割を担うはずだった。だが、その論点は三木の死により途絶した。この完遂しなかった試みを、秋富は、『構想力の論理』において書かれなかった「言語」の問題と遺稿『親鸞』を手掛かりに、掘り下げていく。三木によれば、無は「人間を全体として超越するもの、存在の根拠」だが、さしあたり人が出会うのは「虚無」である。中間者としての人間は、自らの無底性を通し、虚無を感得する。この虚無に対抗し克服しようと人間はロゴスを求め、作るという行為へ向かう。そこに成り立つのが主体性である。いわば、「パトス的に出会われる虚無は、「虚無からの形成」としての行為を規定する」（一六二頁）。こうして、ロゴスは主体性の形成に寄与するのだが、言語とはこのようなロゴス化に尽きるものではないと、秋富は言う。たとえば、浄土教に見られる、自力が挫折し、名号が与えられるなかで弥陀と出会う経験は、作ることの届かない言葉の有り様を明らかにする。このロゴス化の破綻において私たちはようやく「本来の無」に出会う可能性を手に入れることができるのではないか。もちろん、このような言葉の形が与えられるのは、自力の果てにおいてである。それゆえ、秋富はロゴス化の努力のなかで、虚無を持ち堪えることとの重要性を訴える。「個」において、「作ること」と「無」が切り結ぶ関係がこの論文では明らかにされている。

　だが、個人や作ることに虚構性がつきまとうとしても、私たちは一人の人間として行為を紡いで生きていくしかない。単に虚構性を摘発するだけであれば、「経験の事柄を発掘し、己れの問題として引き受ける責務から逃避することではあるまいか」（六二頁）と、第三章「「個性」の来源――萬鉄五郎・生ける静物」で伊藤は述べ、個であることとの可能性を探っていく。私たちは「個性」というと、他とは異なる独自性・唯一性を思い浮かべる。伊藤は、このように「他との差異」というかたちで個性を捉えること自体が――たとえば天才の個性を精神病と結び付けるような――、すでに特殊を一般に解消することではないのかと批判し、「「個性」は類似や相違といった関係以前に、作家の制作という現在に発生した出来事」（六九頁）として捉えるべきだと言う。そこで彼が取り上げるのが、萬の描く「静物」、静物でありながら、今にも妖しげに動きだしそうな「生ける静物」である。静物は、描き手の視線の前で静止することをせず、描き手の統御を超えて動き回っている。「主体は、いわばそれに脅かされている」（七四頁）。主体を越える世界の有り様は、萬が描く《目のない自画像》にも表れるものだ。視線によって世界を統御できない主体の前に、ものは単に色と形として現れ、目はただそれを正直に受け入れ、萬はそれを描くしかない。いわば、彼は、描くという行為によって、このような意味化以前の色とかたちとの一回的な出会いを果たすと言える。そのとき、「自己は「内部」としてイメージされるものではなく、描くというあり方において、すでにものとともにある」（八〇頁）。このような「個性」は、私たちが一般にイメージする「～らしさ」というものとは全く異なり、ものと出会うことで与えられる一回的な経験であり、「意味化以前の場所」（八二頁）を開示するものである。個の先で出会う原初的なものへのまなざしは、第七章「運動としての「模倣」――中井正一の挑戦」（長妻三佐雄）で再び取りあげられる。中井は、「超越的な存在や「普遍的実在」を前提としない近代的な合理主義が、「独創」と「自由」の名のもとに、「放恣」や無方向に陥る危険性を有している」（一七四頁）ことを捉え、そこに近代の人間が抱えてしまった方向性の喪失と空虚さの原因を見た。そして、生の意味の回復を求めて、「模倣」という行為の可能性を探っていく。私たちは「模倣」や「模写」と聞くと、手本を写すというふうにイメージしがちだが、中井の言う「模倣」や「模写」はそのような普遍的実在を前提としない。スポーツの「フォーム」がそうであるように、意識してフォームを真似ている限り本来の実力は出せず、フォームが身体化したとき、はじめて型が自然発生的に生まれてくる。この型を通じて、ひとは「自分」を知ると同時に、そこに「人間的方向」が示され、「秩序」が浮き彫りになる。原像なき模写の先で開示される「人間的方向」は「人間の作為によってコントロールできるものではなく、自生的に形成されてくるもの」(一八五頁)であり、その手前には「人間的原方向」がある。しかし、「人間的原方向」はあらかじめ定められた普遍的実在などではなく、あくまでも運動のなかで方向性を示すだけのものである。それゆえ、人はつねに型を反復しつつ壊しながら、その方向性を追求することで、「自分の中の根」へと降りていくことができる。このような中井の語る「模倣」は、「人間主体による作為を超えた豊かで躍動的な秩序を生み出す」(一九一頁)「作ること」の別な可能性を開示するものであったと長妻は論を閉じる。

人は無や空虚のうえで、作るという営みを通して個としての生を紡いでいく。それは時に虚構の危険を孕み、しかし一方で、作りえないものへの可能性を切り拓く。一九一〇〜四〇年代、このような可能性に賭ける試みが様々におこなわれ、そして、時代の流れに飲みこまれていった。時代の流れは二つの方向から押し寄せた。一つは、「近代/反近代」という枠組みをもって。もう一つは「日本」という神話とともに。前者の問題を明らかにするのが、第二章「作り手の深層――柳宗悦における神秘と無意識」(竹中均)、第四章「近代的知の臨界――高田保馬の利益社会化の法則」(荻野雄)、第九章「手仕事の近代――地方の手工芸と一九三〇年代」(土田真紀)である。土田と竹中が取り上げる柳宗悦が、名のある個人による芸術制作ではなく、無名の工人による手仕事に着目したとき、たしかに彼はいわゆる近代的な「個性」崇拝から離脱しているように見える。雑器の美は、個を捨て、他力に任せるところで、その手から自然に生み出される形象に宿る。作ることの個人性ではなく、むしろ無名性において美は成立し、そこで重要なのは「他からの力」なのである。だが、竹中が指摘するように、この他力の発見は、若き柳が無意識に興味を持ち心理学を学び、また神秘主義にも興味を示していたという根本的関心があってのものではなかったか。ユングの「集合的無意識」の発見が一九一六年ごろから始まる一方で、柳の民藝をめぐる言説は一九二一年ごろから開始されるのも、その意味で同時代の学問の潮流のなかにあると言うこともできる。それは近代化が進むなかで現れた、反近代の立場であったと言えるだろう。だが、三〇年代に入り、ブルーノ・タウトやシャルロット・ペリアンがモダニズムの立場から日本の工芸に接近し始めたころから、奇妙なねじれが生まれてくる。この点を問題にするのが土田である。タウトやペリアンは、日本の伝統工芸がモダニズムの理念にかなう普遍性を備えていることに注目する。一方で、柳にとって東北の農民が作る蓑に代表される手仕事は、その地方の生活に根差すゆえ美しいものであった。柳において手仕事とは、近代的な「都市」に対するネガ（＝反近代）の意味を持つものなのである。だが、地方の手仕事が生き残るためには、都市の消費文化に基づく需要が必要だという皮肉がそこにはあり、さらに地方における近代化の遅れを反近代に立つことで挽回しようという意図も隠れている。いずれにしろ、土田が指摘するように、「さまざまな脚光を浴びることにより、当の「手仕事」が、それらを現実に必要としてきた農村の生活や、各地方に根づかせてきた自然条件や歴史的経緯から決定的に切り離され」（二四七頁）、近代とそのネガとしての反近代のディレンマのなかで、「手仕事」は観念化していったと言えるだろう。当初捉えていた事柄が次第に観念化し、硬直化するという事態は荻野が取り上げる高田保馬においても見られることである。しばしば「大正デモクラシー」の産物と言われる高田の理論であるが、荻野によれば、高田の利益社会化の法則とは、「資本主義によって刻印された近代が自己解体に至る不可避的な筋道の剔抉へと、定位づけられ」（九一頁）たものであった。近代的自我の根柢に「力の欲望」を見た高田にとって、利益社会とは自由主義的な社会ではない。むしろ、私益を徹底し、それぞれの利益のみから他者と関係することで、他者より優位を目指す「力の欲望」から離脱して、社会的な公正が可能となった社会を意味していた。その先で高田が見たのは、欲望に駆られ物や他者を支配しようとする主体のあり方ではなく、「力の原理から離れているがゆえに人間が近代と違った仕方で自然を経験する世界」（一一〇頁）であった。だが、彼のこの論は、時代の流れに巻きこまれるなかでいつしか実体化していく。荻野が指摘するように、「自らの社会法則を歴史のまさに根源的原動力、自然それ自身の動向をつかまえたものと想定するとき、彼は知によって世界を隈なく統べようとする近代的主観の圏内に引き入れられて」（一一三頁）いったのだ。歴史を問うものにとって、高田が陥った問題点は見過ごすことのできないものである。

一方、「日本」へと引き寄せられていった試みについて論じているのが第五章「〈生命〉探求の教育――小原國芳の修身科教授論」（岡部美香）、第八章「神話の造形――保田與重郎と知／血の考古学」（西村将洋）、第十章「一九三〇―四〇年代の建築における「日本的なもの」と行為概念」（笠原一人）である。その典型とも言えるのが、西村が取り上げる保田である。保田が『古事記』『万葉集』後鳥羽院と古典を連ねるなかで見出していった連続性を実証的に裏付けることは困難であり、いわば、それは〈日本〉というひとつの神話の創成であった。ただし、西村が指摘するように、この保田の〈日本〉は「フランス革命やソシュール言語学、モダニズム詩学のポエジーなどの要素との関係性の中で構築されており、すでに〈非―日本〉に浸食され」（二一四頁）たものであり、その虚偽性を十分に理解していたからこそ、保田は「日本のイロニー」として日本浪漫派の主張を語ったのだろう。しかし、「日本」と実際に名づけたとき、「超越的に世界の成り立ちを語る〈神話〉は、〈親和〉の物語」（二一八頁）となり、虚偽性を見据えていたはずのイロニーもまた損なわれてしまう。このような「日本」の具体的な経験が、建築における行為概念の導入によって可能になったことを論じるのが第十章の笠原である。身体による建築の体験を叙述する堀口捨己の茶室の記述や浜口隆一の「日本国民建築様式」を確認した笠原は、行為という身体の経験から建築を捉えることは、「日本の固有の空間に、国民の身体そのものが同化する」(二七一頁)回路をもたらすものであり、ナショナリズムへと接近するものであったと指摘する。また、「日本」や「国家」を語ることで、自らの思想に軛をかけてしまったのは、第五章で論じられる小原も同様である。子どもたちの「個性」を伸ばすべくおこなわれた「出来事としての授業」の実践は、授業のなかで普遍的な意味をあらかじめ設定することなく、出会いにおいて生まれる差異やズレが響き合うことで、個々の子どもたちが真理の意味をゆっくりと形づくっていくという魅力的なものであった。しかし、このような教師自身が試されることになる実践の背後には、国家から個人までを包摂する〈生命〉という普遍が設定されていた。こうして、小原の教育思想は個性の発展を謳いながら、国家主義的訓育の強化を可能にするものになっていったことを岡部は明らかにする。

自らも時代の中に生きる人間として、歴史を振り返りながら、普遍的事象に近づこうとする論者たちの試みのあと、編者の伊藤は「あとがき」で改めてこう問いかける。「歴史を観察する者が、当の歴史過程に対してどのような位置に立っているのかと考えてみたとき、過去から切断され歴史を外部から眺める非歴史的な空間、いってみればレンズのこちら側のシェルターに観察者が佇んでいる可能性はないだろうか。……「作る」ということへの着目は、元来、そうした可能性の回避をも命ずるものであったはずなのだが、はたして本書の編集は、それをどこまで具現できたのだろうか」(二九二―三頁)。歴史のなかで作られたものの虚構性を撃つとき、糾弾する側がある種の特権的な位置に立ってしまう危険性が生まれるのは否めない。特権的な位置に立たずに、己れの立つ場所をも捉え返すような語りはいかにして可能なのか。伊藤はその難しさを口にするが、私はまさにこの本のスタイル――問題意識を共有する様々な研究者たちの共同研究――がそれを可能にしているのではないかと感じる。たしかに、個別の論文の圏内に止まるかぎり、伊藤の指摘する問題点をクリアするのは容易ではないだろう。しかし、一章の漱石論が六章の三木論で深められ、三章の萬論が七章の中井論で別の可能性を与えられたように、ここにある論文はそれ単体で完結することなく、他の論文へと繋がり、そのなかで新たな側面を見せてくれる。全体としてこの論文集をみたとき、あたかも論文同士の対話があるかのようであり、このポリフォニックな言説の有り様は、たとえば、中井の考えた対話によって秩序の形成を目指す「委員会の論理」を彷彿とさせる。研究者は、論文集を前にすると、とりあえず必要な論文だけを読み、論文集それ自体のコンセプトを疎かにすることがないだろうか。一方でそれは、論文集が単なる論文の寄せ集めになっていることが多いことの証左でもある。しかし、本来、共同研究をおこない、論文集を編むということは、ジャンルを横断しながら、自らの視点を相対化しつつ、そのなかで普遍的事象へと近づこうとする営みであるはずだ。その意味で、『作ることの日本近代』はあるべき論文集の面白さを教えてくれる。もちろん、ポリフォニックな言説のあり方だけで、編者の伊藤が提示した歴史を分析する特権的視点の問題を解決することはできない。だからこそ、「作ること」をめぐる研究は、現在「一八九〇－一九五〇年代日本における《語り》についての学際的研究」へと引き継がれている。次なる彼らの取り組みで、どのような「語り」の形が明らかになるのだろうか。その期待を胸に書評を閉じたいと思う。

第二章　押韻という夢
――ロゴスからメロスへ――

序

一九四一（昭和十六）年に九鬼周造は亡くなった。最後の著作として『文藝論』が残されており、それはこの書の為に「あまりに無理をして健康を害してしまった、しかし『文藝論』を完成し校も略々すんだから死んでも更に憾むところはないと語った」（五・一五二）[1]と親友天野貞祐が証言するとおり、名実ともに彼の生涯をかけた作品となった。そのなかでも特に彼が心血を注いだのが同書の約半分を占める「日本詩の押韻」であったことは間違いない。押韻をめぐる問いは九鬼にとって一朝一夕に生じたものではなく、その原型がすでにパリ滞在時（一九二七年）に完成していたことからもわかるように、生涯通じての問題であった。九鬼が哲学研究のかたわら、多くの詩や短歌を詠んだことは知られているが、そこには常に「押韻」を問い、詩的言語の可能性を探る彼の姿がある。だが、なぜ彼はそれほどまでに「詩的言語」を求めたのか。彼は「押韻」が開く「詩的言語」の可能性によって何を目指していたのか。それは決して彼の哲学におけるメインテーマ「偶然性」の問題と無関係ではない。偶然性が成立する刹那を理論的に追究したものが『偶然性の問題』とするならば、偶然性の具体的次元を可能にする一つの実践方法として九鬼が求めたのが詩、そして押韻ではなかっただろうか。このような観点から、本論文では「日本詩の押韻」を分析することで、九鬼哲学における「詩」そして「押韻」の位置づけを明らかにし、それによって目指された具体的次元を分析していく。それは同時に彼の詩論、更には言語観に潜む問題点を暴き出すことになるだろう。

1　『日本詩の押韻』という試み

(1)『日本詩の押韻』概要

『日本詩の押韻』にはいくつかのヴァリアントがある。まず一九三一(昭和六)年、『大阪朝日新聞』に掲載された「日本詩の押韻」(全集五巻で「日本詩の押韻〔A〕」)、更に同年、岩波講座『日本文学』に発表された「日本詩の押韻」(全集五巻で「日本詩の押韻〔B〕」)、そして、一九四一(昭和十六)年、単行本『文藝論』に収められた「日本詩の押韻」(全集四巻)。「日本詩の押韻〔A〕」は日本に帰国後書かれた新聞向けの簡単なものであり、その下敷きとなっているのが、「日本詩の押韻〔B〕」である。これは一九二七年、いまだパリにあった九鬼が書いた草稿をもとに書き直されたものと九鬼自身がことわっている。この「日本詩の押韻〔B〕」と『文藝論』に掲載された「日本詩の押韻」は十年以上の歳月を経て、作品引用における増補改訂が多くなされているが、基本的な理論において変更はないと言えるだろう。つまり、彼はパリ時代から一貫して押韻に関するスタンスを変えていない。それゆえここでは最後の「日本詩の押韻」を基本としつつ、その他の押韻論も適宜利用していくことにする。

さて、九鬼はこの書で押韻を用いた律格詩の可能性を探っていくのであるが、彼にとって律格詩と自由詩は全く性質を異にするものであった。自由詩とはおのれの「感情の律動」にしたがって「主観的事実」を歌うという意味で「現実の世界」（四・二二六）にあるのに対して、韻や律という客観的規範に縛られる律格詩は「主観的現実を離れて客観的自由の境を創造しようとする純芸術的努力」（四・二二七）であり、「現実を超越した純美と自由」（四・二二九）によって新たなる「世界を創造すること」を目指す形であった。客観的規範に縛られることで自由が可能になるという議論は、道徳律に従うことに自由の根拠を求めるカント的な「自由」のあり方を想起させるものだが、カントが道徳において最高善を目指したのに対し、九鬼は律格詩において客観的規範に縛られることで「現実を超越した純美」を目指す。「現実を超越した」と言うように、彼にとって律格詩とは何よりも主観的現実を超えたところに成立する「超越性」にあった。これに対して「自由詩の自由は恣意に近い」（四・二二六）という言葉のうちには、自由詩は主観的な感情をあるがまま／そのままの「自然」のリズムで歌うだけであって、それは単なる自然主義的な現実描写にとどまり、現実の根柢にある超越的世界を表すことはできないという冷ややかなものを感じる。そのようなものは彼にとって「感情と言語のありふれた平凡な塊り」（四・二二八）にすぎなかった。たしかに、彼は「或る時は現実の放埒に耽溺し、或る時は律格の自律に高踏するのもよい」（四・二二九）と両方の詩形を認めているようにも見える。だが、偶然性を生涯のテーマとし、偶然性を問うことは「形而上学である」と言い切る九鬼にとって、「超越性」を有する律格詩こそが理想に近いものだったのは明らかだろう。彼にとって律格詩こそ「形而上的要求」を充たすものであり、さらに韻律は「哲学的の美」であると言う。なぜなら、「音色と音色との間に響く木魂の問答」（四・二三三）たる押韻こそ、言語の音楽性を開くものであると同時に、押韻そのものを構成する言語の偶然的関係はその偶然性ゆえに私たちに現実を越えた驚きを与えるからである。(2) まさに「詩」とは押韻という言語の偶然的音楽によって超越的次元を垣間見させるものであると九鬼は考えた。それは哲学の超越的次元の眼差しと重なりあうものであり、だからこそ彼は「詩は言語によって哲学し音楽する芸術である」（四・二三三）と宣言し、「偶然に対して一種の哲学的驚異を感じ得ない者は、押韻の美を味得出来ない」（四・二三一）とまで言い切っているのだ。

ところで、新体詩の発足以降、詩の形をめぐる議論は広くなされてきた。だが、奇妙なことにその議論の大半は音数律をめぐって交わされており、韻について語られることはほとんどなかった。定型から自由詩へと言うときも、韻が問題ではなく、音数律の縛りを解除することが目指されていた。なぜ、韻が問われることがなかったのか。それは当時の詩壇において「「脚韻等の効果の有効でない」ことを自明のごとく述べ」（四・二五〇）られていたからである。九鬼が指摘するように生田春月や三好達治といった押韻不可能論者は三つの点から韻を却下する。第一に文字の問題、第二に音声学的な問題、そして最後に日本語における文の構造の問題。第一の批判は、日本語の仮名が子音と母音による複音であって、母音子音を単体で表現するローマ字と比べると日本語は仮名が子音と母音による複音で成立しているため、聴覚で受け取る情報と文字の間の連関がわかりにくいというものである。それに対して九鬼は「聴覚的事実たる韻の応和が視覚上に表されていることが韻の発達の必要条件でないことは漢詩に押韻の成立したことを見ても明らかに了解される」（四・二八六）と否定する。次に音声学的な問題というのは、日本語において母音と子音がほぼ同数であるため、韻が単調になるという点、並びに日本語には抑揚がないため、韻の効果が薄いというものである。だが、「脚韻がそんなに強く響く必要がどこにあるのか。余り強く響いて余りにあらわになるよりは、むしろ幽かに響いて半ば蔽われているほうが、却って日本人の美的要求に応じているのではないか」（四・二九七）と弱点こそが日本詩における魅力であるという反転をおこなう。更に用言や助詞ばかりが句尾にくる文の構造の弱点については、そもそもそのような弱点は日本語だけではなくドイツ語やフランス語にも存在すると指摘した上で、体言止めの使用を促している。

こうして九鬼は日本語でも押韻が可能であることを定義づけた上で、具体的な押韻のあり方を「韻の量、韻の質、韻の形態」（四・三二二）と分け、古今東西の詩と日本の詩を比較して細かに分析していく。たとえば、韻の量については「かしら衝く日に近き山（a）／山の尾に木なす高草（a）／其陰に親猩々は（a）／子を抱きて眺め居る空（a）」（四・三三七）というように単に母音のみが対応する「単純韻」は、日本語が母音を五つしか持たないゆえに不十分であり、「是非とも二重韻が典型的のものとして立てられなければならない」（四・三五五）と訴え、具体例として「昔に帰るこころ（koro）／之も円き石ころ（koro）」（四・三五三）という岩野泡鳴の詩を引用している。さらに「韻の質」では韻の応和における音の過不足について論じる。たとえば、多すぎる例として「「小松内大臣」と「駒繋いだ異人」」

（四・三六五）を挙げ、これはあまりに多いゆえ、美というよりも滑稽だとしている。逆に「海行かば水漬く屍／山行かば草むす屍」という詩句の「応和の性質は同音異義の場合と正反対に偶然性を極限まで減じたもの」として「韻の代用」（四・三六六）と位置づけている。そして最後に「韻の形態」の分析が来る。そこで扱われるのは、何行の詩を作り、そのうちどこで韻を踏むかという問題である。代表例として挙がるのが、二対の二句で韻を踏む「四句押韻」と三句から成る一連を作りそこで韻を踏む「三句押韻」(3)である。そして、この両者を組み合わせて成立するのが十四行詩「ソネット」であり、「僅かに十四行のうちに押韻の根本形態たる四句押韻と三句押韻とを具現して音韻の美を余すところなく発揮する」（四・四二二）ソネットこそが理想の詩形と九鬼は称揚する。さらに「私はまさしく押韻という点でソネットに意味を認めるのである。……我々が日本詩にソネットの厳格な脚韻を踏みとおした場合、それは単なる模倣以上に意味を有たないであろうか。単なる「好事家」の関心事にとどまるであろうか。私にはそうは考えられない」（四・四二一－二）として、ソネットを日本の詩に導入することこそが定型押韻詩への道を開くと訴える。

ここで注意しなければならないのは、「韻の形態」の分析以前まで一貫して日本の詩と西洋の詩を対比的に捉えていた九鬼が、ソネット導入を論ずるに際して、一転、東洋と西洋の隔たりを越えて、日本へと回帰していく点である。いわく「十四行詩として見るべきものは萬葉の長歌にはいくらでもある」（四・四二二）と述べ、人麿の長歌「八隅知し吾大王の／聞し食す天の下に／国はしも多にあれども／山川の清き河内と／御心を吉野の国の／花散らふ秋津の野辺に／宮柱太しきませば／百敷の大宮人は／船竝めて朝川わたる／舟競い夕川わたる／この川の絶ゆることなく／この山のいや高知らす／水激る瀧の都は／見れど飽かぬかも」（四・四二二－三）をその典型例として提示する。そのうえで「押韻の萌芽はわが国の詩歌の中に存していると見なければならない」と独自の意見を展開し、この「長歌や旋頭歌や今様」という日本詩における押韻の可能性を孕んでいたものが、「空しく可能性を抱いたまま亡びたことは押韻の発達にとって甚だ惜しむべきこと」（四・四三九）であるが、「韻律の無いところには言霊は宿らないというのが我等の祖先の信仰であった」（四・四四三）と結論づけるに至る。

こうして彼は最終的に日本詩において押韻が可能であることを、日本における古典の詩歌を典型にとることで明らかにするのであるが、結論として出されるのが以下の言葉である。

与えられた可能性を与えられるべき現実性に展開せしめ、匿された潜勢性をあらわな現勢性に通路させせればよいだけである。またこの使命が果たされたときに、すなわちロゴスがメロスとして目覚めたときに、初めて「言霊のさきはふ国」ということが、世界にむかって聊かの欺瞞なく云われ得るのである、詩は日本性と共に世界性に於いて自覚しなければだめである（四・四四九）

「ロゴスがメロスとして目覚める」こと、これこそが九鬼が『日本詩の押韻』において目指した地点であったと言えるだろう。しかし、「ロゴスがメロスとして目覚める」とは一体どういう意味なのだろうか。そして、なぜそれが「押韻」によって可能になるのだろうか。それを解くためには九鬼が「押韻」に込めた独自の意味を知る必要がある。

（2）押韻の起源へ

古典の詩歌へと回帰していくなかで九鬼は押韻の原型について語っている。彼によれば押韻の原型は『古事記』に登場する伊邪那岐、伊邪那美が互いに呼びかけ合う「あなにやし愛少男を／あなにやし愛少女を」（四・三七四）という二句の応和であると言う。押韻が同一の音を複数の語の間で響かせることである以上、二句の応和が基本であるのは当然である。だが、彼は何よりも、その二句の応和が伊邪那岐、伊邪那美相互の「二元の応答」（四・四三二）である点に注目し、押韻の起源としてペルシアの伝説を参照する。

ササン朝のバーラム（又はベーラム）王がディレラムという美しい侍女を寵愛していた。王は彼女にものを言うとき常に「ディレラム」と云って語を結んだ。彼女はそれに答えるとき常に「大君バーラム」と云って句を結んだ。かくして押韻の法が起こったのだという（四・四三二）

呼びかけ合う自己と他者の相互関係、「二元の応答」のうちに九鬼は押韻の起源を見る。それは彼にとって押韻の起源であると共に、押韻が開く超越的次元の具体的姿でもあった。このことに関しては冒頭部分ですでに次のようなことを述べていた。

浮世の恋の不思議な運命に前世で一体であった姿を想起しようとする形而上的要求に理解を有たない者は、押韻の本質を、その深みに於いて、会得することは出来ないと云ってもよい。押韻の遊戯は詩を自由芸術の自由性にまで高めると共に、人間存在の実存性を言語に付与し、邂逅の瞬間において離接肢の多義性に一義的決定を齎すものである（四・二三二）

押韻の本質を捉えるためには、自他関係の深みを知り、そこに宿る「形而上的要求」を理解する必要がある。このような考え方は押韻を単に言語の偶然的音楽と考える立場から大きく離れており、一般的な文学論の枠組みから理解することは難しいだろう。だが、押韻の起源をわざわざ「二元の応答」に求めた理由を知るとき、九鬼が一体、押韻の偶然性によってどのような超越的次元を開こうとしていたのかが明らかになる。そもそも押韻を「二元の応答」の呼びかけあいと言う以上、それは単に二句の応和を意味するのではなく、その二句を発する異なる二人が存在することが想定されている。そして、あらゆる人間は出会うことから関係を築くのだから、その異なる二人も「独立の二元」として「邂逅」した者同士であるはずだ。九鬼は「二元の応答」と言うとき、それを語り出す異なる二元の出会いを前提にしており、押韻はその二元を開くものであった。それゆえ、押韻の偶然性が垣間見させる超越的次元とはその邂逅の刹那に宿る奇跡と不思議、自他の出会いを支える形而上的背景であったと言える。だからこそ、「恋」という際立った他者関係、邂逅の刹那を知る人間こそが、二元の応答たる押韻を深く理解する資質を有する者なのである。

以上より、押韻が二句の応和によって響かせるのは、出会いの奇跡であり、このとき押韻は「音色と音色との間」に開かれるものを越えて、自己と他者のあいだで響きあう言葉となることが明らかになった。このような押韻観は極めて特殊なものである。もはや九鬼がここで語っているのは、具体的な文学作品としての「詩」ではなく、実存的な詩的言語でしかないように見える。だが、なぜ九鬼は押韻の起源に二元を開く言葉のあり方を想定したのか。その背景にあるのは、今まで見てきた九鬼の個体と他者をめぐる議論である。

2　呼びかけとしての押韻

(1)「呼びかけ」としての間柄

さて、押韻の原型として伊邪那岐、伊邪那美の呼びかけが提示されたが、この呼びかけのあり方は押韻の原型であると同時に、「間柄」の起源として九鬼が注目したものである。「間柄」というと和辻哲郎の『倫理学』における議論が思い出されるが、九鬼は和辻の「間柄」を全く逆の方向へと展開する。端的に言うと、和辻の「間柄」理論が役割を分有することで互いの存在の「あり方」を規定しあうことを目指すのに対して、九鬼の「間柄」は役割が規定するあり方以前の「存在そのもの」、つまり偶然に産み落とされたという生の事実性から自己と他者が関わることを目指すものである。

さて、九鬼が「間柄」について語るのは、『偶然性の問題』結論部と「人間学とは何か」においてのみである。特に「人間学とは何か」では和辻の間柄概念に「興味」[4]を示しつつ、伊邪那岐、伊邪那美の関係を手掛かりに読み替えをおこなっている。この二神は国を生み、多くの神々を生む起源たる存在として、男神・女神の夫婦という間柄において存在するものだが、九鬼が注目するのは夫婦という（和辻的な意味での）役割としての間柄ではない。彼らは夫婦である以前に何よりも、あらゆるものの起源としてただ二人で存在するものである。そのような白紙の状態で、彼らがいかにして自己意識を獲得するのか、その点に注目し九鬼は言う。「伊邪那岐命が「吾」と云われたのは、伊邪那美命に「汝」と云われた場合である。「吾」は「汝」との相関に於て成立するものである」(三・三六)。それは端的な「あなた」という呼びかけであって、「夫」への呼びかけではない。「あなた」とは私とは異なる者への呼びかけであり、私は他者に「汝」と呼ばれ、他者の他者となるとき、自らが独立の個体であることに気付き、その反省から「自己」を獲得する。その呼びかけは、既存の役割連関に則るものではなく、端的に他者がそこにいることを発見した驚きから生まれるものである。そして、その他者に「私とは異なるあなた」と呼ばれることで、自己は自らの存在そのものが有する特異性を知る。『偶然性の問題』結論部で九鬼が述べたように「個物の起源は一者に対する他者の二元的措定に遡る」(十・二五五)のである。たしかに私たちの生の起源には根源的偶然性に彩られた事実性が存在し、それはまぎれもない「私がある」という事実だが、人はそれだけで自らの事実的生を引き受けて個体として立ち、自己を獲得することはできない。自らの事実性を引き受けるためには、他者によって呼びかけられ、他者へ呼びかけることで、自らの存在を知ることが必要なのである。九鬼が提示するこの関係は、互いが存在することの事実性を開示し引き受ける間柄であり、それを可能にするのが「呼びかけ」なのである。その意味で九鬼が求めたのは「呼びかけの間柄」だったと言うことができるだろう。これに対し、和辻が提示する「間柄」は役割連関に基づき存在のあり方を一定の形へと規定するという意味で「規定的間柄」である。

私たちはみな偶然に生まれ落ちた者である以上、存在そのものの事実性へと向かう九鬼の「呼びかけの間柄」こそが、間柄の起源と言うにふさわしい。だが、無根拠な存在として生まれながらも、私たちは「この私」として行為していかなければならず、そのつどの行為は和辻が言うように役割連関の間柄に規定されることで可能となるものである。間柄の役割連関に則り行為することで、私の存在のあり方は作られ、積み重なっていく時間と記憶は「私の歴史」となり、更に私の存在のあり方を規定していく。役割連関が与える規定的間柄の意味は、生誕の起源に存在した偶然的事実性の上に幾重にも積み重なり、やがてそれは存在そのものが有していた事実性を遠くへ押しやっていく。それは忘却にすぎないとしても、日常はそのような意味の網目に捉えられ、事実性の無根拠を隠すことで安定するのである。そして、私の生は与えられた意味へと自閉していく。しかし、そのような規定的間柄の集積を破って、私を端的の偶然的事実性へと引き戻す瞬間がある。それこそが「他者と邂逅する刹那」であり、そこで私は「現在において吾に邂逅する汝の偶然性」（二・二五九）に出会う。私は自らの存在を間柄の行為によって形作ろうとすることはできる。しかし、他者の偶然性――すなわち他者の存在の事実性――は、私の行為による意味づけが届かないところに存在する他なるものである。他者の偶然性の前で、規定的間柄が紡ぎ出す言葉は一切役に立たず、意味の網目は引き裂かれていく。その裂け目において私は決して手を触れることも働きかけることもできない他者の存在、他者の存在の偶然性を痛感し、同時に、そのような存在と出会ってしまったという邂逅自体の偶然性に愕然とする。私が長きに渡って積み上げてきた私の存在のあり方を軽々と破壊するような一大事である邂逅、しかし、それ自体に根拠がないのである。それは計らずも私たちの生にまとわりつく偶然性を暴露し、起源にあった存在そのものの根源的偶然性を掘り返してくる。こうして隔たり押しやられていた生の起源たる事実性が他者との邂逅の偶然性によって掘り起こされ、互いの「存在」そのものの端的な偶然性が開示される。そのとき、自己は他者が役割における自己の片割れでもなく、絶対的他という超越的外部としてでもなく、ただ無の上を漂う同じような偶然性としてあることを知る。私の偶然性をあなたが引き受けたかもしれず、あなたの偶然性は私の身に降りかかることがあったかもしれない。自己と他者は無根拠な世界において生み出された偶然的存在にすぎず、その世界を構成する交換可能な等しい部分である。しかし同時に、互いに無根拠な偶然性の部分でありながら、出会うことができたという偶然の不思議がそこにはある。幾重もの偶然性が積み重なったこの事態は、決して規定的間柄の行為によって作ることはできない。人間の手が届かないその不可能性は自己と他者に事態の唯一性とかけがえなさを教える。そして、そのかけがえなさに気付くとき、私はそこに宿るあらゆる偶然性――他者の偶然性、出会いの偶然性、何よりも自己が存在することとの偶然性――に初めて自らを開くことができる。それは意味の網目が破られたその切れ目への呼びかけにおいて、互いの偶然性を感受し、それによって互いが自己と他者として切り結ばれていることを知るという行為である。

互いの端的な存在そのものへと開かれ向かい合う関係こそ、九鬼の考えた「間柄」であった。だからこそ九鬼は言う――「偶然性の実践的内面化は具体的全体に於ける無数の部分と部分との間柄の自覚にほかならない」のであって、「偶然を成立せしめる二元的相対性は到るところに間主体性を開示することによって根源的社会性を構成する」(二・二五八-九)。「呼びかけの間柄」とは偶然性によって意味の網目が破られ、「呼びかけ」によって自己と他者が現れる刹那に成立するところで切り結ばれる「根源的社会性」なのであった。

（2） ロゴスからメロスへ

以上から明らかなように間柄の起源たる呼びかけは、決して規定的間柄や日々の行為的連関のうちにあるのではない。それは他者の偶然性に出会い、無尽に張り巡らされた意味の網目が破れた地点でのみ可能なものである。日々の行為が役割に規定され、そこで使われる言葉も規定的な意味を与えるものとして「ロゴス」であるというのなら、意味の網目が破れた地点でのみ成立する呼びかけの言葉は決して「ロゴス」と呼べるものではないだろう。九鬼は根源的社会性における呼びかけの言葉において、「ロゴス」とは別の言語の姿を夢見ていた。

このような「ロゴス」を越えた呼びかけの言葉について九鬼は「情緒の系図」（『文藝論』で「日本詩の押韻」の直前に位置する）でも語っている。ここでは詩ではなく短歌の分析がおこなわれるのだが、短歌に表れる「もののあはれ」「あはれ」の感情について次のように言う。

> 萬物は、有限な他者であって、且また有限な自己である。それが謂わゆる「もののあはれ」である。「もののあはれ」とは、萬物の有限性からおのずから湧いて来る自己内奥の哀調に外ならない。客観的感情の「憐み」と、主観的感情の「哀れ」とは、互いに相制約している。「あはれ」の「あ」も「はれ」も共に感動詞であるが、自己が他者の有限性に向って、また他者を通して自己自身の有限性に向って、「あ」と呼びかけ、「はれ」と呼びかけるのである。（四・二〇二）

有限性とは単に人間の命には限りがあるという意味ではない。それは九鬼が「萬物が他者として自己に対する」（四・二〇一）というように、自己と他者が向き合うなかで気づかされる有限性、つまり自他が絶対的に隔たれた者同士として存在しているということを意味している。自他が絶対的に隔てられた者として存在しながら、互いに呼びかけるというこの事態は、まさに互いの抱える偶然性という届かなさにおいて切り結ばれた根源的社会性以外のなにものでもない。「あ」と「はれ」は、自他を切断すると同時に関係づける隔て／切れ目へと呼びかける感動詞なのである。「他者を通して自己自身の有限性に向って」呼びかけるとは、他者の有限性、端的な他者の存在へと呼びかけることで、自己の感受に至るということである。そのとき、他者へ呼びかける感動詞は、何らかの意味を運ぶ言葉（ロゴス）であるというよりもむしろ、単純に他者へと発される声、あるいは響きではないだろうか。九鬼が短歌における「もののあはれ」を取り上げるのは、それが「二元の応答」として根源的社会性の場所を開き、呼びかけの響き合いを可能にするからであり、「あ」と「はれ」は感動詞として「呼びかけ」の最もシンプルな形だったからと言えるだろう。

だが、感動詞は呼びかけることはできても、分節化された意味内容を伝達することはできない。ロゴスではない言葉で、それでも他者へと呼びかけ、語るためにはどのような言葉が可能なのか。豊富な意味を運びつつロゴスを超える言葉のあり方、それこそ九鬼が「二元の応答」を問うなかで手にした課題だった。これに対し、押韻による詩的言語は、出会いの奇跡を表現すると同時に二元の間で響きあう言葉として、この課題を解決へと導くものである。だからこそ、彼は押韻を単なる修辞ではなく「ロゴスをメロス（歌）として目覚め」（四・四四九）させるものであると語ったのだろうし、それによってロゴスを超えた言葉のあり方を目指したのではなかったか。

（3）ロゴスを越えた言葉とは

こうして九鬼が押韻の詩的言語によって目指したのが、根源的社会性を開き、他者へと語りかける言葉であったことが明らかになった。ところが、先に見たように「ロゴスがメロスとして目覚め」たあとにやってくるのは、「言霊のさきはう国」であり、世界性をもった日本の詩の姿であった。そこに九鬼のナショナリズム的傾向を捉えることはたやすく、また批判すべき点である(5)。だが、ここではそれよりも「メロス」の先に「言霊」を持ち出すときに露わになるロゴスを超えた別の形の言語の実相を分析することで、彼の言語観の問題点を明らかにしたいと思う。

さて、「言霊」とは霊力を宿した言葉のことであり、その力が働くことで、語られた言葉通りの事象が起こると古代において信じられていた。そして「言霊のさきはう国」とはそのような霊力によって人々が幸せに暮らす国（つまり日本のことだが）を指すのだが、その国では言葉が他なるものへ直接働きかける力を持っていると想定されている。言語と事物が一体になったところに言霊は成立し、言霊によって表現は事象をそのままにあらわすことが可能になるというわけである。いわば「言霊のさきはう国」において、事象と言葉のあいだに隔たりはなく、自己と他者、あるいは事物は言葉によって直接的に繋がることができる。それは通常、言葉が「表現するもの」として、常に「表現されるもの」とのズレを孕まざるをえないのに対して、ズレのない完全な言語であると言えるだろう。九鬼が押韻の呼びかけの先に「言霊のさきはう国」を夢想するとき、その根柢に垣間見えるのは、このような自他を直接に繋ぐ完全な言語、始原的な言葉への憧れである。

だが、そのような願望を直裁に自著において語ることができる九鬼は、あまりに言葉というものを素朴に信頼しすぎているのではないか。そのような素朴な信頼は「国語の音楽的可能性を発揮させて詩の純粋な領域を建設すること」が詩人の使命であり、「それには既存を回顧して伝統の中に自己と言葉とを確実に把握すればよい」（四・四四九）と言うとき、純粋な領域への通路として、伝統のうちに理想的な「言葉」が存在していることを前提していることからも窺える。同時にまたそれは、「根源的社会性」で自他の切り結びを捉え、「情緒の系図」において隔てへと呼びかける感動詞を取り出しながら、互いの有限性へ呼びかける「もののあはれ」において「同時に萬物が自己と一つに融け合って来る」（四・二〇二）と語り、「もののあはれ」の応答が自己と他者を直接に繋ぎ、「一つに融け合う」ことを可能にするものであると疑っていないことにも表れている。ここにも九鬼の完全な言語への志向が見え隠れしており、言葉が様々な形で孕む「ズレ」や「隔たり」への観点を彼の思索のうちに見つけることは難しい。端的に言うならば、彼にとって言葉とは「切断」するものではなく、むしろ「繋ぐ」働き——たとえば純粋な領域たる伝統へと繋ぐ言葉であり、呼びかけることで自己と他者を繋ぐ言葉——であったと言える。たしかに、言葉を一定の意味を担う伝達手段、いわばロゴスとして考えるなら、言葉とはズレを内包しつつも、自他のあいだを繋ぐものである。だが、九鬼は押韻の根柢に自己と他者の出会いの場を捉え、その出会いは偶然性の顕れとして意味の網目を破って一般的なロゴスの働きを破壊するものであった。つまり、偶然性において自己の持つ言葉は、自他を繋ぐどころか、機能不全に陥ってしまうのである。だがしかし、そのように言葉で他者を捉えられないところこそが、「真の意味の個体性」を成立させる「二元の応答」がおこる場所ではなかったか。それは単に自他を「繋ぐ」言葉ではなく、むしろ他者を捉えることができず、その「切断」においてこそ現れる言葉だろう。だからこそ、九鬼も一旦は互いの有限性に向かって「あ」と「はれ」と呼びかけると言ったのだし、ロゴスを超えた言葉の形を求めたと考えられる。ロゴスではない別の言葉を求めるなら、むしろ彼はこの隔てにおける呼びかけに立ち止まり、言葉の持つズレや切断面を問うべきではなかっただろうか。

結

本論文の序において、九鬼にとって押韻詩とは偶然性の具体的次元を可能にする実践方法であると述べた。実際、押韻の起源に「呼びかけ」の間柄を見るとき、彼はそこに偶然性が開く自他関係の具体的姿を重ね合わせていた。この偶然性が開く「呼びかけ」の間柄は、どこまでも「独立の二元の邂逅」なのであって、決して一元に辿りつくものではない。だが、押韻のその先において「言霊のさきはう国」と言い、自他を繋ぐ言葉を夢見るとき、九鬼の押韻論は「独立の二元」というあり方を踏み外し、偶然性の分裂に宿る「真の意味の個体性」と「根源的社会性」の姿を歪める危険性に陥ってしまった(6)。その背後に見え隠れするのは、素朴な言葉への信頼と完全な言語への憧れである。だがそもそも、自己と他者を直接に繋ぐ完全な言語など可能なのだろうか。表現と表現される対象、そして表現する主体のあいだには必ず常にズレがある。ロゴスと呼ばれるものが、「意味を規定する」ことで、そのズレを隠蔽して表現の安定化を図るものであるとするならば、むしろ「ロゴスを越えたもの」である「メロス」は、そのズレを暴くものであるべきではないのだろうか。そう考えるとき、九鬼の押韻論とは具体的次元をもたない「夢」にすぎなかったと言わざるをえないのである。

（1）『九鬼周造全集』（岩波書店・一九八〇）からの引用に際しては引用箇所のあとに（巻号・頁数）と示し、旧漢字・旧かな使いは新字に改めた。

（2）しかしながら、押韻とは意図をもって作られるものであり、そのようにして作られた二句の応和が「偶然」と言えるのか、疑問が残るところである。

（3）もちろん、二句と三句の韻を組み合わせた五句押韻や三句と三句からなる六句押韻についても九鬼は触れているが、ここではその基礎となるものとして四句押韻と三句押韻を挙げた。

（4）「和辻哲郎氏が人間を原本的に人と人との「間柄」と見たことは、ルヌーヴィエが一切の範疇の根源に「関係」を置いたことと共に興味ある見解である」（三・三七）

（5）これに対して、坂部恵は九鬼の押韻論において「真にひらかれた文化多元論の思考が、一貫して貫かれている」と述べており（坂部恵『不在の歌――九鬼周造の世界』、TBSブリタニカ、一九九〇年、二〇〇頁）、また君野隆久も「「言霊のさきはふ国」としての日本を顕揚すること――詩人という存在を国家と直結しようとするこの言説には、『「いき」の構造』を「日本的性格」に変質させた閉鎖的民族主義の片鱗を透かし見ることができる。だが同時に「散文的危機から今日の詩壇を救うこと」という語句が注意をひく」としてそこに詩壇への危機感を読み取り、『日本詩の押韻』において「単純な国家主義イデオロギー」への転落はないとしている（君野隆久、前掲書、一九八―二〇〇頁）。しかし、押韻の萌芽を日本に見て、ソネットを旋頭歌のうちに捉える九鬼の態度を文化的多元主義と言えるかどうかは甚だ疑問である。

（6）ところが先行研究においては、九鬼の押韻論こそが一連の偶然性をめぐる問題の完成形ではないかという意見がしばしば見られる。例えば、前掲の磯谷孝「偶然性と言語」、田中久文「偶然性の問題――もう一つの可能性」が挙げられる。このような意見はその深層にある「言語観」と「偶然性」をめぐる齟齬を見落としていると筆者は考えている。

【書評】

佐藤康邦・清水正之・田中久文編『甦る和辻哲郎――人文科学の再生に向けて』ナカニシヤ出版、一九九九年

本書は「甦る和辻哲郎」と題されている。しかし、和辻哲郎は日本人の心の中で甦る日を待ちつつ気長に生きていたのだろうか。頭の片隅にでも、和辻哲郎を哲学者として記憶している人がどれほどいるのだろうか。もはや「戦後」は遠くにある。いつしか日本人は今を生きることに追われるようになった。ただ刹那的な今を楽しむため、思考することを、哲学を放棄した。取り残された哲学は自分たちのまわりに柵をたて、小さく身を守ることをし始めた。哲学は今を生きる人々にとって、どこか別のところで細々と営まれているものに過ぎなくなった。本書は編者たちが言うように「抵抗」などではなく、むしろ、そのようにして哲学から離れていった人々に対して和辻哲郎の全貌を見せることにその役割があるのではないのだろうか。

本書の副題「人文科学の再生に向けて」にはまさにそのような意図が込められているように思われる。人文科学、いやむしろ学問一般にパワーがなくなったと言われて久しいが、その理由はしばしば指摘されているとおり「学問の細分化・縦割り」にある。もちろん、飛躍的に進歩する科学的領域において、その専門化は不可欠であるのだろう。しかし、哲学や倫理学の領域において細分化が進むことは、「知

を愛する」という本来の姿から離れることに通じる。哲学を知らない多くの人は、哲学に対して「知の愛し方」を期待しているにもかかわらず、彼らが実際の哲学に見るものは「現象学においては～」「分析哲学では～」という謎めいた細分化である。今、和辻の業績を振り返って最も感嘆することは、展開された論の広範さである。「間柄」を機軸にし、美術・宗教・地理・経済等々を含みこみながら、主著『倫理学』は展開されていく。そこには忘れられかけている「知と生のダイナミズム」がある。

前置きが長くなったが内容に入っていこう。和辻が批判的文脈で語られるとき、そこには常に和辻が立つ場所の狭さが問題とされる。例えば、「日本主義者」である、「日常的生にとどまっていて実存的生には至っていない」というように。本書は、その批判への回答として、「和辻倫理学と現代」「和辻にける多元主義的文化論」「日本論のなかでの和辻」「外国人日本研究者から見た和辻」「和辻哲郎の今日的意義」という五部構成を採っている。以下、その回答の試みとして諸論文を追っていく。

まず、和辻が日常的生にとどまっているにすぎない、という批判に答えるのは、片山洋之介氏の「日常性と倫理学」である。片山氏は頽落態として日常をみることに対して、日常のゆらぎ、日常の豊かさを主張する。そして、その豊かさの源となるものこそ、和辻倫理学に現れる間柄の構造であるという。間柄とは社会と個人との絶え間ない否定的連関の運動であった。その運動のやまぬことこそが、「絶対的否定性（空）」と呼ばれるものであり、和辻の考える間柄の姿である。にもかかわらず、私たちは日常において、しばしば惰性に引きずられていずれかの項にとどまろうとする。間柄は、止まってしまった私たちに対して、理想の真実へと変わる。そして、動き続けることを拒否し、惰性にとどまろうとする私たちに「空ぜよ」という当為として現れる。「空ぜよ」という当為は惰性をうち破り、隠蔽しようとする意志を否定する。そのとき、私たちの生きる日常は決して頽落態として生を隠蔽するものではない。私たちの足下には、常に裂け目のように否定性が開いている。私たちの日常はその否定性と目を背けようとする想いとのあいだでゆらぎながら存在していると言えるのではないだろうか。片山氏の論考はまさにその日常のゆらぎを指し示している。

次に、「日本主義者和辻哲郎」への反論としての「和辻哲郎における多元主義的文化論」という試みをみていく。確かに和辻は「日本」という現象に固執した。しかし、日本人である私たちは「日本」という現象から離れることができるのか。田中久文氏が「和辻哲郎における「国民道徳論」構想」で述べている「みずからは民族や国家の外側に立っているかのような幻想に基づいて、和辻を批判するだけでは問題の真の解決にはならないはずである」という指摘から私たちは問いを始めるべきではなかろうか。如何にして特殊を越えて、普遍へと至るのか。これこそが、人間存在の時間性（ハイデッガー「存在と時間」）に対して空間性（風土）を発見した和辻にとって、立ち向かうべき課題であったはずである。その解決のために和辻が選んだ道は、「国家や民族の問題を正面から受け止め、あえてその内部に入り込むことによって、内側からそれらを開かれたものに再構築していこうとするもの」であった。そうであるとするならば、一般的に「日本回帰」と捉えられている数々の和辻の著書は違った見方をするべきではないのか。佐藤康邦氏の「西洋の呪縛からの解放」はその問いを巡って展開される。氏によれば、和辻の『古寺巡礼』は「日本回帰の書」として悪名が高いが、そこには「真の普遍を求める」態度が貫かれているという。『古寺巡礼』に多くなされる批判は、まずこの書を「日本回帰の書」として規定した上で、和辻がその回帰の先として目指した飛鳥・奈良の仏教美術は渡来人の手によって担われていたものであって、真に日本的なものの発露などではないというものである（代表として津田左右吉があげられる）。しかし、と佐藤氏は主張する。「彼（和辻）にとって真に優れた日本の芸術作品とは、決して地方的特徴として日本的特徴を備えたものなどではなく、あくまでも国際的に開かれた、ということは、取りも直さず近代の表現としても通用する、その意味で普遍的性格を体現するものでなければならなかったということである」。このとき、自国にしがみつくナショナリストではなく、多文化に目を開く文化相対主義者としての和辻の姿が浮かび上がる。

このような和辻のあり方を『国民道徳論』にそって取り上げているのが、先の田中久文氏である。氏は和辻の目指した国民道徳とは、一国の中で閉じてしまうものではなく、常に普遍的道徳と表裏一体のものであるという。確かに、普遍的な道徳原理は、国民という立場を超えたところにある。しかし一方で、具体的な人間は風土に縛られ、国民としての性格を失うことはない。普遍的道徳原理が現実に働くとき、「それぞれの国民のもつ文化的背景の違いによって、異なった形態をとる」のである。

一定普遍の原理が、各国それぞれの形態をとって表されているという考え方は自国以外の文化を受け入れる立場に繋がっていく。その側面をさして、田中氏は「文化相対主義の主張とも似た面をもっている」と述べ、その根拠として『風土』で展開される他文化理解の前提としての「旅行者」の視点をあげている。和辻によれば、「人間は必ずしも自己を自己において最もよく理解し得るものではない」。モンスーン地域の人間は沙漠という「他」と遭遇することで、その差異を通して、自己のモンスーンのあり方を自覚するのである。このように自己の変容を伴う点に、田中氏は他文化理解、そして「文化相対主義」の核心を見出している。

しかし、ここで一つの疑問が浮かび上がる。和辻は沙漠という「他」に遭遇すると述べているが、「旅行者」という視点は本当に「他」と遭遇することができる立場なのであろうか。旅行者にとって出かけていった土地は本当に「他」であるのか。和辻が沙漠を「他」と感じるとき、そこにはエスノセントリズムとエキゾチズムがこっそりと侵入してはいないだろうか。その「他」は自己の全てを暴き出す大きな鏡などではなく、手で持てるくらい小さな鏡にすぎず、和辻は自分の見たいところだけを映し出してはいないだろうか。多文化にまたがって研究することを余儀なくされた民族学者であるクラウス・P・ケピングは旅行者と民族学者の違いを自著のなかで以下のように述べている。「旅行者は外の生活とはまだらに接触するだけであるが、民族学者はこの異質な生活様式に浸り込む」。「旅行者は外でも基本的には自分自身を再生産する形で再発見したいだけで、他者を見出そうとはしない」。

和辻が述べた「旅行者の体験における弁証法」とは、まさにこの「自分自身を再生産する形」ではないだろうか。そのとき、自己が得るのは自らと地続きの基盤から見られた差異、最終的に自己へと解消される他であって、回復しようのない「裂け目」としての絶対的「他」などではない。しかし、「断絶」を有さない他者を私たちは「他」と呼べるだろうか。

ここには多くの論者が指摘している和辻倫理学の原理に関わる問題がある。それが、上でも疑問とした「他」の在り方である。本書では、熊野純彦氏が「人のあいだ、時のあいだ」において、和辻倫理学の「信頼」論に欠如する「他者性」について言及している。和辻にとって「信頼」とは「最も日常的に」存するものであり、裏切りという行為も信頼を前提としてなりたっているものである。熊野氏によれば、この「信頼の根拠」となるのは「他者の人格の同一性を承認することにおいて時間を超えること、あるいは現在と未来との差異を超越すること」である。例えば、私たちが他者と約束を交わし、それを信頼するとき、「不確実な未来を先どり」するように。しかし、人格の同一性や不確実な未来がなぜ信じられると和辻は言うのか。それは、和辻時間論における「過去こそが未来である」という主張に依る。つまり、私たちが友人の家に向かって歩いているとき、現在の歩行を規定しているのは現在の意識ではない。それは「あらかじめすでに」決定されている。というのも、次に来る未来はただそれだけでは存立せず、必ずすでに存している過去の間柄によって規定されており、したがって「現在の歩行は過去としてある未来に規定せらるるもの」であるからである。この「あらかじめすでに」という過去に浸透された未来が和辻の「信頼」観を規定している。しかし、熊野氏はこの和辻時間論には決定的に欠けているものがあるという。それは「「消滅の原因」として、時間が有するいわば悲劇的な性格」、つまり「時間そのものを連続させるかにみえる〈いま〉は、同時に時間それ自体を断絶し、反復不可能な未来をつくりだしている」という事実である。その〈いま〉と未来の断絶こそが、他者の他者性そのものであるとき、やはり和辻には決定的に「断絶」としての「他」という視点が欠けていたのではないだろうか。

この「他」が疑問に付されるとき、もう一つの問いが生まれる。それは、文化相対主義の文脈上で「普遍」はどのように語られるべきか、ということである。文化を相対的、動的に捉えようとする場合、そこから導き出される「普遍」とは何ら実体的なものではなく、フレキシブルでなければならない。和辻を文化相対主義者として捉える際、この点こそ最も重要となるのではないのだろうか。というのも、和辻が「倫理学」において人間存在の根本原理と考えたものは、個人と全体性との相互否定としての「間柄」であり、その意味で和辻は普遍的人間存在の根源を「絶対的否定性」＝「空」＝「絶対的全体性」と考えており、和辻にとって普遍とは、絶え間ない他者との「否定連関」であったからである。

私たちはこの根本原理（普遍）を母国語である日本語で表現し、理解することしかできない。この「間柄」や「空」という日本固有の表現に対して、対応する言葉を持ち得ない外国の人たちがいかに和辻と向き合い得るのかという問題は、和辻倫理学の可能性だけではなく、日本人である私たちが日本語で哲学する意義をめぐる問題にも深く突き刺さる。マーク・ラリモア氏の「英米人は和辻倫理学が読めるか？」はこの問いに対して一つの方向を示している。ラリモア氏は和辻の『倫理学』の訳書「Rinrigaku: Ethics in Japan」において訳者たちが「人間」や「存在」を既存の英単語や新造語ではなく、そのままローマ字表記したことに対して基本的に賛成している。というのも、「倫理学に絶対必要な概念が英語には欠けていることを目に見えるかたちで感じさせる」ためには、これらの語が日本語において「日常的事実」として根付いていることを示す必要があるからである。和辻倫理学の翻訳不可能性を受け入れることから、文化の多様性を認めることが始まるとラリモア氏は考えている。ここには、文化多元主義における「普遍」のあり方が最も的確に示されていると言えるだろう。つまり、他との断絶を認め、そこから始めること、その働きにこそ「普遍」が垣間見られるという視点である。

日常を生きることと広いどこかへ至ろうとすること、その難しさと可能性の両方を和辻は抱きかかえている。しかし、そこにこそ日常の生から深い生命の流れをくみ取るという哲学の姿があるのではないだろうか。本書は私たちが往々にして忘れがちな哲学の根本的在り方を深く示唆してくれているように思われる。

第三章　恋愛・いき・ニヒリズム

序

「恋愛は制度にすぎない」や「恋愛とはすなわち幻想である」と語られることがあるが、そのような批判を含みつつ、やはり「「恋愛教」は現代最強の宗教である」(1)し、「恋愛という処方箋」(2)を求める人は多い。このような時代において、九鬼周造の『「いき」の構造』は、もはや江戸時代の粋な色恋を垣間見させてくれる日本文化の書でしかないのかもしれない。おそらくそうなのであろう。だから、人々は批判するにせよ、賛美するにせよ、今はなき「粋」文化を伝える、いささか理論化された記録として、この書を懐古的に振り返る。しかし、多くの人は忘れているのではないか。この書は一九三〇年に書かれているということを。そこには、近代化によって「自由恋愛」という言葉が流行する歴史的過程が前提されているということを。なぜ、九鬼はそのような時代にこの書を書いたのか。そこにあるのは、明治以降の西洋近代化のなかで生じた恋愛悲喜劇への懐疑であり、同時にそれは、現代の「恋愛」をめぐる言説に対しても、批判的な視座をも提供するのではないだろうか。一体、九鬼は何を問題視し、「いき」という生き方にどのような願いをこめたのだろうか。

1 「いき」をめぐる諸言説

ところで、九鬼が『「いき」の構造』を書いた時代背景を無視し、それを江戸時代の「粋」と同一視するとき、そこにはこの書に対してだけではなく、九鬼の思想的立場への大きな誤解が生じることになる。近年、文学の領域で行われている九鬼「いき」論に対する議論は特にその傾向が顕著である(3)。本節ではまず、そのような九鬼「いき」論に対する批判的議論を見ることで、その問題点を指摘し、『「いき」の構造』の深層を読み解くための素地を整えていこう。

さて、「粋」は江戸時代の遊郭において成立した美的概念であり、その基本には、遊郭という非日常的劇場空間における男女のあるべき関係を説く「色道」と呼ばれる価値基準がある。そこでは、「まことはうその皮、うそは、まことの骨。まよへばうそもまこととなり、さとればまこともうそとなる。うそとまことの中の町、まよふもよし原、さとるもよし原」と言われるように、虚実のあわいを移ろう遊戯的な男女関係こそが理想的とされた。この遊戯の精神を基礎として、その後、「すい」「つう」「きゃん」等の遊里をめぐる様々な美的概念が生まれ、化政期以降の深川芸者たちによって確立されることになるのが「粋」である。[4] つまり、色道の一つのバリエーションとして「粋」という美的概念が発生したと言える。[5] そして、この「粋」の内容を体系的に理論化しようとしたのが九鬼『「いき」の構造』である。それは彼が「運命によって「諦め」を得た「媚態」が「意気地」の自由に生きるのが「いき」」(一・八二)[6] であると言うように、基本的には、男女関係の形を説くものであった。

九鬼を批判する人々がまず問題視するのがこの点である。つまり、「粋」の内容分析の当否よりもまず、「粋」を理論化することで、様々な形があるはずの男女関係/恋を、「いき」の名のもとに文化的美的規範として定型化したことを糾弾する。その代表が、近代日本文学研究者の一部——特に、関根英二と恋愛における他者の問題を追究する小谷野敦である。

関根は「いき」によって恋愛を定型化することを次のように批判する。

性的な関係におけるエロス性はコード化し、規範化し、共同化することが出来ないのを何よりの特徴とするはずだ……エロス的なものは、関係における二人の人間が相互の〈他者性〉を交換することの中にあり、それは一致という原理から逃げ去っていくもの、共同化された意味なり価値なりから滑り出ていくものなのである。……九鬼の言う「いき」の主体なるものは、こうして〈私性〉を奪われた主体概念であり、間主観的なレヴェルに固定されたまま問題にされていると考えられる。[7]

関根によれば、男女関係の前提に「いき」という美的概念が存在するとき、私たちは、「いき」という概念を参照にして明らかになる限りでの他者を知ることしかできない。しかし、そのような他者は真の「他なる存在」ではない。この引用を受けて小谷野は更に「九鬼が理論化した「いき」の美学は、「白昼の如くなるを是と」し「盲目ならざるを尊ぶ」ことによって、人を共同体内部にとどめ、他者を消去する装置(8)」であると批判する。そのような「いき」という定型のなかで動く限り、人は真に他者と出会うことはできず、批判者たちの考えるような「恋愛」――「〈実〉の関係に内在する相手の〈異なるもの〉への関心(9)」――は起こりえないというわけである。さらに関根はこのような傾向を日本文学の特徴として、「近代日本という言説制度の大きな特徴は、世界の〈意味〉を虚ろな質において提示したがる点にあると思われる(10)」と批判する。

彼らの批判点は二つに分けられる。まず、九鬼は「いき」を美的概念として定型化することで本来の恋愛にあるべき「他者性」との出会いを消去しているという点、そして、それゆえに「いき」とは日本的「虚ろの美学」から出た恋愛遊戯にすぎないという点。こうして九鬼「いき」論は、「他者を消去」した「虚ろ」な遊戯の美学であり、「〈実〉の関係」のなかで「個別的な他者」を求める「恋愛」と真っ向から対立する概念であるという議論が構築されていく。しかし、そもそも九鬼の「いき」は江戸の「粋」の定型化なのか。そして、「いき」は恋愛（実）／粋（虚）の単純な二元論に収まるものなのか。更に言えば、彼らが拠って立つ「〈実〉の関係」としての「恋愛」とは何なのか。これらを明らかにすることなく九鬼の「いき」を虚ろな恋愛遊戯の型であるなどと、批判することはできないはずである。そして、実際彼の生きた時代状況、そして彼自身の思索と人生の遍歴を考えたとき、そのような簡単な断罪は不可能であることが明らかになってくる。

2　「恋愛」を求めて
――透谷・泡鳴・有島の試行錯誤――

「恋愛」という言葉が古来の日本には存在せず、明治時代に「love」の訳語として成立したということは周知のことである[11]。従来、日本における「恋」は、異性への慕情と肉欲が一体となった「色恋」であった。ところが、明治期に西洋の「情熱恋愛」とプロテスタンティズムの影響のもとに成立した「恋愛」観は、「純潔」を重視し、「魂の結びつき」を求めるものこそが神聖なる「恋愛」であると宣言し、「粋な色恋」を「穢れたる」肉欲として排除する。したがって、「恋愛」が隆盛を極めれば極めるほど、その裏面で「色恋」の「粋」は単なる肉欲に還元され、その意味を失っていく[12]。しかし、この「恋愛」という言葉に大半の知識人や若者が蠱惑された。そのことは、当時の文学と思想が「恋するとはいかなることか」を様々に描いてきたことからもわかる。以下、人々を魅了した「恋愛」をめぐる言説と、それをめぐる混乱と結末を概観していく。

(1)「恋愛結婚」と「情熱恋愛」――巌本善治と北村透谷

このような「恋愛」観を、いち早く世に送り出したのが、『女学雑誌』（明治十八年創刊）の主幹・巌本善治であった。キリスト教信者でもあった彼にとって、「恋愛」とは何よりも「神聖」な魂の結びつきであり、「結婚」とは「神聖」な「恋愛」の結果、男女が対等に交わるところになされるものであった。[13]それゆえ、江戸の「粋な色恋」は、その遊戯性ゆえに批判される。『女学雑誌』のメンバーであった北村透谷もまた「粋を論じて「伽羅枕」に及ぶ」のなかで「粋なる者は……白昼の如くなるを旨とするに似たり」と述べた上で、「軽妙」で「即ち遊郭的恋愛なり、美の真ならず自然ならぬ事、多言を用いずして明瞭なるべし[14]」と批判し、色恋が「真ならず」すなわち虚ろな質を持ち、遊戯的であるという点を問題視する。それに対して、透谷の求める「神聖なる恋愛」は「白昼の如くなり得る者にあらず[15]」、つまり、相手への狂おしいまでの激情に囚われることを指し、そのような「恋愛は人生の秘鑰なり、恋愛ありて後人世あり、恋愛を抽き去りたらむには人生何の色味があらむ[16]」と宣言する。彼にとって、恋愛とは「盲目」の情熱恋愛であって、実世界に疲れた厭世詩家はその情熱のうちで、想世界（超越世界）を垣間見ることができるのである。

「粋」批判、「情熱恋愛」賛美において巌本と透谷は、同じ道を歩んでいるかのように見える。しかし、「結婚」をめぐる議論において両者は完璧に袂を分かつ。巌本は「情熱恋愛」のゴールに「恋愛結婚」を置いたが、透谷はそのような「婚姻は厭世家を失望せしむる事甚だ容易なり[17]」と否定する。なぜなら、恋愛が結婚によって生活に変わることは、恋愛の想世界が生活という実世界に取って代わられることであり、そのとき恋愛の情熱は失せ、想世界も消失してしまうからである。彼はただひたすらに、想世界という陶酔を与えてくれる「情熱恋愛」を求めていた。だからこそ、透谷は次のように結論付けざるをえない。

抑も恋愛の始めは自らの意匠を愛する者にして、相手なる女性は仮物なれば、好や其愛情益々発達するとも遂には狂愛より静愛に移るの時期ある可し、此静愛なる者は厭世詩家に取りて一の重荷なるが如くになりて、合歓の情或いは中折するに至は、豈惜む可きあまりならずや。[18]

透谷にとっての女性は、生きた人間などではなく、想世界への入り口へと誘う神託者なのである。[19]このような透谷の考えは、巌本が結婚を「男女の対等な結びつき」と捉えた地点から大きく隔たっている。しかし、敬虔なクリスチャンであった巌本の友愛的な恋愛結婚観と、ひたすらに「情熱恋愛」を求めた透谷の懸隔は当然のことであった。なぜなら、西洋における情熱恋愛はキリスト教に反して成立したものだからである。[20]ところが、急速な西洋化のなかで、日本は西洋的「情熱恋愛」と同時にキリスト教に基づく友愛的な結婚の形を取り入れた。その二つの愛の形が絡み合うなかで形成されたのが、新しい「恋愛」観だったのである。透谷はその矛盾する愛の形の間で引き裂かれ、その結果を示すかのように、結婚に失敗、自殺するに至る。

(2) 情熱恋愛という刹那――岩野泡鳴「神秘的半獣主義」

情熱恋愛と友愛結婚――対立の根本にあるのは次のような問題である。つまり、情熱恋愛という非日常的状態を人生という長く続く日常性といかに調停し、生きていくのかという問題である。このような問題を「情熱恋愛」の方向へ突き抜けることで克服しようとしたのが岩野泡鳴である。一八七三年淡路島の洲本に生まれた彼は、一時キリスト教の伝道師を目指すものの、すぐに棄教し、世紀転換期の頃から独特のロマン的詩、その後は自伝的著作五部作によって世に知られるようになる。

さて、泡鳴の生き方の表明である「神秘的半獣主義」のなかで、彼は「自然即心霊」という物心一元論を掲げ、「存在して居るのは、ただ時々刻々に変形して居るものばかりで(21)」、その無目的に流転する存在のなかで人間は刹那に現れる表象を生命として摑むことで生きていかねばならないという。それゆえ、人間の運命、あるいは意志は、「自分で自分の身を刹那ごとに食うのが、本然の内部的必然(22)」として持っている。これこそが、霊肉を一元として捉え刹那に生きる神秘的半獣主義なのであるが、その刹那において生命を摑む切実な立脚地として彼が求めるのが「恋愛」なのである。彼は「恋愛」を次のように語る。

結婚は恋愛の結果である時もあるが、全く恋愛その物とは問題が違う。恋愛の極度は抱擁である。……抱擁ということは……、流転の一転機に生じた意志なる表象と表象とが、一時自他の区別を見とめ、宇宙の活動を二つに分離するので、そこだけ欠陥が出来るから、互いに相満たそうとして、ただ《ママ》さえ飢渇的な蛇と蛇とが食い合いを初め《ママ》るのである(23)。

存在の一元的流転のなかに、裂け目を入れる存在こそ、彼が言うところの「意志なる表象」すなわち、他者／異性である。その破れた二元のなかで、自己と他者は求めあい、一元への復帰を試みる。その一元への復帰の刹那、その高まりで自己は流転の生命を手に入れるのである。それゆえ彼にとって、「愛なるものは、……刹那的」「恋は丁度闇の中に一つの光が現れた様なもの(24)」となる。しかし、刹那は長く続かない。したがって、「僅か一瞬間経てば、もう、意志はもとの自分を食わなければならないから、臨時の我なるものが見えて居る間だけでも、その痛みを感じない他体を食って、楽しみとするのである」[25]。たしかに、刹那において自己は他者を認め、互いに求めあう。その一元は透谷が見た「想世界」にも近い流転する生命の極致なのかもしれない。しかし、刹那が過ぎ去れば、我有化の欲望を持つ自己は、他者を「食おう」とし、そうすることで生命を求めるしかない。残るのはただ剥き出しの欲望と「痛みを感じない他体」であっても他者から離れることのできない自己の姿、陰惨な生命の姿である。実際、泡鳴の小説の中には、愛しているのか憎んでいるのかさえよくわからない男女が、それでも関係を続けるという凄まじい姿が描き出されている。刹那にしか「恋愛」が宿らないとすれば、そのあとに続くこの関係は一体何なのか。透谷は情熱恋愛に絶望して命を絶つことで、その後を考えずに済んでしまったが、それを更に押し進めた泡鳴が見てしまったものは何だったのか。そこにあったのは、恋愛に潜むおぞましい自己の姿だったのではないか。

(3) 永遠の完成への憧れ——有島武郎「惜しみなく愛は奪う」

泡鳴より少し遅れて、もう一人食い合い奪い合う愛の形に気づいた作家がいる。それが有島武郎である。彼は大正六年に発表した「惜しみなく愛は奪う」のなかで「惜しみなく与えられる」と考えられていたキリスト教的愛を次のように読み替える。

私は已れに対してこの愛を感ずるが故にのみ、已れに交渉を持つ他を愛することが出来るのだ。だから更に切実に云うと他の何等かの状態に於いて私の中に摂取された時にのみ、私は他を愛しているのだ。然し己れの中に摂取された他は、本当をいうともう他ではない、己れの一部分だ。だから私が他を愛している場合も、本質的にいえば他を愛することに於いて己れを愛しているのだ。而して己れのみをだ(26)。

その愛はいわば自己を拡大しようとする果てしない力であって、「愛は自己への獲得である。愛は惜しみなく奪うものだ(27)」。それを恋愛に向けるならば、容赦なく他を奪い、同時に自己は他によって奪われるものとなる。それはまさに泡鳴がみた自他の「食い合い」の姿である。しかし、キリスト教的倫理観に縛られる有島は、それを違う形で語り出さざるをえない。「若し私が愛するものを凡て奪い取り、愛せられるものが私を凡て奪い取るに至れば、その時二人は一人だ。そこにはもう奪うべき何物もなく、奪われるべき何者もない。だからその場合彼が死ぬことは私が死ぬことだ(28)」と「奪い合い」の先に自他一致を見る。この自他一致の境地は、同時に「愛の感激」のなかで「私の生命」を獲得し、「永遠の自己」を完成する場所でもあるのだが、果たしてそのような状態を「永遠」と言うことができるのか。むしろ「感激」「有頂天」「頂点」という表現からわかるように、刹那的にしか存在しえないものなのではないか。それに対して、有島は奪いあいの一致の背後に「死」という究極の瞬間をほのめかすことで、「永遠」を確保しようとする。そして、有島はこの論文から五年後、波多野秋子と出会って一年も経たない一九二三年、彼女と心中することで「死」による「永遠の完成」の道を選ぶことになる。しかし、それは本当に「完成」だったのか、むしろ明治以降の恋愛をめぐる矛盾を引き受けるための死だったのではないか。

3　「恋愛」と「他者」をめぐる問題

有島情死の三年後、九鬼周造はパリで「「いき」の本質」を書き上げる。しかし、なぜ「いき」だったのか、確かな理由はわからない。「パリで「いき」に出会ったのだとしか言えない[29]」のかもしれない。しかし、彼が日本を離れた一九二一年は、マルクス主義が兆し始める一方で、未だ白樺派や大正教養主義が隆盛の時代である。谷崎潤一郎が「恋愛の解放」を賛美し[30]、阿部次郎が「私たちは恋愛によって「成長」する[31]」と語った「恋愛」の時代、彼もまた時代の子として、「恋愛」の洗礼を受けているはずである。江戸色道論は「粋」から出発して恋を語った。しかし九鬼は「恋愛」の後に「いき」を語っているのだ。西洋近代化と「恋愛」のあとに語られた「いき」は決して江戸時代のそれとは同じではないだろう。それにしてもなぜ「恋愛」のあとに「いき」だったのか。それを問うにはまず、なぜ明治以降の知識人があれほどまでに「恋愛」を追い求めたのか、その理由と問題を明らかにせねばならない。

(1)　ニヒリズム的状況とリアリティとしての「恋愛」

情熱恋愛を強く求めた透谷、泡鳴、有島の思索の出発点には共通点がある[32]。それは、人間は存在の絶対的根拠を見出すことができないというニヒリズム的意識と、奇妙なまでの「自我」への囚われである[33]。透谷は「人間はついに何のたわれごとなるべきや疑えり[34]」と嘆き、泡鳴は「存在は盲目で、道徳的に云えば無目的である[35]」と喝破し、そして有島は「人は相対界に彷徨する動物である。絶対の境界は失われたる楽園である」[36]と人が現世において何らかの絶対的根拠を見出すことの不可能を語った。そのようなニヒリズム的[37]空漠状況下、西洋近代流「個人主義」の洗礼を受けた彼らに唯一与えられていたのが、「自己」という存在であった。それゆえに、透谷は「我牢獄」という自己に囚われた姿を描き、泡鳴は「他に求める物がないから自足、乃ち自己を食って足るより外に道はない」[38]と叫び、有島は「この私の所有を外のいかなるものもくらますことは出来ない。……これこそは私の存在が所有する唯一の所有だ」[39]と宣言した。しかし、そのような自己は無根拠の上にただ与えられただけの実態のない存在にすぎず、むしろ、泡鳴が「自己を食う」と言い、有島が「惜しみなく奪う」と見出したように、茫洋と広がるアモルフな衝動であった。不気味に広がるニヒリズムのなかで、アモルフな自己を生のリアリティ溢れる確固たる存在にしたい。そこに救いの手を差し伸べたのが、「恋愛」という概念だったのではないか。恋愛の頂点において、透谷は「想世界」を垣間見、泡鳴は「一つの光」を抱擁し、有島は「私の生命」を獲得した。それはまさに自らの存在を確固たるリアリティのなかで摑む瞬間である。透谷は恋愛によってニヒリズムの超克を求め、泡鳴は恋愛を足がかりに更にニヒリズムを亢進させ[40]、有島は恋愛の刹那によってニヒリズムを突破しようとした違いはあるが、彼らはニヒリズムを生き抜くために自己の生のリアリティを求め、それを情熱恋愛のうちに見出したというのは間違いないであろう。もちろん、そのような自己の生のリアリティは「恋愛」という高揚によって作られたリアリティにすぎないのだが、このようにリアリティを作らねばならないという点にこそ、明治以降、強烈に求められる「恋愛」の理由が隠されているのではないか。そこには、人々が生のリアリティ、自己の存在の確実性を「失った」という状況があり、それゆえに生のリアリティ、自己の存在の確実性は「作らねばならなかった」ということである。

明治以降の急速な西洋近代化は、社会システムの変革をもたらしただけでなく、人々が拠り所とした価値観や精神的基盤を打ち砕いた。全てが崩壊した空漠状況下、人々が自己の存在の確実性／確固たる〈実〉を欲するのは当然だろう。しかし、ニヒリズム的状況のなかで、自明な〈実〉が再び与えられることはない。そうであるなら、方法はただ一つ、〈実〉を自らの手で一から作り直すしかない。このような〈実〉への渇望から、人々は「想世界」を垣間見させる強烈な「恋愛」を求め、それゆえに「恋愛」は〈実〉となる真剣で神聖なものでなければならなかった。そして、このような極端な渇望から、〈実〉なる「恋愛」が作られたことで、本来、虚実のあわいをうつろうものであった「粋」が「虚ろ」として対立項に仕立てあげられることになったのではないか。つまり、「粋」が虚ろに生きられ、「恋愛」が真実に生きられたのではない。ニヒリズムのなかで実を求める人々の欲望が二元化を進め、恋愛＝真実／粋＝虚ろという図式を作っただけなのだ。

しかし、自己と他者の関係とは、虚と実の二元に割り切ることができるものなのか。自己のリアリティを求めて、恋愛に走った人々がどのような他者と出会ったのかをみれば、答えは明白である。結果的に、他者は自己の前で「仮物」として想世界へ祭りあげられ（透谷）、奪う愛の前で、自己の生贄に捧げられ（有島）、食われてしまう（泡鳴）。よしんば食われないにしても、想世界から引きずり下ろされ、見捨てられる。他者は超越界の神として自己の頭上に君臨するか、生贄として自己の足元に跪くかという両極端な位置に置かれており、そこに生きた人間の姿はない。たしかに恋愛とは大きな他者体験であり、そこに現われる強烈な他者性から跳ね返される形で、私たちは自己のリアリティを感じることがある。しかし、ニヒリズムの闇のなかでもがき、自己の生のリアリティを欲して、他者に助けを求め、そこに何らかの「リアリティ」や「真」や「一元」を見出そうとするその行為、他者にはそのようなものが宿るのだという強烈な思い（こみ）は明らかに他者の姿を歪めている。意志を持ち、行為する他者は、弱さや悪を抱えた存在であり、そこには理解の可能性がある一方で、裏切りの可能性もある。常に変化の可能性を抱えて生きる人間を自己の観点から固定化するとき、それを生きた存在ということはできない。それもまた「生のリアリティ」の名の下に行われる一つの「他者の消去」[41]ではないのか。

〈実〉を求める欲望が、他者の姿を歪めてしまうという皮肉。これが虚実二元論の結果である。そこで求められる「恋愛」は、決して美しいものでも、「自己を成長させる」ものでもなく、生への渇望に満ち、自我という名の欲望に貫かれた、残酷で悲しいものである。悲劇的な恋の果てに命を落とした母を持ち、自身も多くの恋に生き、恋の極みを詠った[42]九鬼はそのことを十分に知っていた。それでも、私たちは恋をし、他者を求めてしまう。一体、私たちはどのようにすれば、虚実の二元に囚われることなく、ニヒリズムの闇のなかで、生きた他者と出会い関わることができるのか。それこそが、偶然性を無根拠でありながら「独立の二元の邂逅」の刹那として語り続けた九鬼周造の切実な問題であった[43]。そこから『「いき」の構造』を読み直すとき、私たちは九鬼が「いき」に託した真の意味を知る。

（2）「いき」という生き方

九鬼によれば、「いき」は三つの徴表[44]から成立している。まず、「いき」が男女間の恋において成立するものである以上、その基本構造部分は、「媚態」、つまり恋する男女間の誘惑である。そこに第二の徴表である自己を律する「意気地」、更に、他者への透徹したまなざしとしての「諦め」が加わることで、「運命によって「諦め」を得た「媚態」が「意気地」の自由に生きるのが「いき」である」（一・八一）と言われる、情熱恋愛とは異なる恋の形が成立する。

さて、「いき」の基礎である「媚態」とは恋する男女の間の誘惑、つまるところ、他者への恋心という名のもとに、他者との合一を欲望するものである。その他者との合一は、いわば、透谷・泡鳴・有島が求めた恋愛のリアリティを意味している。ある者は崇め祈る心地の中で他者に陶酔し、またある者は餓鬼の如く渇望し、他者を吸収することで、一元化の刹那へと至る。その一元化は、他者に陶酔し「想世界」へと自己溶解を図るものと、他者を食うことで自己拡大を図るものに分かれるが、結局のところ、自己を他者という名の想世界へ溶解させることで生のリアリティを得ようとする以上、それは名を変えた自己拡大に過ぎない。もちろん、媚態の基礎にあるのは欲望であるから、自己拡大になるのは仕方ないであろう。しかし、それを「恋愛」と名指し、甘美なる刹那を求める高尚な行為としてしまうとき、そこには大きなズレが生じてしまう。だからこそ、欲望が実現した一元化の後には「倦怠、絶望、嫌悪」（一・一七）がやって来るのである。泡鳴はそれでも瞬間の充実を求めて一元化へ向かったが、九鬼はそれを良しとしない。なぜなら、先にも見たようにそこにあるのは、生きた他者との出会いではなく、生のリアリティを求める自己の欲望から歪められた他者の存在だからである。情熱恋愛の渦のなかで、私たちは他者に陶酔して自己を失う一方で、他者を自己に取り込もうとする。この運動は、生きた他者との出会いどころか、ただ果てしない自他の食い合いをもたらすしかなく、人はそのなかで自己も他者も失っていく。それゆえ九鬼は、「恋愛」の「真剣と妄執」を批判し、「いき」のなかで他者と関わることを目指す。それは決して「恋すること」の否定ではない。そうではなく、「媚態」という他者を求める欲望に、自己を失わないための「意気地」と、他者を失わないための「諦め」という二つのストッパーをかけて、生きた他者と自由に出会おうとするのである。「意気地」は他者に甘えない自己の強さであり、九鬼はそれによって、ニヒリズムを超克したいがために他者への陶酔に自己を溶解させる身勝手を拒否する。そして、「諦め」とは、他者を一元化し所有することの拒否、いやむしろ、他者が他者である限り、そんなことは到底不可能なのだという認識をはっきりと持つことである。九鬼が常に「諦め」のモチーフとして語りだすのは、多くの恋に生きて傷ついた「年増の芸者」であり、彼女たちが「魂を打込んだ真心が幾度か無惨に裏切られ、悩みに悩みを嘗めて鍛えられた心がいつわり易い目的に目をくれなくなる」、「現実に対する独断的な執着を離れた瀟洒として未練のない恬淡無碍の心」（一・二〇）こそが、恋に宿る事実なのである。恋における人の心は移ろいやすく、それが欲望という自分で制御することのできないものを基礎にしている以上、心変わりを責めることもできない。しかし、そのように不確定な恋を「情熱恋愛」の観点から、「想世界」や「永遠の生命」と名づけるとき、欲望や悪を持って変わり続け生きていくはずの他者は、自分勝手な視点から固定的に捉えられている。そして、もはや生きた人間ではなくなった他者と合一化できたと信じ込み、リアリティを見出したかと思えば、たちまち幻滅してしまう。それは所詮、ニヒリズムに苦しむ男たちが、逃げ場を求めて、女性を用いて作った砂上の楼閣に過ぎない。その情熱恋愛の傲慢と欺瞞を九鬼は「年増の芸者」という女の視点から告発する。恋において、人は人を求め、また人を裏切る。それが人間の姿であり、恋はそのような不信や悪を背後に持ちながら、成立しているのだ。「想世界」や「永遠の生命」という真実在を求めることなく、あるがままに他者を受け入れる態度、それこそが「諦め」である。

そもそも、自己と他者の関係は虚実の二元に割り切ることは出来ないにもかかわらず、真実在だけを求めること自体が誤りなのではないか。自他関係において「私を見る他者」がいる以上、そこには「他者に映る私」が成立し、そのような私の振る舞いには必ず演技や計算が含まれる。そのような傾向は、自己承認欲求や他者への欲望に基づく恋において、いっそう顕著に表れるはずである。それゆえ、恋においては時に裏切りや嘘が生じる。しかし、それを虚ろと告発することはできないだろう。なぜなら、そのように虚実のあわいに存在する他者と自己の姿こそ、あるがままの事実なのだから、私たちは「諦め」によって得る透徹したまなざしによって、この事実を受け入れる。「いき」とは、このような虚と実の、善と悪の、嘘とまことのあわいから、それでも他者を求めるところに成立するものなのである。

その背後にあるのは、ニヒリズムに囚われて生のリアリティを渇望する姿ではなく、転変する世界の姿——それこそがニヒリズムなのだが——を受け入れて生きていく軽やかな覚悟である。しかし、それは「ニヒリズムを生き抜くのだ」という悲壮な覚悟などではない。九鬼はそれを「遊戯」として語りだすことで、ずらし、はぐらかし、軽やかなものとする。悲壮さは、ゆらぎ漂う「あわい」に宿る自他関係を硬直化してしまう。しかし、自他の事実がどこまでも「あわい」にしか宿らないのであれば、私たちはそこを軽やかにくぐりながら、刹那であっても他者と自由に出会うべきではないか。「いき」はそのような他者への開かれた態度を可能にする。

こうして時に恋の嵐に囚われる私たちは、「いき」によって、自己として立ち、生きた他者へと開かれることが可能になる。それは、欲望を持たざるを得ない人間が、自己と他者として自由で対等に出会うための、一つの倫理的態度とでも言うべきものなのではないだろうか[45]。

結

九鬼「いき」論とは、個別的自他関係を定型化する恋愛遊戯の型などではない。そもそも九鬼の「いき」とは、真剣な恋愛という概念の対極に位置する遊戯にとどまるものではなく、むしろ、「真剣な恋愛」という概念に潜む欺瞞を暴きつつ、それでも恋する私たちを救おうとするものだったのである。関根や小谷野は、九鬼の「いき」を江戸の「粋」と同一視し、時代背景を看過したために、このような九鬼「いき」論の視座と戦略を見逃してしまっている。たしかに、江戸時代の「粋」は爛熟した遊里文化を背景に成立した文化的型であったろう。しかし、九鬼が「いき」を語った一九三〇年代、すでにそのような「粋」文化は崩壊していた。九鬼が語る「いき」は定形化された恋の型の復活を目指したものなどではなく、その手前、ニヒリズムの闇のなかで作られた生成途上の生き方を模索するものだったのである。しかしそれ以上に、関根たちが九鬼「いき」論の実相を捉え損ねた理由は、恋愛に生のリアリティを求めるという虚実二元論に基づく情熱恋愛の罠に、かつての泡鳴らと同様彼らもまたはまっていたところにあるのではないか。

〈実〉のある他者も常に〈虚〉を含んだ地点でしか出会うことはできない。九鬼はその事実を「諦め」によって引き受け、「意気地」によって生きようとしたのだが、虚と実を分断する虚実二元論に基づくかぎり、その軽やかな覚悟は隠されてしまう。関根は近代日本の言説制度を「世界を〈意味〉を虚ろな質において提示したがる」と批判して、あるべき恋愛を他者性との出会いのなかでリアリティを生きることだと言ったが、それは他者の背後に「想世界」を見て、ニヒリズムを突破しようと恋を求めた透谷の姿に似てはいないか。しかし、世界とは、真実を宿すと同時に虚ろを含み、他者は私たちに至高の瞬間を与える善なる存在であると同時に、悪を持つ存在である。恋とはその虚実と善悪のあわいに存在するものであり、私たちがその「あわい」を「みずから」受け入れ生きるとき、そこには「おのずから」自己と他者の真実が現れるのではないだろうか。

(1) 小谷野敦『もてない男――恋愛論を超えて』(筑摩書房、一九九九)一七六頁。

(2) 宮台真司『終わりなき日常を生きろ――オウム完全克服マニュアル』(筑摩書房、一九九五)一四八頁。ここで宮台は「終わりなき日常」を生き抜くことができずに新興宗教にはまる若者たちが「宗教的なものに吸引されないでもやっていけるアイデア」を尋ね、それに対して「基本的には、恋愛しかないでしょ」と処方箋を提示している。ちなみにこのような「恋愛病」は日本においては明治以降に特有のものであり、たとえば柄谷行人『日本近代文学の起源』(講談社、一九八〇)では、明治以降、キリスト教の影響を受けつつ展開する恋愛を「宗教的な熱病」(一〇七頁)と評している。他にも柳父章、野口武彦、佐伯順子らが、明治以降に「恋愛」という概念が成立したと述べ、上野千鶴子は「恋愛病は近代人の病いだ」と定義している(上野千鶴子『発情装置――エロスのシナリオ』筑摩書房、一九九八、八五頁)。

(3) このような傾向は、九鬼「いき」論の賛成者・反対者ともに見られるものである。たとえば、賛成者の代表としては、江戸文学研究者の田中優子や比較文学研究者の佐伯順子が挙げられ、また反対者としては近代日本文学研究者の関根英二や小谷野敦がいる。本論文では反対者への反批判が主になるが、両者ともに時代背景への観点の欠落を共有しており、九鬼の思想を捉え損ねている点では同じである。

（4）この点については安田武・多田道太郎『「いきの構造」を読む』（朝日新聞社、一九七九）に詳しい。

（5）これらの概念が遊里を舞台として同床から生まれてきたことについては中野三敏「すい・いき・つう――その生成の過程」（『講座日本思想5　美』東京大学出版会、一九八四）に詳しい。

（6）九鬼周造からの引用は全て『九鬼周造全集』（岩波書店、一九八〇－八一）により、引用文のあとに（巻号・頁数）の形で示した。なお、引用にあたっては全て新字・新仮名遣いとした。

（7）関根英二『〈他者〉の消去――吉行淳之介と近代文学』（勁草書房、一九九三）二〇〇－二〇一頁。しかし、関根がどのような意味で「他者」や「間主観」という言葉を使っているのかは筆者にはよくわからない。

（8）小谷野敦『男であることの困難――恋愛・日本・ジェンダー』（新曜社、一九九七）一八四頁。しかし、小谷野は関根もまた恋愛における何らかの理想的形態を語り出そうとすることで、「いき」と同じく男女関係をめぐるイデオローグに陥っていることを批判している。

（9）関根前掲書、六一頁。

（10）関根前掲書、一二五頁。

（11）たとえば柳父章『翻訳語成立事情』（岩波書店、一九八二）の「5　恋愛」の説など。

（12）「粋」と「恋愛」が拮抗した勢力を保っていられたのは、尾崎紅葉や斎藤緑雨が筆をふるった明治二十年代前半までであろう。特に「恋だなんて騒いでないで、手っ取り早く端から一辺通り口説いて見た方が、新体詩にうき身を窶すよりは余程いいだろうと思う」と批判しているように、慶応生まれの緑雨にとっては、「恋愛」という観念よりも「粋」という文化の方が余程自然であった。

（13）巌本善治「理想之佳人」参照（『明治文学全集32　女学雑誌・文学界集』筑摩書房、一九六六）。

（14）北村透谷『透谷全集第一巻』（岩波書店、一九五〇）二七七頁。

（15）透谷前掲書、二六八頁。ちなみに先の小谷野の九鬼批判はこの透谷の意見に基づいている。

(16) 北村透谷前掲書、二五四頁。
(17) 北村透谷前掲書、二六一頁。
(18) 北村透谷前掲書、二六四頁。
(19) この点に関しては上野千鶴子が「「恋愛」の誕生と挫折――北村透谷をめぐって」(『発情装置』)で適切に批判している。
(20) ドニ・ド・ルージュモン『愛について』によれば、西洋情熱恋愛の基本形は独身の騎士による既婚の貴婦人への恋であり、それは『トリスタンとイゾルデ』に代表されるように「死」による完成を理想とする。そこにあるのは「姦淫」と「自殺」であって、到底キリスト教的に容認されるものではない。ルージュモンはその背景にマニ教に代表される光と闇の二元論に基づき、現世や肉体を悪とし、死によって一者に包み込まれることを幸いとする考え方を見ている。
(21) 『明治文学全集71　岩野泡鳴集』(筑摩書房、一九六五)三四三頁。
(22) 泡鳴前掲書、四二七頁。
(23) 泡鳴前掲書、三五一頁上段。
(24) 泡鳴前掲書、三五一頁下段。
(25) 泡鳴前掲書、三五一頁下段。
(26) 有島武郎『有島武郎全集第八巻』(筑摩書房、一九八〇)一七六頁。
(27) 有島前掲書、一八〇頁。
(28) 有島前掲書、一八四頁。
(29) 講談社学術文庫版『「いき」の構造』全注釈藤田正勝(講談社、二〇〇三)「注釈者あとがき」一八八頁。
(30) 谷崎潤一郎「恋愛及び色情」(『谷崎潤一郎全集第二十巻』中央公論社、一九八二)。
(31) 阿部次郎「三太郎の日記」(『阿部次郎全集第一巻』角川書店、一九六〇)一一七頁。

（32）三者ともに、キリスト教との複雑な関わりがあり、またエマーソンに大きな影響を受けている点でも共通する。ちなみに、泡鳴は透谷、有島両者と付き合いがあったようである。
（33）近代日本におけるニヒリズムと自己認識の問題に関しては竹内整一『自己超越の思想――近代日本のニヒリズム』（ぺりかん社、一九八八）に詳しい。
（34）北村透谷『透谷全集第二巻』（岩波書店、一九五〇）三五三頁。
（35）岩野泡鳴『泡鳴全集第十五巻』（国民図書、一九一五）五九頁。
（36）有島武郎『有島武郎全集第七巻』（筑摩書房、一九八〇）六頁。
（37）三者の抱えていた状況は「ニヒリズム」というものに値すると考えられるが、この言葉が実際に日本に定着するのは、生田長江や和辻哲郎によるニーチェの紹介を経た昭和に入ってからであるとされる。この点については、菅原潤氏からご教示を受けた。
（38）岩野泡鳴前掲書。
（39）有島武郎『有島武郎全集第八巻』一二七頁。
（40）泡鳴のニヒリズムと恋愛のリアリティに関しては残り二人とは大きく異なる点がある。透谷と有島は恋愛において他者というリアリティが現れることでニヒリズムを超克あるいは突破しようとしたが、泡鳴が重視するのは、他者の現れそのものより、その他者を食うということである。そのように他者を食って自己へと帰っていかざるを得ない自己の姿において更にニヒリズムを突き詰めていくことにこそ、彼の目的はあった。したがって、透谷と有島が他者の現れをリアリティの源泉としたのに対し、泡鳴は現れた他者を食うことにリアリティを見たといえる。しかし、いずれにしろそこには他者の現れという恋愛が必要なのである。
（41）この点について小谷野は「「男」は「恋」に捕らえられ、「女性」を自己の妄想のなかで過度に理想化し、崇拝してしまう。誰がなんといおうとも、その「思い」の固有性だけは確実なものだ、我恋スル故ニ我アリという立場から私は出発したのだが、ではそのとき当の女性はどうなってしまうのか、というのが、無視し去ろうとして無視しえない「倫理」的な問いかけとして私を待っていた。」と認めている（小谷野敦『〈男の恋〉の文学史』朝日選書、一九九七、二二六頁）。

（42）たとえば、「銀杏の葉」で九鬼は「銀杏の葉よ／一つが二つになったのか。いてうの葉よ／二つが一つになったのか。／不思議な象、／異様な姿、／かつて、才ゆたかな詩人に／恋のこころを／ささやいたではないか／……それだのにどうして／汝はいま／分裂に悩む魂に／その傷ましい姿を／まざまざと／映して見せるのだ……」（一・一五〇-一五一）と詠っている。

（43）九鬼における他者と倫理の問題については拙稿「個体性と邂逅の倫理——田辺元・九鬼周造往復書簡から見えるもの」（『倫理学年報第五十五号』日本倫理学会、二〇〇六）で詳論した。

（44）『「いき」の構造』において、「媚態」は「諦め」と「意気地」と同様「いき」の徴表の一つとされているが、むしろ欲望を支えとする「媚態」は「いき」の基礎構造であると考えられる。これについては西村浩太郎「「いき」の構造の解釈学」（『日本の哲学者（二）』大阪外国語大学近代日本哲学研究会、一九九五）に詳しい。

（45）それゆえ九鬼は「いき」を「道徳的理想主義」と定義づけている。

【エッセイ】

ここにいることの不思議

福岡にやって来て六度目の春を迎えようとしています。

二〇一〇年の春、初めて関西を離れ、福岡に越してきたときのことを私は今もはっきりと思い出すことができます。薬院駅の前に立って、「変な高架だなぁ」と西鉄の駅を眺めたこと、六つ角の渡り方がわからず混乱したこと、なによりも耳に入ってくる言葉の響きが違うことに少し淋しくなったこと。最初の一年目は、ただただだしんどかったというのが、率直な感想です。けれど、今の私は、グチりたいときに一人で行ける飲み屋もいくつかでき（これが私にとって最重要課題）、福岡という街を「ホーム」と思えるようになってきたと感じています。それでも時々、文系センター棟を眺めたときに、街を歩きながら「天神」や「大橋」といった地名が載った道路標識を見たときに、あるいは慣れた口ぶりで「酢もつ一つください」と注文したときに、「なんでここにいるんだろう」と強く感じることがあります。

「なんでここにいるんだろう」という想いは、私にとって子どもの頃から慣れ親しんだ感覚の一つです。といっても、引っ越しを繰り返してきたとか、不幸な生い立ちだったとかそういうわけでは全くなくて、ごくごく普通の家庭に生まれ、祖父母両親のいる持ち家で暮らし、京都に移ってからも、親しい人たちに囲まれて暮らしてきました。この感覚はそういう事実的な事柄とは関係なしに、哲学ふうに言うならば人間の「根源的な感情」としてある。そのことを、私は九鬼周造という哲学者を通じて学びました。

九鬼周造は、一八八八（明治二十一）年、有能な官僚であった九鬼隆一と祇園で舞妓の見習いをしていた波津子の四男として東京に生まれました。父隆一は慶應義塾で学んだ後、文部省に入り官吏となった人です。隆一は元々幕府側の藩士でしたので、外務省や内務省、軍関係といった薩長閥が占めている役所ではなく、文部省という比較的地味な官庁に入ることで、出世を狙ったと言われています。はたして、その通りに隆一は出世します。最も有名な彼の業績は、近代日本における「美術」行政の基礎を作ったという点です。岡倉天心を見いだし、岡倉とフェノロサの三人で日本の美術の基礎を築きました。しかし、この岡倉との出会いは九鬼家に大きな禍根を残すことになりました。隆一の妻であり、周造の母であった波津子が、岡倉と不義の恋に落ちたのです。その頃、波津子はちょうど周造を妊娠していた頃でした。この二人の恋は岡倉家・九鬼家を巻き込んだ騒動となり、母は父と別居し、周造は母とともに根岸の家で暮らすことになります。結局、岡倉と母波津子の恋はうまくいくことはなく、ついに母は心を病み、病院に閉じ込められることになったのですが、このことを九鬼周造はたった一言、「複雑な感情を残した」と語るのみです。しかし一方で、九鬼は岡倉を恨んでいたというよりも、父が岡倉と出会ったことで生じた一連の事柄をどこか客観的に見ていたふしがあります。九鬼は「岡倉覚三氏の思い出」というエッセイで、子どもの頃、岡倉と出かけた際に茶屋の女将に「お父様によく似ておいでですね」と言われたということを記しています。どこかで九鬼は岡倉と波津子の子どもだった自分、ということを夢想していたのではないでしょうか。父隆一と母波津子の出会いは、祇園のお茶屋で、まだ舞妓にもなっていなかった手伝いの身分にすぎない波津子を父隆一がたまたま見初めたと言われています。ほんの偶然の出会いにすぎません。さらに出会ったとしても、隆一にそこまでの力がなければ、波津子と結婚することは難しかったでしょう。また、結婚したとしても、体の弱かった波津子が無事に周造を産めたこと自体、とても奇跡的なことです。一方、波津子と天心の出会いがもう少し早ければ、隆一が波津子からの別居の申し出に応じていれば、本当に天心が周造の父だったこともあり得たかもしれません。こんなふうに考えることは、ただの可能性をもてあそぶ夢想なのでしょうか。目の前の現実は起こってしまったこと、そのたった一つなのだから、起こらなかった可能性を仮定することなど馬鹿げている。たしかにそれは真っ当な考えかもしれません。けれど九鬼は、『偶然性の問題』という本のなかで、目の前の現実だけを見る生き方を硬直した、つまらない生き方だと切り捨てています。むしろ、可能性と偶然性のなかで今の現実を見ること、そうすることで、今の現実がイキイキと感じられると彼は考えるのです。

なぜ、可能性と偶然性のなかで今の現実を見ることが大切なのでしょうか。一見すると、今の現実を「他もあり得た」と考えることは、目の前の事柄から逃避しているような、それを軽んじているように感じられます。しかし、それは違います。逆説的に聞こえるかもしれませんが、可能性と偶然性を背景に、現実を見るとき、私たちは「今ここでこうしていること」の不思議を感じることができ、その不思議さ、奇跡性に気付くことで、目の前の現実の大切さに気付くからです。たしかに天心と波津子の恋の背後には、二人が出会わなかった可能性や、すれちがった可能性など、たくさんのそうはならなかっただろう可能性があります。しかし、現実には出会ってしまった。しかも、それは奇跡的な確率です。そもそも、隆一と波津子が出会わなければ、波津子は東京に来ることはなかったわけで、さらに隆一と天心も互いに文部省に入ることがなければ、出会うことはなかった。無数の偶然的な出会い、可能性の上に成り立っているのが二人の恋です。なにかが少し違えば、別のかたちもあり得た。それは、いま私たちが立つ現実にも言うことができます。もし、あのとき福大に願書を出していなければ、あの日風邪をひいていなければ、あるいは、入試の前の日に、あのページを復習していなければ……。私たちの現実の周りには、無数の「もし」があります。そんな無数の「もし」をくぐり抜けて、私たちの今がある。その奇跡的な有り様を九鬼は『偶然性の問題』のなかで明らかにしたのでした。

「なんでここにいるんだろう」という想い、それは、世界が別のかたちでもあり得るという感覚です。それは決して、ネガティブなものではありません。私が薬院六つ角に立って「なんでここにいるんだろう」と呟くとき、そのあとには「人生ってわからないなぁ、だから面白いな」と思うのですから。

〔二〇一五年三月十四日（土）〕

第四章　死と実存協同
――無常を超えて偶然を生きる――

死者との対話を願うなら、孤独を恐れてはならない。彼らは、私たちが独りのときに傍らにいるからである。死者との邂逅を願うなら、悲しみから逃れようと思わない方がよい。悲しみは、死者に近づく合図だからである。(1)

はじめに

震災から二年近くが過ぎ、「震災を忘れるな」というスローガンがしばしば繰り返されている。しかし、「忘れない」とは、どういうことだろうか。それは思い出を時々眺めることを意味するのではない。忘れないとは、それとともにあるということ、ともに生きていくということである。それゆえ、いま求められるべきは、(被災者だけでなく)それぞれがあの日をともに生きる方法であると私は考える。

これにたいし、震災の直後から、この災害を「日本」というキーワードで語ろうとする言説が多数現れた。私はこのような言説に対して違和感を禁じ得ない。この未曾有の災害を「日本」という言葉でまとめあげ、受け入れ可能にすることが、はたして「ともにある」ということだろうか。それはむしろ「忘れる」ことへの第一歩を踏み出しているのではないだろうか。この問題は、震災後に残った者すべてに突きつけられた問いであるが、震災を遠く離れた地で見つめた者にとってより一層重い意味を持つ。なぜなら、離れた地で震災を経験していない者は、あの日と「ともにある」ことなど、そもそも可能なのかという疑問を抱くであろうし、おそらくその疑問は、震災後に感じられた疚しさや罪悪感につながるものだからである。そして、「日本」という語りは、こうした間隙を埋めるものとして現れたのではないか。それゆえ、東北から離れた地に暮らし、日本の哲学・思想を研究する者として、まずおこなうべきは、「日本」をめぐる語りの問題点を解明することだと考える。そこから、残された者たちが、それぞれにあの日とともに生きる方法を探っていくことが本論文の目的である。

1 「無常」を語る危険性

あの日を忘れることなく生きようとするとき、多くのひとが直面することになるのが死の問題である。震災以後、多くのひとが「生き残った」という感覚を抱えたのは間違いないだろう。だがもちろん、そこで経験される死は同じではない。大切なひとを失った者の悲しみを、直接被害に遭っていない者が共有することなどできない。死の位相の違いは、生き残った者たちの間をさらに隔てていくことになり、その隔たりを前にして、無力さや罪悪感は拡大していった。

このような死の問題と無力さにたいし、震災後、「無常」ということがしばしば語られた。たとえば、カタルーニャ国際賞を受賞した村上春樹は、「非現実的な夢想家として」というスピーチで、次のように語っている。

我々は、無常（mujo）という移ろいゆく儚い世界に生きています。生まれた生命はただ移ろい、やがて例外なく滅びていきます。大きな自然の力の前では、人は無力です。そのような儚さの認識は、日本文化の基本的イデアのひとつになっています。しかしそれと同時に、滅びたものに対する敬意と、そのような危機に満ちた脆い世界にありながら、それでもなお生き生きと生き続けることへの静かな決意、そういった前向きの精神性も我々には具わっているはずです。(2)

このような無常は、「救命ボートに乗ることのできる者を選別するのではない。そのボートに乗る者も乗らない者も、人は生きて、そしてかならず死ぬ運命をまぬがれることはできない。無常という火宅の船に乗っているのであるから、生きるも死ぬるも一緒という感覚(3)」であり、生死のはかなさを知ることで偶然の災厄を乗り越えようとする「無常戦略」であると言われる。たしかに、日本の精神史にこのような伝統を認めることは可能である。だが、この震災を「無常」という言葉で語ることにたいし、私は批判的な立場をとる。問題点は二つある。第一に、人は必ず死ぬ者だとして、生者も死者も一つ火宅の船に乗る同じ者と捉えるとき、それぞれの生と死の個別性が薄められるという危険性がある。人は必ず死ぬ。その意味で無常は「必然」の流れである（「例外なく滅びてゆきます」）。しかし、その「死」がいつ来るのかはわからない。なぜ、ある者は生き残り、ある者は死に至ったのか。その理由もわからない。個別の生死はあくまでも偶然である。これに対し、無常とは、このような生死の偶然からそのはかなさを感得する態度であるという反論もあるだろう。しかし結局のところ、無常が語り出すのは、自然の前における個の無力であり、移ろい滅びる運命の避けがたさであって、そのなかで、生死の偶然性は、「必ず死ぬもの」として自然という名の必然へと取り込まれ、生死の個別性は、希薄化していく。さらに、生死の個別性を希薄化することは、先に述べた、生き残った者たちのあいだに差しはさまる死の経験の位相の違いを覆い隠すことにつながる。これが第二の問題点である。本来、生死の問題は、きわめて個人的な事柄であり、それゆえに、生き残った者のあいだには隔たりや罪悪感が様々な形で生まれる。だが、個別の生死を無常として受け取り、さらにそれを「日本」という言葉でくくるなら、それぞれの経験を隔てる「わからなさ」が一定の了解可能性のもとに置かれることになりはしないか。

このような批判は、むやみに「わからなさ」を強調し、隔たりや罪悪感を煽るものだろうか。しかし、あの災害を私たちはそれぞれ異なる形で体験し、そこに同じものがひとつとしてない以上、隔たりにとどまることでしか、それぞれが「あの日とともにある」ことは不可能ではないのか。一見すると、この要求は、苦しい体験をした人々に、それでもなおそこに止まれと酷なことを求めているように見えるかもしれない。だが、この隔たりの先においてこそ、死や喪失が新たな意味をもって生き残った者にあらわれてくることを以下では明らかにしていきたい。

2 「メメントモリ」

無常ではなく、個別の生死と向き合うためには、どのような立場が必要なのか。この問題を晩年の田辺元の思索から探っていきたい。戦後の田辺にとって、「死」は最も大きな課題であった。なぜなら、「今日のいわゆる原子力時代は、まさに文字通り「死の時代」」(一三・一六五)[4]だからである。彼は、原子力という死の技術の根柢に、生を拡大し充実させようとする人間の欲求を見て取る。しかし、生を拡大しようとした結果、いまや人類は死の危機に瀕している。このような皮肉を前にして、それは不可避なことであったと彼は切り捨てる。本来、生と死は表裏一体であり、それを忘れて生だけを拡大しようとすれば、看過された死の反動があるのは当然のことだ。大切なのは、「生は常に死に裏付けられ、何時その表裏が顚倒して、死が表に現れ生が裏に追いやられるかわからない、という自覚」(一三・一六七)をもつこと、まさに「メメントモリ=死を忘れるな」である。だが、「死を忘れるな」と言うのは簡単であるが、いったい、それはどのようにして果たされるのか。

私たちは、自らの生が脅かされるとき、強く死を感じる。生死の危機に瀕したひとは、状況を打開するために、時として自らの身を危うくすることも厭わず、行動に出ることがある。それはまさに決死の行為であり、そこで生は死と隣り合わせにある。このように「人間は生か死かの行詰まりに於いて自ら進んで自己を抛ち棄てる行為に出でるならば、死にながら生との緊張関係を保ちつつ、却って死を生に転換し得る」(一三・一六九)。死に面して自己を否定し、そこから生へと戻ってくるとき、ひとは、生と死の表裏一体性を悟る。

死に直面し、生死の一体性を理解する立場は、「人は必ず死ぬ」存在であるから、「生きるも死するも一緒」と悟る無常戦略と非常に近いところにあると言える。田辺もこのような立場を「死にして生という死復活の真実」と言い、また別の箇所では、こうした生と死に挟まれた現在を生きる人間の姿を「無常といわれるゆえんである」（一三・二二一）と述べている。だが、「死における生」を感得するだけでは、「メメントモリ」の実行ではないと田辺は考える。彼は、次のように疑問を呈する。

死復活の転換を行ぜしめられるだけでは、各現在に於いて、いわゆる「永遠の今」といわれるべき瞬間の信証が、成立するのみであって、その復活的生の内容がなんらか持続するものとして具体的に充実せられることはないであろう。それでは、たとい死に脅かされる生の不安が解除せられるとしても、積極的に生の本質を快復し、死苦の中に生きる喜びあらしめるものがないといわねばならぬ。すなわち生きながら死するばかりでは、死につつ生きるといわれるべき理由が認められないわけである。この難点はいかに解決せられるであろうか。（一三・一七〇）

田辺が言うように、「生きるも死ぬるも一緒」と無常を悟り「生きながら死する」ことと、「生の本質を快復し……喜びあらしめるもの」として生きることは全く違う出来事である。死に直面し自己を抛つその瞬間に、死と生が相即することで開示される「死における生」は、どこまでも足下に死という虚無を抱えている。この虚無を抱えるなかで、いったいどこから喜びはやってくるのか。同じ問題は、村上が語る無常にもあてはまる。なぜ、儚さを認識することが「前向きの精神性」につながるのか。この難点を解決しないまま、無常をかこつなら、「生きながら死する」立場は、死の虚無に囚われて、ニヒリズムに転落する危険性を帯びてくる。それゆえ、田辺は、死復活の転換の瞬間から、持続する生の未来へと踏み出すための、喜びのありかを求める必要を訴えた。彼が「メメントモリ」と言い、「死復活」を求めたとき、それは単に死を思うことだけを意味していたのではない。彼の考える死復活とは、死を見据えつつ、生へと戻ることで、新たな生を開くことであり、それを「絶対無即愛」と呼んだ。しかし、そのような転換はいかにして可能になるのか。また、なぜその転換が「愛」となるのだろうか。

3 「愛」としての「死者からのはたらきかけ」

「死における生」のどこに喜びがあるのか。この問いに面した田辺は、「死復活」における「死の自覚」のあり方を異なる形で語り出す。それまで「死」とは、自らの存在が危機に瀕していること、つまり、死はあくまでも「自己」の問題として捉えられていた。しかし、「死における生」の問題点に気づいた彼は、「死復活というのは……愛に依って結ばれその死者によってはたらかれることを、自己に於いて信証するところの生者に対して、間接的に自覚せられる交互媒介事態たるのである」（一三・一七二）と、「死」を「死者」へとスライドさせていく。そもそも、私たちは自己の死も他者の死も体験することはできない。私たちに与えられた死は、「死者」という存在だけである。だが、「死者からのはたらきかけ」とはどういうことだろう。一般的に、死とは他者との別れであり、関係の喪失であると考えられる。死者は生者の手の届かないところにあって、「はたらきかけ」が成立しないゆえ、死者なのである。これにたいし、田辺は、死してなお死者は生者にはたらきかけ、さらに、そこで開かれる関係が「愛」で結ばれるという。

この愛における死者からのはたらきかけをどう理解するのか、議論の分かれるところであるが[5]、それは杉村靖彦が指摘するように「「あなたは死んでも私の心の内に生きている」というような、いわゆる「二人称の死」の直接的記憶による内化・受容とは微妙だが決定的な所で位相を異にしている」[6]。なぜなら、死者からのはたらきかけが、「亡き人の残した愛」を感じるというような内面的・直接的なつながりなのであれば、生者と死者のあいだに断絶はなく（「今でもあのひとは私の心で生きている」）、死によってもたらされる否定的側面が抜け落ちてしまう。しかし、死復活とは、死に面することで、自己が否定されることによって獲得されるものであったはずである。たしかに田辺は「生きる喜び」が必要であると言うが、それはあくまでも「生きながら死する」ということを通じて獲得されるものであって、そこには必ず死という否定的事実が存在しなければならない。生者と死者のあいだには、死という否定的事実が厳然と横たわり、それによって切り離されている。この断絶なくして、死者との関係を語ることはできない。しかし、田辺は、この断絶こそ、死者からのはたらきかけを可能にするものであり、両者を架橋して「愛」をあらわすものだと言う。

断絶ゆえに可能になる死者からのはたらきかけ、というパラドキシカルな構造が、どのようにして成立するのかは、「メメントモリ」において詳述されていない。だが、死を自己の死から、他者における死、すなわち死者へとスライドさせたとき、そこには杉村が「他者の死とは、いかなる論理的な説明にも抵抗する絶対に「偶然的」な出来事であって、そのことによってまさに絶対否定性の「実在性」を構成するものである」(7)と言うように、「他者の死の偶然性」という新たな楔が打ち込まれたことは間違いない。この「他者の死の偶然性」こそ、「愛」と呼ばれる「死者からのはたらきかけ」の成立する場所である。しかしなぜ、他者の死の偶然性という、絶対的否定性が、愛となって生者と死者をつなぐのか。

愛する者を失ったとき、誰もが「なぜ、この者が死に、私が生きているのか」という問いを抱くだろう。たしかに、「人は必ず死ぬ」。しかし、なぜ今で、なぜ私より先なのか。理由はない。他者の死の偶然性は、ただちに「なぜ私は生きているのか」という問いかけとして自己へ投げ返され、残った者の生の偶然性を照らし出す。「たまたま生き残ったのだ」という偶然性のささやきは、生者の存在を根柢からゆるがし、無根拠に晒すことになる。だが、その無根拠は単に残った者の生を否定するだけではない。生き残った者が、自らの生を偶然と感じるのは、そこに「他でもありえた」「存在しないこともありえた」という他の可能性を見るからである。様々な可能性があった「にもかかわらず」、いま生きている。何かが違えば、自分の生はなかったかもしれないという「有り-難さ」は、生の無根拠を暴くと同時に、残された生の奇跡的な側面とそれゆえの「かけがえなさ」を示す。この「かけがえなさ」は生者一人で手に入れたものではない。残された者の生の偶然性を照らし出すのは、死者の存在であり、その死の偶然性である。残された者の生は、逝ってしまった者の死によって開示される。この事態を田辺は次のように語り出す。

或個人の生死は、その個人に愛を抱く特定の主体に対してのみ、始めてその生死の分別と相即とが同時に成立するわけである。……死復活が単なる客観的事実でなく、交互の愛に依って結ばるる実存協同に於いて、始めて主体的に信証せられる真実である外ならない（一三・五八一）

あのひとはもういない。しかし、その喪失を通じて、残された者は自らの生を感受する。その生は死によって届けられるものであり、そのとき、残された者は、いなくなってしまった者を、存在とは別の形で感じている。目の前に存在はしていないにもかかわらず、たしかに私の傍らにあって、私の生を照らし出すもの、それが死者であり、その死者に面して、残された者は自らを生者として自覚する。田辺が「生死の分別と相即が同時に成立する」というように、残された者と逝ってしまった者は、死の偶然性によって隔てられる（＝分別）一方で、この喪失によって、生者と死者として出会い直し、死者は生者の傍らにあらわれる（＝相即）。

このような偶然性にたって、生者と死者が分別と相即が同時になりたつ新たな関係を結ぶことを田辺は「愛」と呼ぶ。なぜなら、彼にとって、愛とは、自己否定を通じて他者を目指す運動であり、死という否定を越えてなお、生者に生のかけがえなさを届けてくれる死者の存在は、まさしく自己否定によって他者へ向かうという愛の象徴だからである。

しかし、この愛が死者から生者に一方的に届くだけであれば、それを「交互の愛に依って結ばるる協同」と呼ぶことはできないだろう。「その媒介を通じて先人の遺した真実を学び、それに感謝してその真実を普遍即個別なるものとして後進に回施するのが、すなわち実存協同にほかならない」（一三・一七一）と言われるように、偶然性を媒介とした死者と生者の関係は、残された生者同士の関係になっていくとき、はじめて、愛に基づく「実存協同」にふさわしい事態となる。しかし、それはどのようにして可能なのだろう。田辺がこの問いと向き合うのが遺著『マラルメ覚書』である。

4　偶然性における実存協同

『マラルメ覚書』は、マラルメの『イジチュール』から『双賽一擲』への展開を同一性論理から否定媒介の論理としての弁証法の徹底と位置づけ、無根拠にゆらぐ偶然的な生のあり方を描いたものである。『イジチュール』でマラルメは、必然と偶然が折り重なる運命から自由になろうともがくイジチュールという男の姿を描いた。人は偶然産み落とされた存在だが、生まれると同時に、その生誕は過去として現在を縛る必然となる。未来へ向かって行為しようと自由に意志を働かせても、それもまた偶然に左右される。しかし、死ぬことだけは必然である。必然と偶然に翻弄される運命を超えるため、イジチュールは死を選ぶ。これに対し、三十年後に書かれた『双賽一擲』は「決して偶然を廃棄することがない」という句から始まる。そこに描かれるのは、手に賽を握りしめたまま偶然の波間を漂い、海に呑まれてゆく船長の姿である。二つの詩を比べたうえで、田辺は、イジチュールの自殺を「人は必ず死ぬ」という運命の必然的側面に駆り立てられただけの行為で、人間の運命につきまとう偶然を克服するものではないと批判する。なぜなら、「虚無の尖端たる死といえども、「偶然」に制約せられるのであるから、これを立証し必然化することはできない筈」（一三・三〇二）だからである。人は偶然の「全面的支配」のもとにあり、この「絶対偶然」から逃れる道はない。一方、『双賽一擲』の船長は、偶然の象徴としての波に翻弄される、一見すると無力な存在である。しかも、賽を手にしながらそれを振ることすらしない。なぜなら、たしかに賽を振ること自体は自力の行使であるが、どの目が出るかは偶然に委ねられる以上、自力の達成は不可能だからである。こうして、自力の限界に直面した船長は、覚悟を決めて偶然の波に身を任せる。この船長の姿に仮託しながら田辺は言う。

偶然を裏面に潜むるがゆえにいつ起こるか予測することができず、しかもその起こるに際しては逃るるに途なき不可避の必然を、表面に顕して我々に迫るところの死を、いわゆる運命愛において自己否定的にそれに先んじ予め覚悟し、自ら進んでこれを肯い、悪びれずに、他人の解放のために受容転換して、それに対し自己を犠牲にすることより外に、運命を生かして協同の自由を実現する路は我々にはない（一三・二二三）

この世に生を享けたことは偶然であり、死ぬのは必然だが、それがいつなのかはわからない。生も死も偶然に貫かれている以上、この偶然をそのまま受け入れるしかない。「人は必ず死ぬ」ことだけに駆り立てられて自ら死に赴いたのはイジチュールだったが、死を覚悟しつつ、生の波間に漂う運命に身を任すのが『双賽一擲』の船長である。生とは偶然に左右されるものであり、自らの力でコントロールできるものではない。自力は否定され、無力な自己が露呈し、彼は自らの存在を否定的に受容するしかない。しかし、こうした偶然性による自己否定こそ、他者との協同の足がかりであり、「絶対無即愛」への道であると田辺は考えた。なぜなら、先にみたように、愛とは自己否定から始まるものであり、そうであるならば、自己の無力を肯定し、自らの偶然的生を受け入れることとは、愛への第一歩だからである。

自己の偶然的生の受容が、他者の存在への慈しみをもたらし、愛へとつながる可能性を開くことについて詳しく論じているのが、九鬼周造である。彼は、自らの偶然的生を感受することから他者へ開かれるあり方を「偶然性の実践的内面化は具体的全体に於ける無数の部分と部分との間柄の自覚にほかならない」(8)と言う。自己の生の偶然性を受け入れるとは、この私のあり方が「他でもありえたかもしれない」可能性を知ることである。それは、現在の自己のあり方を無数のそうありえた他の可能性を通して否定的に見ることであると同時に、その残された可能性（そうならなかった可能性）に向き合うことでもある。その残された可能性が、あるいは目の前の他者の生であるかもしれない。もちろん、それとは異なる可能性が他者の生として現実になることもあり得る。私と同じく、他者も同じだけ可能性を抱え、偶然の生を生きている。自己の生も他者の生もひとしく無数の可能性に晒されたなかで、たまたま選ばれた形であって、その意味で、私は目の前の他者のようであった可能性もあるし、目の前の他者がいまの私のようであった可能性もあり、そこで自己と他者はいわば交換可能な等しい存在である。九鬼が自己の偶然性を引き受けること（偶然性の実践的内面化）が、部分と部分の間柄の自覚であるというのは、このように自己の生の偶然性を感受することが、その偶然性の背後にある無数の可能性を通して、他者の生を受容することにつながるからである。さらに、そこで受容される自己と他者の生は、ともに「他でもありえたにもかかわらず、このようにある」という「有り‐難さ」に貫かれたものであり、この「有り‐難さ」は、それぞれの生の奇跡的な有り様、「かけがえなさ」を開示する。したがって、自己は自らの生の偶然性を通じて、他者の生の偶然性を感受するとき、自己と同じく他者の生の「かけがえなさ」へと開かれ、その存在を慈しむことが可能になる。この「有り‐難さ」の根柢にあるのは、「メメントモリ」において田辺が明らかにした、他者の死の偶然性によって照らし出される自己の生のかけがえなさである。こうして、死者と面し、その死の偶然性において、自らの生の偶然性を知った者は、さらに、残された者たちの生の偶然性へと開かれることが可能になる。第1節で「生きるも死ぬるも一緒」と無常を悟ることが、なぜ「喜び」をもって生きることになるのかという転換の問題をあげたが、それは偶然性に直面し、それぞれの生のかけがえなさが開示されることで果たされていたと言えよう。

しかし、このように自己と他者の生を感受することが、ただちに「愛」と呼ばれる事態となるのではない。愛はその先において開かれる可能性である。なぜなら、偶然において他者の生を受容することは、いまだ自己否定の段階にとどまるだけだからである。たしかに、愛には自己否定が必要である。しかし、「他のために自を捧げる自己否定の愛」（一三・二二三）と田辺が語るように、自己否定の先で、他者へと行為を紡がねば愛に至ることはできない。それゆえ、偶然性において他者の存在を受け止めるだけでなく、その他者へと手を差しだし、はたらきかけるとき、はじめて、ひとは愛への一歩を踏み出したと言うことができる。

だが、その一歩は不安定に揺らぐものである。自己も他者も偶然に左右される存在である以上、自己が他者のためにおこなった行為でさえ、その偶然から逃れることはできない。自己を犠牲にする他者への行為を選んだとしても、その願いが果たされるかどうかはわからない。他者のため、と言ったところで、偶然がもたらす不確定性から逃れられるわけではない。これにたいし、田辺は次のように言う。

偶然が不可測である以上は、それが目的に適う至妙の処置に導くことを予期して安心することを、許すものではない……自力達成の不可能を自覚し、自己を擲ってこれに随順し、忍に於いて他力的恩寵を降下する時の熟するを待つ外ない。（一三・二六六）

他者のために何が果たせるかは約束されていない。それでも、他者へと行為を紡ぐべきであると田辺は訴える。なぜなら、そのなかでこそ愛の可能性がもたらされるからである。他者への行為は偶然に左右され、自己と他者のあいだは偶然性によって幾重にも隔てられていると知りながら、他者へと行為しようとするのは、一種の賭けである（「願いが果たされるかどうかわからない」）。自力の無力を悟りながら、それにもかかわらず、自らの手を他者へと差しだし、何かをしようとするのは、まさに「自己を擲つ」行為と言えるだろう。しかも、この行為がただちに他者への善を約束するわけではない。「忍に於いて他力的恩寵を降下する時を待つ」と言われるように、その先に善、すなわち良き結果が到来するかどうかは、わからないままである。それでも、この不確定な状況を持ち堪え、他者を慈しみ、他者への善を願うなら、それはまさに自己否定を通じて他者を目指す愛というありようなのではないか。それは、苦しく不安に駆られる状況である。しかし、田辺はそこに他者への愛が開かれる可能性を見てとったのである。

こうして、偶然性において死者に面し、生の喜びを与えられた者たちは、互いの生の根柢にある偶然性を引き受けることで、他者への愛へと向かうことができる。自己否定から他者への愛を語る田辺の議論は、どこか超越性を感じさせ、偶然に基づく愛の実存協同は厳しいものであるように見える。だが、私たちは、あの震災で、自らの生きる場が偶然に左右される脆いものであることを知ったのではないか[9]。そして、その偶然に絶望せずに、再生を願い進もうとしているひとたちがいる。偶然を直視した者ほど、その怖さを理解しているはずにもかかわらず彼らは未来を見ようとし、他者と手を携えようとする。それは偶然のうえに打ち立てられる行為ではないだろうか。だとすれば、自己の無力を超えてなお、他者と未来へ賭けるその行為の先に、私は田辺の捉えた愛の可能性を見たいと思うのである。

おわりに

冒頭で私は、それぞれがあの日と「ともにある」方法を問うた。偶然性をめぐる田辺の思索から明らかになるのは、「ともにある」とは、そこにある断絶や差異を認めることの先において可能になるということだ。それゆえ、「日本」あるいは「無常」という語りで、差異や断絶を一括りに捉えることを私は警戒した。

たしかに、わけもなく(まさに偶然に)与えられた断絶に面することは苦しく、差異を直視し続けることは疚しさを掻きたてる。だが、そこからが始まりなのである。第1節で私は、死の虚無から喜びはいかにして導き出されるのかという疑問を提示したが、晩年の田辺の思索から明らかになるのは、偶然性によって個別の生死に止まり、死者に面することで初めて生が転換され、さらには、他者との新たな関係が可能になるということであった。たしかに、偶然は時として残酷である。それは死者と生者を理由なく隔て、残された者のあいだに様々な差異をうむ。そして、決断と行為を阻害し、善の達成さえ不確定にする。しかし、その偶然性に基づく隔たりや差異こそ、それぞれの者の個別性を開示し、かけがえなさを可能にするものであり、つながりを開く起点になる場所なのだ。それゆえに、私たちは断絶や差異を避けてはならない。それは悲しく苦しいことであるだろう。だが、その偶然の悲しみや疚しさを受け止めることこそが、個別と出会い、互いを慈しむことなのであり、「ともにある」ということなのだ。[10] そして、その先において、私たちは愛の可能性を手に入れることができる。だからこそ、私たちは偶然性をごまかすことなく直視することから始めるべきなのではないだろうか。

愛は真に、偶然に対して寄せられた信頼なのです。愛はわれわれを、差異とは何かということの根本的経験の領域に、そして結局、ひとは差異の観点から世界を探求できるのだという考えへと向かわせるのです。[11]

（1）若松英輔『魂にふれる――大震災と、生きている死者』、トランスビュー、二〇一二年、四三頁
（2）村上春樹、二〇一一年六月九日カタルーニャ国際賞受賞スピーチより
（3）山折哲雄「二つの神話と無常戦略」、『思想としての3・11』、河出書房新社、二〇一一年、六七頁
（4）『田辺元全集』（筑摩書房、一九六三年）からの引用は、引用箇所のあとに（巻号・頁数）と記し、旧漢字・旧かな遣いは適宜改めた。
（5）たとえば、末木文美士は実存協同を分析するなかで「一つは、〈死者〉の側において生前から持続する愛であ

り、もう一つは、「死者に対する生者の愛」」と直接的な愛として解釈し、「そもそも〈死者〉は必ずしも生者に対して純粋な愛に達しているわけではない。……それは生者と死者の間のみならず、およそ他者との関係が含む相互了解の困難さである」と田辺の「死者からのはたらきかけ」としての「愛」を批判している。だが、奇しくも末木が言うように、その「相互了解の困難さ」こそ、他者の死の偶然性として「死者からのはたらきかけ」において与えられるものではないのだろうか。末木文美士『哲学の現場――日本で考えるということ』、トランスビュー、二〇一一年

(6) 杉村靖彦「死者と象徴」、『思想』、一〇五三号、岩波書店、二〇一二年、四六頁

(7) 同上、四五頁

(8) 『九鬼周造全集第二巻』、岩波書店、一九八〇年、二五八頁

(9) 震災を経験した人びとの間に共有された偶然性の感覚という点については直江清隆氏の発言から教えられた。また、その際、「偶然性を感じるということから、なぜ愛に向かうことにつながるのか」という質問をいただいた。たしかに、偶然性は即座に愛を可能にするものではない。しかし、愛という行為の可能性を開くものであると私は考えている。

(10) もちろん、「偶然性」と名指し、「実存協同」という言葉を用いることもまた、個別の体験を一括りにする行為であるという意見はあるだろう。概念を操り、言葉を用いる哲学の営みは、こうした個別のことがらを目の前にして、無力であるという問題は間違いなく存在する。日本倫理学会第六十三回大会共通課題の共同討議の議論で出た大庭健氏の言葉を借りるなら、まさに、「震災以降、震災の苦しみを哲学・倫理として語ること」など「野蛮」なのかもしれない。しかし、哲学・倫理とは、その野蛮さを引き受けてその先を目指す営みとしてしかないのではないのだろうか。こうした困難な試みにおいて、私は「偶然性」という言葉に、個別の体験があるということを指し示す道しるべの役割を託してみたいと考えた。だが、この点については一層の議論を要するところである。この問題については、共同討議の議論での大庭健氏の発言等から教えられるところが大きかった。

(11) アラン・バディウ、ニコラ・トリュオング『愛の世紀』、水声社、二〇一二年、三六頁

【書評】

佐藤啓介『死者と苦しみの宗教哲学――宗教哲学の現代的可能性』晃洋書房、二〇一七年

私たちは、自らの人生を自分でコントロールできるのだろうか。むしろ、つねに自力では制御できない感情に襲われ、予期しなかった出来事に左右されて選ぶことさえできず状況に流されていくことの方が多いのではないか。私の生は私の手の届かない「他なるもの」で形成されている。だが一方で、いかに「他なるもの」に接しようとも、自力でどうすることもできないその生を「私の人生」として引き受けていかねばならないことも事実である。そのとき人は苦しみ、正しさを見失う。著者は人間のこうした弱い姿に寄り添い、その矛盾の中から微かな転換の可能性を探ろうとする。「人はそこまで強くも正しくもない」というところから苦しみと赦しを語る、著者の態度に評者は基本的に同意する。また、私の生を「他なるもの」との接触に捉えることも現代の哲学にとって馴染みのある問題構成であろう。しかし、私の生を根源的受動性と捉えてもなお、疑問は残る。それは、「他なるもの」との出会いから私へと戻る、いわば還相における「他なるもの」の働きをいかに位置づけるか、ということである。そこに「宗教」や「超越」を見出すことはできるだろう。だが本書の序において言われるように「他的であることと宗教的であることは、同義ではない」(一〇頁)。むしろ著者は、こうした「他なるもの」と自

己の関係を「超越」という垂直関係で捉えるのではなく、「他なるもの」との多様な接触として取り出すことで、いわば水平の「多性」へと開いていこうとする。本書は、その試みを通して、宗教哲学は何を語ることが可能で、どのような方法をとるべきかという根本的問題に迫るものである。全三部の構成をとるこの書は、各章を独立で読むことも可能だが、「死者」をキーワードとする連作短編として読むことを評者としてはお勧めしたい。それは、すべてを通して読んだときに見えてくる構造と問いがあるということだ。では、その中身を簡単に紹介していこう。

第一部「悪をこうむる経験を考える」は、悪をこうむったときに私たちが取り得る三つの行動（赦し・復讐・罰）から、死者を記憶する有り様が論じられる。まず著者は第一章「不可能な赦しの可能性――赦しの解釈学」でアーレント、リクール、ジャンケレヴィッチの議論を取り上げ、赦しえないものの存在、赦すことの困難を析出する。こうした困難を前に必要なのは赦しの条件を探ることではない。なぜなら、条件付きの赦しは、過酷な現実を前に現実の追認を招き、赦しのデフレを引き起こすからである。むしろ、無条件に赦すとき、はじめて赦しへの道は開かれる。それは、赦しをめぐるこの「アポリア」において私が「触発される」とき可能になると著者はデリダに基づき訴える。ただし、人間はこのアポリアを耐えるにはあまりに弱いゆえ、導きとなる範例が必要である。その範例は無条件の愛に基づくイエスの「善すぎる」赦しではない。愛の無条件性が同時に導出する復讐へ向かう憎悪こそ、弱い人間が赦しのアポリアにおいて経験するものである以上、必要なのは、復讐の底から赦しへの転換の有り様を示す範例である。

では、そもそも復讐とはどういうメカニズムで作動し、復讐へと駆り立てる死者と生者はいかに向き合うべきなのか。第二章「暗い記憶の行き場――死者と復讐」では「死者の記憶」を補助線として、この問題が論じられる。著者が取り出す復讐の前提条件は「同等性」「正当性」「代理性」である。復讐を目論む者は、自らが死者を正しく記憶していると思うからこそ、その代理を務めて、こうむったのと同じだけの悪を加害者に与えようと願う。そこには、「被害者の記憶に忠実でありたいという、それ自体は倫理的な願い」（五四頁）がある。だが、死者の記憶を正しく代理できるものなどいない。むしろ、そうやって代わりに復讐を求めることは、死者を「「なかった」ものにする忘却の最後の一閃を打ち込む」（五六頁）。著者はこれに対し記憶を「目覚めさせておく」ことの重要性を説く。

第二部「死者の記憶の場を考える」では、「暗い記憶」をとどめる場の形成が論じられる。まず第三章「汝、死者を忘るるなかれ――公共空間と死者」は前章の問題を引き受ける形で、公共空間において何らかの悪をこうむって死んだ者と生者の関係が取り上げられる。このような死を前にして生き残った者が知るのは、彼我の生死の偶然性であり、いま多くの人で営まれるこの空間がそれらの死によって形を保っているという現実である。「ともに生きる」空間を成立させる不均衡ゆえ、生者はそこに生じる死を解釈しようとする。それは誰が死者の記憶の正当な継承者かという生者のアイデンティティポリティクスを呼び起こし、公共空間を閉塞させていく。だが、死者の記憶に忠実でありたいのなら、記憶は代理されるべきではなく「目覚めさせて」おかねばならない。そのために、記憶の場はただ「開いている」だけではなく、同時に「閉じている」ことが求められるのではないか。死者がどのような思いを抱いて死んでいったのかは決してわからない。そのわからなさに跳ね返されることこそが、死の事実性だからである。こうした経験の場として著者は、「何らかの場を占めて」いながら「原因であった何かがすでに失われ、何かがすでに分からない淵へと落ち込んでしまったという不可知性」（八〇頁）を帯びた「痕跡」という有り様を提示する。

第四章「死者は事物に宿れり――死者の記憶の場としての世界」は、考古学の視点から死者について考えるヒントを模索する実験的な論考となっている。著者がルロワ＝グーランやスティグレールの道具観を参照しながら語るように、考古学が扱うモノには死者たちの行為が遺されている。同時にそれらのモノは捨てられ、風化したものである。まさに「痕跡の上書きの連鎖」が生じているわけだが、それを行為という言葉が連想させるような動的変化ではなく、むしろ「アクターなき静態的なネットワーク」（九八頁）として捉えるところに著者の独自性が発揮される。こうした考古学視点から世界を見直すとき、私たちはこの世界が死者の痕跡に溢れていることを知る。それは死者の記憶との倫理的関係というのではない、もっと日常的な関わり方へ私たちを差し向けるものだ。

第一部、第二部は悪をこうむった者（死者）に関わる第三者の有り様が問われたのに対し、第三部「苦しむ経験を考える」は、悪をこうむった当事者とその苦しみが議論の俎上に載せられる。その分析を神義論に沿って進める著者の問題意識は明確である。神義論に代表される自然悪の原因を問うことなど、現代では無効になっているにもかかわらず、私たちは災禍を「受けいれがたい」と感じてしまうし、自然悪に苦しめられるとき、「宛て先のない抗議」をおこなってしまう。そのいかんともし難い思いを、抗議の叫び声が果たす「機能」（第五章「自然悪の苦しみと宗教哲学」）と、その「理由」（第六章「苦しみの叫び声は何を求めているのか」）から考えたうえで、現代の神義論の問題点と意義を検証する（第七章「不幸と抗議」）。さらに悪によって死をこうむった者の存在をいかに考えるべきかという根源的問題がネーゲルの「死の害」から論じられる（第八章「死という悪に死者は抗議できるのか」）。

以上の分析を通じて明らかになるのは「他人の無意味な死」の事実性／偶然性といかに向き合うかという問題である。これに対し著者はJ・ロスの「抗議の神義論」に注目し、正当化することなく無辜の死に抗議する可能性を引き出そうとする。もちろんそれは、世界の全能な作者たる神への疑問などではない。私たちは無根拠な不幸が無数に存在する世界にあってなお、その世界を論理的に理解しようとしてしまう。著者が見出すのは、生死をめぐる事実性／偶然性を受け止めることのできない自分自身の「合理的感性」への強い疑問であり、正当化を誘惑する世界の仕組みへの抗議である。だが同時に「存在の徹底した偶発性」が発見されるとき、私たちは自己、神、世界が「生成の途上にあること」（一五八頁）を知ることになる。それは自然のデモーニッシュな次元をあらわにし、あらゆる尺度を公平さの秤りから外して人間を倫理と暴力のいずれにも向かいうる不定型な力に置く。だがそれゆえに、「新しい尺度を打ち立てる」創造へと主体を向かわせる跳躍板ともなりうるのではないのか。こうした読み換えこそ、著者の考える宗教哲学の新しいあり方である。

死者の代わりを果たそうとする生者の復讐心からスタートし、死に抗議することの可能性へと本書はたどりつく。しかし、死者はその死に抗議することはできない。だからこそ、生者と死者の関係が問われねばならない。そして問いはふり出しに戻る。循環する議論の構造から浮かび上がってくるのは「存在の徹底した偶発性」という楔である。この楔を前に、本書では二つの進むべき方向が示されている。赦しへと触発される時を待ち望むという他力的あり方と、苦しみにおいて生成する力を抗議する自らの力へと変換する自力の強さである。もちろん、抗議する力が「実存的・情動的」レベルに根ざす以上、自力と他力の二つの有り様は単純に分けられるものではない。だとすれば、この二つの力はどのような転換の関係にあるのか。評者のこの疑問はより大きな問いにつながっている。著者が言うように、赦しへ触発される他力も抗議する自力も「宗教以前の情動の次元」に位置し、人間の「むき出しの生」（三頁）の経験をあらわにするものだろう。だが、同時に人間はそうした「むき出しの生」にさえ耐えることのできない弱い存在であるゆえに、自力にも他力にも向かえず、おろおろと正当化の論理に流されていくのではないか。論理への志向は合理性に支えられているのではなく、むしろ弱い人間の生き抜く術なのだとしたら、「宗教以前の情動の次元」を生き抜く支えになるものが問われるべきだと評者は考える。その意味で著者のまなざしは弱い人に寄り添いつつ、まだ強いとも言えるのかもしれない。どこまでも弱い人間に支えはないのか、そのとき問われる「超越」の問題が著者の宗教哲学においてどう位置づけられるのか、続きを期待して本書評を閉じる。

第五章　恋愛という「宿痾」を生きる

1　問題の所在

どこの場所でもいつの時代でも人は恋をする。その一方で、「恋愛病は、個人になった近代人の宿痾のようなものである[1]」と言われることもある。「恋愛」は、近代に入り個人化が進んだことで特殊な様相を帯びるようになり、不治の病として人びとに取り憑いているというわけだ。恋という普遍的な現象が、なぜ近代になって「宿痾」とまで呼ばれるようになるのか。それを上野は「自立と孤独を自覚したときに、恋愛への渇きは深まる。その意味で、恋愛は個人主義の産物と言っていい[2]」と理由付けている。

近代における個人の「自立と孤独」の内実とは何か。それを近代日本の状況から考える際に大切なのは、近代日本（そして現代の日本も）は、「個人になった近代人」に遠く及ばず、「個人」になることを求められた「近代人」だったということだ。明治維新により身分制度が崩壊し、人びとは表向き「自由と平等」を手に入れた。それまでは「侍として」「農民として」、自らの生の意味を与えられ、地縁・血縁の共同体にそれぞれの人生は基礎付けられていた。それが一転、平等の名の下に自由となり、人びとは自らの生の意味を自分で見つけ、自分だけの人生を作り上げて、「個人」として自立することが求められるようになる。他人よりも抜きんでて自分の意義を示すために「立身出世」が謳われる一方で、若き知識人たちは自己の生の意味を様々に問いかけた。このように自由と平等を掲げる近代は、個人にたいして「お前は何者か」「何者かになれ」と迫り、自己実現の欲望を駆り立てる時代でもある。

しかし、立身出世と頑張って勉強してみたところで、発展する資本主義経済に巻き込まれた個人は、結局のところ代わりのきく製産パーツにすぎない。何かになりたい、けれど、実際は替えのきく存在にすぎない自分。満たされない自己実現の欲求を抱きつつ、孤独だけが深まっていく。そのとき恋愛は孤独を癒やす方途となる。なぜなら、恋愛とは「特別」という感覚を与えてくれるものだからである。ひとは誰かを好きになるとき、「この人でなければ」と想う。「あんな人のどこがいいの」と言っても、「あの人でなければだめ」というのが恋というものである。恋をする二人にとって、互いの代わりになる存在はいない。その代替不可能性は、求められた人間に「自分の特別さ」を教える。淡々と続く日常、代替可能な自分が恋愛においてかけがえのないものに変換される。だからこそ、孤独になった近代人を恋愛は救い、手放すことのできないもの――「宿痾」――になってゆく。本稿がめざすのは、この「宿痾」がじっさいにどのような「病巣」をもっているのかを分析したうえで、この治らない病をすこしでも楽にする、あるいは悪化させずに生きてゆく方法について考えることである。(3)

まずは、近代日本で初めて「恋愛」が救いになることに気づくと同時に恋愛という「宿痾」の病巣を明らかにした北村透谷から論をはじめ、そのうえで、恋愛という宿痾への対処法を探るために、ジンメルの「コケットリー」と九鬼周造の『「いき」の構造』をみていくことにしよう。

2　北村透谷の「恋愛」

近代日本における「恋愛」の発見者として有名なのが、北村透谷である。最も有名な彼の言葉といえば、「恋愛は人生の秘鑰《ひやく》なり、恋愛ありて後人世あり、恋愛を抽き去りたらむには人生何の色味があらむ」[4]という恋愛賛美だろう。「秘鑰」とは、秘密の扉を開く鍵を意味し、彼にとって恋愛は「人世の奥義の一端に入るを得る」ゆえに大切なものであった。ここで言われる「人世の奥義」とは処世術などではなく、日々の生活で見失われがちな真の自己を知ること、世間的なことに煩わされない「本当の自分」を見つけることを意味する。

なぜ、恋愛で「真の自己」にたどりつくことができるのか。それは、恋愛が単調な毎日を壊す、非日常的な体験だからだと透谷はいう。誰かに恋心を抱くとき、多くの人は条件をあげて自分に合うパートナーを選ぶわけではなく、訳もなくある人に惹かれ、「この人でなければ」と想う。いわば、合理的な判断ではなく、非合理的な熱情がそこにはある。こうした非合理的な情熱は、一定の合理性に従うことで安定している私たちの日常を壊す。好きな人ができれば、勉強や仕事が手に付かないというのはしばしば起こることだが、合理的に考えればそのようなことはするべきではない。そのとき、ひとは今まで意識していなかった自分の一面に気付くだろう。あるいは、彼女／彼しかいないと相手の代替不可能性を感じると同時に、その彼女／彼の相手になるのは自分だけだと「自己の単独者性[5]」に酔うこともあるだろう。一方で、彼女／彼とこれから共に歩んでゆくのだ、と自分の人生のあり方や意味を問い直すこともある。このように、恋愛の情熱のなかで、ひとはさまざまな形で「自己」という存在と向き合うことになる。それゆえ、「恋愛の性は元と白昼の如くなり得る者にあらず。……恋愛が盲目なればこそ痛苦もあり、悲哀もあるなれ、また非常の歓楽、希望、想像等もあるなれ[6]」と透谷は言い、盲目的なまでの激しい情熱が恋愛の核であると考えた。近代的恋愛の実践者である彼自身は、後に妻となる石坂美那に手紙のなかでこう呼びかけている。「吾等のラブは情欲以外に立てり、心を愛し、望みを愛す、吾等は彼等情欲ラブよりも最ソツト強きラブの力をもてり[7]」。強いラブ／恋愛の力は、「この人でなければ」と「心を愛し、望みを愛す」ことに宿る。そこに成立する代替不可能性は、個人になろうとし孤独に苛まれながら日常に埋没してしまう近代人にとって、救いになることに透谷はおそらく気付いていた。だからこそ、恋愛を「神聖」で「高潔」なものと言ったのである。

そして、彼は「神聖」で「高潔」な恋愛の先で結婚を望んだ。結婚において二人が結ばれることで、恋愛が与えた代替不可能性を失うことなく守ろうとしたのだろう。ところが、そこで透谷は恋愛という「宿痾」の問題にも同時に気がついてしまった。彼は結婚後、次のように語りだす。

> 抑も恋愛の始めは自らの意匠を愛する者にして、相手なる女性は仮物なれば、好や其愛情益々発達するとも遂には狂愛より静愛に移るの時期ある可し、此静愛なる者は厭世詩家に取りて一の重荷な

るが如くになりて、合歓の情或いは中折するに至は、豈惜む可きあまりならずや。(8)

恋愛において「この人でなければ」とお互いの代替不可能性を認めあって、両者は結ばれ、婚姻関係を選んだはずである。にもかかわらず、透谷は婚姻を重荷という。なぜなら、婚姻とは長く続く生活であり、ともに食べ眠り、金の計算をし、親戚づきあいに巻き込まれる日常だからだ。それは恋愛で結び付いた二人をどこにでもいるありふれた夫婦にしてしまう。そのとき、透谷は自分に問いかける。恋愛に自分はいったい何を求めていたのか、と。そして、恋愛が「宿痾」と呼ばれる病巣を持っていることに気付く。

彼はたしかに恋愛を賛美し、非合理的な情熱に身を焦がした。代わりのきく自分にもたらされた、代替不可能な経験。そこに彼は救いを見出した。だが、その代替不可能性とは「この人でなければ」という相手への想い、他者への慈しみではなかったことに彼は気付く。そこにあったのは「自らの意匠」への想い、つまり、自分の理想への欲求だと透谷はいう。自分の理想とは言うまでもなく、恋愛の情熱によってたどり着こうとする「真の自己」のことである。日々の生活に追われる自分はつまらない存在だが、非日常的な陶酔のなかで自己の単独者性を感じることができる。そこに成立する代替不可能な経験を通じて、日常の自分とは違う特別な存在になって「本当の自分」を手に入れること。恋愛はそのための「手段」である。そのとき、恋の相手は自分の情熱を触発してくれる存在でありさえすればよい。それゆえ彼は、「相手なる女性は仮物」であると言う。彼の求めた恋愛には、何者にもなれない孤独を埋め「真の自己」を手に入れたい、特別な自分になりたいという、近代特有の自己実現の欲求が垣間見える。そして、その欲求は自己実現を果たすためであれば、恋の相手を「仮物」とし、情熱を触発する道具とすることも厭わない。しかも、婚姻というある種の一体化において、恋の相手を所有しようとする。だがそれも、恋愛が与えてくれる代替不可能性を我が物とすることで、獲得した「真の自己」を守りたいという欲求に基づくものではないのか（それゆえ、代替不可能性が消失すれば不要となる）。自己実現のために他者を道具化し、所有物のように見なしてしまう。これが透谷の気付いた恋愛という「宿痾」の「病巣」であった。この病巣の根柢に私的所有の論理とこれを亢進させる、C・テイラーが言うような「道具的理性[9]」のはたらきをみてとることもできるだろう。こうした問題がありながらも、孤独に苛まれる近代人にとって恋愛は抗しがたい魅力をもち、宿痾として私たちに取り憑いている。そのなかで、他者の道具化という病巣をどうすればいいのだろうか。

3　「コケットリー」とは何か

結果的に、恋愛という宿痾の病巣に気付いた透谷であったが、彼にとって恋愛とは「心を愛し、望みを愛す」という真剣でまじめなものであった。これにたいし、そういった真剣さを求めないことで、恋愛という宿痾とつきあおうとしたのがゲオルグ・ジンメルと九鬼周造である。ジンメルは、「コケットリー」、九鬼は「いき」という遊戯的な恋のかたちに注目することで、他者の道具化を避けて、恋のなかで開示される生の根源的な姿を捉えようとした[10]。

コケットリーはフランス社交界で女性が男性を惹きつける方法であり、「いき」は江戸深川の芸者を起源とする遊郭における恋のかたちを指すが、両者ともに、恋がはじまり相手の気を惹こうとするときのふるまいの形、「媚態」のあり方に関する価値観と言える。コケットリーと「いき」は、基本的に同じ構造をとっており、「二元性」を保つことを第一とする。恋をすれば人はその相手を手に入れたいと思うのが人情だろう。そこにあるのは合同の望み、一元化の欲求である。ところが、コケットリーと「いき」は、二元化にまっすぐ向かうことを押しとどめ、合同を最大限に引き延ばそうとする。なぜ、合同を引き延ばすのか。まずは、ジンメルの論文「コケットリー」を見てみよう。

ジンメルによれば、気に入られようと媚びを売る女性は、恋の相手を手に入れ、合同するために努力しているが、それはコケットリーではないし、そのような女性は魅力的ではないという。というのも、相手との合同に向かってまっすぐ努力をおこなう女性は、容易に手に入りそうに見えるからだ。それをジンメルは「価格の本質」と同じであると言う。ひとは大量生産のものよりも、一点物の手に入りにくいものに高い価格をつける。だから、それが欲しくなる。女性がコケットリーを示すのは、合同を引き延ばし手に入りにくい存在となって、「高い価格」を自分につけるためである。それゆえ、コケットリーにおいて大切なのは、「獲得可能と獲得不可能の併存」であり、「コケットリーはむしろ、それが対象とする人物に、イエスとノーの不安定な遊戯、承諾の回り道であるかもしれない拒絶と、その後ろに、背景として、可能性として、威嚇として、取り消しが立っている承諾とを、感じさせなければいけない」[11]。しかも、イエスとノーは「硬直した併立」であってはならず、「たがいに絡み合い、たがいに指示し合う」必要がある。ジンメルの挙げる例は、視線の動かし方である。相手をじっと見つめるわけでもなく、顔を少し背けた状態から相手へと視線を流し、またその身を背けること。そうした視線の動きは、相手へ向かうイエスの気持ちと身を翻すノーの気持ちを示して見せる。

だが、単に「高い価格」がついているから、コケットリーをみせる女性が魅力的なわけではない。コケティッシュな女性に惹きつけられる理由をジンメルは次のように言う。

……相手の男性は、自分に対する彼女の関心、自分の心を捉えたいという彼女の願望にすでに実現された幸福の一部を、先取りしながら感じとる。……そのように享受された価値の量は、現実の系列における中間段階の獲得は絶対的な確実性をもって決定的な最終価値の獲得を保証するものではないという事実によって制限される。……このことは中間段階に対して、その価値の不可避的な低下と、しかしまた偶然という魅力による価値の騰貴……をもたらす。もしわれわれが、前段階と最終段階のあいだに割り込んでくるやりそこないの機会を、その全的で客観的な重さに従って計算できるとすれば、おそらく幸福をあのように先取りすることはできないだろう。しかしわれわれはその機会を、同時に、魅力と感じ、計算不可能な諸力の恩恵をめぐる誘惑的な賭と感じるのである。(12)

イエスとノーを同時にみせる女性はすぐには手に入らない「高い価格」をもつ存在として男性の目の前に現れる。たしかにすぐには手に入らなさそうだが、一方で、彼女が自分に対しコケティッシュに振る舞うのは、「獲得されてもよい」という思いがあるからである。それゆえ、男性は女性のコケットリーを前にして、いずれ自分はこの女を獲得することができるかもしれないという可能性を感じることができる。高い価格だが、手に入る予感を与えてくれるもの、それがコケティッシュな女性の本質であり、その予感において相手の女性が手に入るという幸福が先取りされることで、男性の欲望は駆動する。ここで重要なのは、単に高い価格のものが手に入るということではなくて、それがあくまでも「可能性」であるという点である。つまり、獲得できない可能性もあって、失敗のリスクを含めた獲得のプロセスに相手の男性は惹きつけられる。そこにある失敗のリスク、あるいは予期せぬ偶然による変更など、そうした不確定性を背後にもつからこそ、それが手に入ったときの幸福感は一層高まる。それゆえジンメルは、コケティッシュな女性に翻弄されるとき、男性はそこにある可能性と偶然性を感知していると指摘し、それを端的に「賭け」の魅力であると言った。

4 「賭け」の先にあるもの

ジンメルのコケットリー論をまとめると、コケティッシュな女性とはイエスとノーの二元を相手に提示し、合同の可能性を見せながら、その中間状態にとどまって自らの価値をあげる存在であり、それに惹きつけられる男性は、提示された可能性に幸福を先取りして、その幸福の実現に向かって賭けをおこなう存在であると、とりあえずは言える。そこにあるのは、「偶然への快感と、偶然がもつ対極的な可能性の独特で具体的な合一への快感[13]」である。だが、なぜ、可能性や偶然が快感をもたらすのだろうか。

檜垣立哉は「賭け」に伴う感情を「驚き」と言い、「賭博はそもそも、予想が当たることに驚く[14]」と指摘する。サイコロ遊びでも競馬でも、私たちは賭けにおいて、「おそらくこれだろう」と予想をしているが、そのとき心のどこかで「でもどうなるかわからない」と思い、「賭けなんて外れるものだ」と諦めの気持ちを持っている。だからこそ、「当たる」と嬉しいのである。その嬉しさは「当たった」ことの意外性、「そんなこともあるんだ!」という偶然への驚きに由来している。逆にいえば、私たちは必ず手に入るとわかっているもの(=必然)に対してはこのような喜びを持たない。それは手に入るのが「当然」だからだ。先のコケットリーの話に戻して考えるなら、「あなたのためなら何でもするわ」と近寄ってくる相手が自分のものになるのは、「当たり前」にすぎず、そこには獲得の可能性の提示もなければ、手に入らないかもしれないという不確実性とそれを乗り越えて手に入るがゆえの大きな幸福感も存在しない。一方、コケットリーにおいて、女性の側はイエスとノーのカードを持ち、いずれのカードを切るのかはっきりしないまま誘いをかけ、焦らし続ける。誘われる男性側からすれば、それでも相手の女性を求めることは、イエスがもらえるかどうかわからないまま、不確実な未来を待って賭けることである。合同が引き延ばされればされるほど、獲得の可能性が低くなっていくように感じられるが、だからこそイエスがでたとき、その賭けが「当たった」ことに驚き嬉しくなる。もちろん、賭けにでるのは男性だけではない。不確実な未来への賭けは女性の側でも同じである。自分の価値を高めようとイエスを引き延ばした結果、男性が諦めてしまう可能性もあるし、他の魅力的な女性が現れて心変わりするといった偶然事も起こり得る。コケットリーにおいては、誘う側も誘われる側も、不確実に動く二元性にたって、合同という未来に向けて賭けをおこなっている。そこにある不確実性と偶然性が、賭けのもう一つの快楽であると檜垣は言う。

賭けるという行為そのものは意志的で、「当てに行く」ということでもある。だがそこには矛盾がある。賭けというのは、そもそも相手に身を委ねることなのだ。自発的な意志で何かが見いだされるならば、賭ける必要はない。賭けにまつわる快楽は、身を委ねることにあるのである。よく分からないから賭けるのである。[15]

賭け自体は、自分の意志でおこなうことだが、その結果はコントロールできない。つまり、自分から進んで、自分ではどうしようもないところに出ていくことが賭けなのだ。そこには、「相手に身を委ねる」ことへの欲求が存在し、快楽はそこに宿ると考えられる。

しかし、「相手に身を委ねる」ことは快楽ではなく、恐怖あるいは不安ではないか。そう感じた者は、正しく「個人になった近代人」かもしれない。自己実現の欲求に駆り立てられ、「何者かになる」ことをめざすとき、ひとは自分の人生を自力でデザインし、コントロールしようとする。テイラーの言葉を借りれば、「個人の幸福と福祉という目標をどれだけ実現するかという観点」が重視される近代において、周りにあるものは「わたしたちの目論見に供される原料なり道具[16]」になり、ひとはそれらを使って、自分なりの人生を作り上げようとしている。恋愛において「仮物」と呼ばれる他者も、自己実現のための道具となり、その他者を所有することで、ひとは自らの生を理想的なかたちへとデザインすることを望む。だが、世界のありようや他者という存在は、変化し、わかりえないものであって、自己のコントロール下におさまるものではない。それでも、不確定性をできる限り抑え、変化を回避して、自己を守ろうとする。こうした近代人の生き方に、檜垣は「ある種の社会をがんじがらめに縛り付けるセキュリティーの狡猾な計算」を見いだし、これにたいし、賭けとは自己のコントロールを手放して「相手に身を委ねる」ことで、自己を守ろうとする「計算の裏をかいてみせること」[17]であると語る。したがって、賭けをするとは、世界が本来不確定性に満ちていることの開示であり、自己のコントロールや目論見が世界の不確定性を隠蔽していることの告発でもある。賭けをするとき、ひとは世界の不確定性をそのままに体験することを希望し、それを楽しんでいると言えるだろう。

コケットリーも同じように不確定性を求め、真剣な恋愛がもつ問題を告発する。**2**でみたように、透谷の恋愛は、真剣でひたむきに恋の相手を求めるが、そこには自己実現の欲求が隠れており、「真の自己」を獲得するために他者を求め、相手との合同へ一直線に向かうものであった。恋の相手は自己に代替不可能性を与えてくれる道具的存在として求められ、その存在を所有することで自己を守ろうとする欲求が垣間見える。これにたいし、コケットリーは自己実現の欲求を棚上げにして、合同という目的を引き延ばす。そして、賭けのなかで自己のコントロールを手放して不確実に動く相手との関係を楽しむ。それはある意味とても「不真面目」な態度だが、ジンメルはこうしたコケットリーを「目的なき合目的性」と述べ、そこでは、私たちの生きる世界が不確定であること、すなわち、「生の未決定性」が「ポジティブな態度に純化」されて、「遊び」として、楽しまれると語った。いわば、ジンメルの考えるコケットリーは、自己実現をめざす真剣な欲求、そこにある自己のコントロールを「賭け」において手放すことで、近代的な恋愛を「遊び」へとずらそうとするものである。

この「遊び」を楽しむためには、大切なポイントがある。それが「生の未決定性」を引き受ける用意、つまり、「この世界のいかんともし難さを「諦めて」みる」[18]という態度である。コケットリーには、自己のコントロールを放棄する必要があったが、そうした放棄が可能なのは、世界の不確定性を理解し、生は自分の力ですべてデザインできるものではないと自力の限界を認めているからである。他者はわかりえない存在であり、自他の間には届かない距離がある。すべてを自分のコントロール下に置くことなど、そもそも不可能なのだ。こうした「生の未決定性」への「諦め」なしに、他者への賭けを楽しむことはできない。それゆえ、ジンメルはコケットリーの究極のかたちを「個人の深い形而上的な孤独、それを克服しようとする個人の他の個人へのあらゆる希求が無限のなかに消えてゆく道になるほかない孤独[19]」を経験することにあると言った。そしてこの「生の未決定性」を引き受ける「諦め」に軸足を置いて、恋愛という宿痾と向き合ったのが、九鬼周造の『「いき」の構造』である。

5 「いき」とは何か

先にも述べたように、「いき」とはコケットリーと同じように、合同を引き延ばし、二元性に立つことをめざす恋の「媚態」である。九鬼によれば、「いき」とは、ひとが誰かと性愛関係を持ちたいと願う際の「生き方」であり、「媚態」「意気地」「諦め」という三つの特徴から成る。「いき」の基礎になるのは、第一の特徴「媚態」である。気になる相手に誘いをかけるとき、ひとは相手の視線を意識し、自己のあり方を反省する。そのとき、自己の存在は自己自身と他者の間で二元化されている。「媚態」とは、合同をめざして二元に立って駆け引きをすること、「二元的動的可能性」を意味する。ただし、「いき」は「その完全なる形に於いては、異性間の二元的動的可能性が可能性のままに絶対化されたもの[20]」であり、一元にたどり着かないことがよしとされる。だが、相手に心惹かれれば、その人と一緒になりたいと願うのは当たり前のことであり、二元にとどまることは難しい。そのため、二元を保つためのストッパーが必要になる。それが残り二つの特徴である。

第二の特徴「意気地」は、「媚態でありながらなお異性に対して一種の反抗を示す強みをもった意識[21]」と言われ、九鬼は、それを相手に対する「一種の反抗」や「気概」あるいは「誇り」と呼びかえている。「媚態」において、自己は相手の眼を意識し、そのとき自己の存在が二元化していることを先に指摘したが、「自分の姿は彼女にどう見られているだろう」という他者の視線への意識は、「どうしたら彼女に好かれるだろう」という囚われにつながる危険性がある。だが、それは相手の視線に従属し自己を失っている状態であり、自己と他者の二元ではなく、他者に吸収されている状態にすぎない。「媚態」において相手の視線を捕らえつつ、しかしそれに服従しない自由、自分を貫く強さ、それが「意気地」である。この「意気地」こそ、遊郭の女性と客の関係を単に金のやり取りにせず、緊張感のあるものにするために必要なものであった。

だが一方で、人の心は移り気なもの、それが遊郭であればなおのことである。たとえば、媚態をかけて、「あなたのために何でもします、どうにでもしてください」と言ったところで、相手が「どうにか」してくれるとは限らない。人の心は変わりやすい。この世は自分の思ったようにいくわけもない。世界に満ちあふれる不確定性、計算することの不可能、それを知ることが「諦め」である。九鬼はそれを「運命に対する知見に基づいて執着を離脱した無関心」、「現実に対する独断的な執着を離れた瀟洒として未練のない恬淡無碍の心[22]」と言った。注意してほしいのは、「諦め」といってもペシミスティックな世捨て人のような態度ではないということだ。世捨て人であれば、他者との関係をはじめから作ろうとしない。それにたいし、「いき」は性愛を求める関係のなかに立ち出て、他者に向かって媚態をしかけている。「いき」の「諦め」は、世界の「いかんともし難さ」を知りつつ、それでも他者との関係を求めてしまう人間に必要なものである。それは、「生の未決定性」を受けとめ、そのなかで起こる変化を生きるために「諦める」。

　厳密にいえば、「諦め」と「意気地」は独立の契機ではなく表裏の関係にある。「生の未決定性」を「諦め」において受けとめ、変化を生きるとは、ただその変化に引きずられることではない。相手に流されるのではなく、二元の変化を生きるには、自己の自由を保つ強さが必要である。「意気地」が「諦め」を補強するとき、「いき」は成立する。他者に取り込まれることを「意気地」において拒否して自己を守り、他者を取り込むことの不可能を「諦め」をもって知ることで、「距離を出来得る限り接近せしめつつ、距離の差が極限に達せざる」二元の状態を生きることが可能になる。合同を一直線にめざす真剣な恋愛とちがって、「いき」はいつでも「どうなるかわからない」と関係のなかで身を翻す。そうした「いき」を九鬼は、「「いき」は恋の束縛に超越した自由なる浮気心」「無目的なまた無関心な自律的遊戯[23]」と定義した。語り口の軽やかさとは裏腹に、その言葉には真剣な恋愛への疑義が隠れていることを見逃してはならない。真剣な恋愛からみれば、「遊び」にすぎない「いき」は単なる「悪性者」だろう。だが、その遊びのなかでしか手に入らない他者との関係、幸福のかたちもまた存在するのである。そして、その幸福のかたちはコケットリーとも異なっている。彼は「いき」において、近代的恋愛という宿痾にどう対応しようとしたのだろうか。

6　「コケットリー」と「いき」

コケットリーと「いき」は、二元を遊ぶという構造はほぼ同じで、「生の未決定性」への志向も共有している。その際、両者とも「諦め」の契機を必要とするが、九鬼が「諦め」を「いき」の要と考えるのにたいし、ジンメルではそこまで「諦め」は前面に出てこない。この力点の違いは、恋愛という宿痾への対応策の差異につながっている。まずは、その違いを分析していこう。

改めて、コケットリーと「いき」の構造を確認すると、両者とも合同という目的にまっすぐ進むことを良しとせず、そのためにノーの手札をちらつかせたり、意気地において相手への拒否を示す。近づいたり離れたりを繰り返して、動的な二元を遊ぶ点において両者は同じである。だが、じつは両者の「ノー」は全く違う方向性を持っていることに注意せねばならない。コケットリーの場合、ノーを提示するのは、女性が自身に「高い価格」をつけるためであり、その「高い価格」を手に入れる可能性にたいして、相手となる男性は賭けをおこなうのであった。そのとき、女性は「高い価格」になることで、相手より優位に立ち「権力と自由」を手に入れるとジンメルは言う。一方、男性はそうした「権力と自由」を行使する存在が自分にたいしてコケットリーを向けてくれるとき、「彼女を所有するという暗示的な魅力」を感じとる。その魅力は、単に彼女を所有するということではない。彼女を所有することで、彼女がもっている「権力と自由」を自らのものとすることができる点にある。このようにコケットリーは「高い価格」に付随する「権力と自由」をいずれが所有するのかというせめぎ合いでもある。しかも、この価格は、コケットリーのやり取りが長引けば長引くほど上昇していく。したがって、合同を先延ばしにしてコケットリーの遊戯を続けることは、未来に得られるものの価値をつり上げることにつながる。

これにたいし、「いき」の意気地は（売り手である）女性が価格をつり上げるためのものではない。「いき」の美意識において、「傾城は金で買うものにあらず、意気地にかゆるところべし」と言われるように、芸者が売り、また芸者が客に求めるのは「意気地」である。コケットリーのノーは、価格をつり上げるための手段の一種であったが、「いき」の「意気地」は手段ではなく、それ自体に意味がある。先にみたとおり、「意気地」とは、「諦め」をもって生の未決定性を引き受けた者がもつ「強さ」である。それは、未来の合同をほのめかすノーではない。芸者と客のあいだで「意気地」がやりとりされるとき、その「意気地」が表明するのは、自己と他者の変化する関係を受けとめる「強さ」があるのか、互いに「諦め」を知っているのかという問いかけといえる。

「諦め」を知らない者は「野暮」と呼ばれる。「野暮」とは「人情を解しない」態度とされ、その代表は「うぶな恋」「真剣な想い」である。(24) 真剣な想いは、相手へとまっすぐに向かい、しばしば合同することを激しく求める。だが、その激しさは「あなたを私だけのものにしたい」という所有の欲求に基づく「恋の束縛」につながる。こうした合同と束縛は、「いき」の目指すところではない。それゆえ、芸者は、一対一の関係での合同を欲する者は「大尽」であっても「幾度もはねつけ」る。だが、その拒否によって、コケットリーのノーのような「高い価格」を提示するわけでも、合同という「幸福の先取り」を感じさせることもない。九鬼がはっきりというように、「いき」にとって合同は「仮想的な目標」であって、はじめから合同が不可能であると「諦め」ている。そこにはあるのは、「真剣な恋」がもつ危険性への察知である。「真剣な恋」の問題性を知り、合同において相手を所有するのではなく、変化する関係を楽しめるのか、「いき」な芸者は「意気地」をかけて問う。

このようにみてくると、コケットリーのノーが、価格をつり上げ、賭けという遊びを一層盛り上げようとするものであったのにたいし、「意気地」のノーには、賭けへの誘いという側面がほとんどないことが明らかになる。そもそも賭けが成立するには、賭けの先で得られるものが必要だが、「いき」には賭けの先には何もない。一応、手札としてイエスは持っているし、それを見せることもあるかもしれない。しかし、そのイエスに何の意味もない。そのことを互いに理解して、合同を目指すことなく、ただ媚態をやりとりする。賭けという遊びをおこなうのではなく、賭けのふりをして遊ぶこと、それが「いき」の特徴である。そこには何の獲得もなければ、目指す先もない。「生の未決定性」を延々と「遊ぶ」のみである。空虚とも見えるその「遊び」によって九鬼は何を目指したのだろうか。

7 「いき」の魅力

九鬼は「いき」を論じる際に、コケットリーをしばしば引き合いに出すが、それはいつも批判的な言及の仕方である。たとえば、彼は、西洋の女性の腰から臀部を強調した歩き方を「腰部を左右に振って現実の露骨のうちに演じる西洋流の媚態」と批判するが、ジンメルにとってそれは「身体の性的に刺激的な部分を目につくように強調しながら同時に実際的には距離と留保を維持[25]」する歩き方であり、コケットリーの代表であった。一方、九鬼はそれを露骨な「狂態」と考えた。「いき」は、あくまでも

「異性への方向をほのかに暗示するもの」でなければならない。その代表が「うすもの」である。そこに九鬼は「異性への通路解放と……通路封鎖[26]」を見た。一方、コケットリーは、デコルテラインを露わにし、くびれたウエストを強調するドレスを着た女性を良しとする。両者を比べたとき、コケットリーの方が通路解放の程度が大きいのは明らかだ。さらに、「湯上がり姿」も「いき」の代表と言われる。湯上がり姿と言っても、ドガが描いたような裸で体を拭う姿ではない。歌麿が繰り返し描いたように、湯上がりに浴衣を着て、汗を拭い、髪を直している姿が九鬼の言うところの「湯上がり姿」である。

だが、湯上がりに浴衣を着てくつろいでいるところのどこが「いき」なのだろうか。「媚態」をしかけるという意味であれば、デコルテを強調しつつ、隠している状態の方が蠱惑的で、二元でありつつ合同への誘いがかけられている感じがする。これにたいし九鬼は、湯上がり姿の魅力を「裸体を回想として近接の過去にもち、あっさりした浴衣を無造作に着ているところ[27]」にあると言う。重要なのは過去を想起させることであり、それがコケットリーとの最も大きな違いである。先にもみたように、コケットリーは合同の可能性という未来を提示して、賭けを誘う。そのため、手に入るだろう身体の性的な部分が強調される。一方、「いき」は合同の可能性という未来、「これから起こるであろうこと」で相手を惹きつけるのではない。襟を抜いて、うなじを見せる湯上がり姿は、事後を想起させ、「かつて何かあった」ことをイメージさせる。過去の経験がほのかに垣間見えることが「いき」であり、その過去に相手は惹きつけられる。

そうした「いき」の魅力を九鬼は「いき」の代表色である茶色に託して説明している。茶色が「いき」なのは「赤から橙を経て黄に至る派手やかな色調が、黒味を帯びて飽和の度を減じたもの[28]」だからであると彼は言う。かつてあった派手さ（赤）が、挫折して失われている（黒）。しかし、その喪失もすでに遠くにあり（飽和の度を減じる）、淡々としている。それゆえ、茶色のなかでも最も「いき」なのは、色の淡い「白茶色」である。そこでイメージされるのは、かつての合同の経験と、その挫折。そして、挫折の痛みを抱えつつも淡々としている姿、「諦めを知る」姿である。ここで重要なのは、白茶色は単に色が淡いだけではなく、かつてあった派手さとその挫折を感じさせるという点である。このことが意味するのは、「諦め」とは、ただ単に人に冷たいとか人嫌いという意味ではなく、過去の経緯を媒介として成立しており、その過去があってはじめて「諦め」が成立するということである。なぜなら、「諦める」ためには、諦めるべき過去の「何か」が存在しているはずだからだ。そして、そうした「諦め」に他の人が気付くのは、そこに諦めた「何か」が感じられるからであろう。「諦め」の裏側にある過去の「合同」の余韻。湯上がり姿の「いき」は、襟を抜き、ほっそりとしたうなじを示すことで、事後のイメージをかすかに他者に向けて開放する。それは「いき」の理想とする「諦めを知る媚態」である。襟を抜いた湯上がり姿は、他者へとかすかに開かれているが、あくまでも過去を想起させるだけで、この後の何かを誘うものではない。だからこそ九鬼は、「いき」を、若い芸者ではなく、ある程度年齢のいった芸者に多く見いだされると語り、客の側は「かろらかな微笑の裏に、真摯な熱い涙のほのかな痕跡を見つめたときに、はじめて「いき」の真相を把握[29]」できると言った。

「いき」の魅力とは、「高い価格」でも、未来における所有の期待でもない。それは、「涙のほのかな痕跡」であり、客は相手がもつ痛みや悲しみを伴った過去に惹きつけられる。だが、過去はあくまでも「痕跡」であり、それを客が芸者に根掘り葉掘り尋ねたりすれば、「いき」の反対である「野暮」の極みとなる。なぜ、過去を尋ねてはいけないのか。心から相手を想うゆえ、その苦しみや痛みを知り、共有したいのだと真剣な恋愛に身を焦がす人は言うかもしれない。だが、「いき」はそうした真剣さを望まない。なぜなら、「いき」の美意識にしたがえば、過去を知り、相手をわかろうとする態度は、不可能な合同を目指すお目出度い態度、あるいは相手のすべてを知り所有したいという願望でしかないからだ。安直な合同を目指して過去に理解を示すのではなく、過去の痛みを感じつつ、何も聞かずにいてくれることを「いき」な芸者は望む。何も聞かずに、しかし、二元の関係をともに遊んでくれること。それが「いき」な芸者が求め、客側が応える関係である。このとき重要なのは、客が「いき」な芸者に惹かれ、その要求に応えるときには、客もまた「いき」を理解している、つまり、芸者が示す意気地の裏側にある諦めを感知しているということである。そうした感知が可能なのは、客の側にも同じような過去の経験があって、諦めの中身、つまり、他者のわからなさ、合同の不可能性を知っているからだろう。そうでなければ、「涙のほのかな痕跡」を見抜くことはできない。こうして、客も「粋人」となって、合同を諦めた者同士が、二元の動的可能性を遊ぶ「いき」な関係が開かれる。

以上みてきたように、「いき」は、恋愛という宿痾がもつ他者の道具化と所有という病巣にたいし、所有を否定し、真っ向からその病巣を取り除こうとするものだと言えるだろう。ただし、こうした態度が生じるのは、かつて恋愛という宿痾が抱える他者の道具化や所有に苦しんだ経験があるからである。その意味で、「いき」もまた恋愛という宿痾のなかで生まれたものと言えるのかもしれない。(30)

さいごに

はじめにみたように、近代を生きる私たちにとって恋愛は抜きがたい魅力を備えたものである。だが、その恋愛には他者の道具化と所有という病巣がつきまとっていた。これにたいし、近代的恋愛の特徴でもある「真剣」さを回避し、「遊び」へとずらすことで対応しようとしたのがジンメルの「コケットリー」と九鬼の「いき」だったと言えるだろう。ただし、**6**と**7**の分析から明らかになったのは、「遊び」へとずらすと言っても両者のめざした先は全く異なっていたという点である。

ジンメルのコケットリーでは、未来における合同の可能性を掲げることで、その価格の上昇を煽り、賭けを一層盛り上げていくという構造があった。これは、そもそも合同や所有を求めない「いき」と大きく違う。ただし、コケットリーの掲げる合同や所有は、さほど重要なものではない。あくまでもそれは、価格が上昇し、賭けの魅力を増していくための手段のようなものであって、最も大切なのは価格上昇のプロセスを楽しみ、賭けをおこなうことである。それは、対象を所有することではなく、消費すること自体が快楽となる消費の構造に限りなく近い。いわば、コケットリーとは、近代的恋愛を徹底的に消費し、遊び切る態度なのだ。それは、恋愛を宿痾という病として受けとるというよりも、楽しみ尽くす態度と言えるだろう。これにたいし、他者の道具化と所有を徹底的に回避しようとする「いき」は、恋愛という宿痾に正面から向き合い、それを引き受け切れなかった者、挫折した者がそれでも他者と関わろうとするときの態度である。宿痾とまで呼ばれる恋愛をどう生きるのか。透谷のように正面から取りくみ、挫折するのか、コケットリーにおいて遊ぶのか、「いき」でかすかな繋がりを模索するのか。いずれが正しいというわけではない。おそらくそれぞれのなかでひとは恋愛という宿痾と向き合い続けるしかないのだろう。

（1）上野千鶴子『発情装置――エロスのシナリオ』、筑摩書房、一九九八年、八四頁
（2）上野、前掲書、八四頁
（3）もちろん、近代日本において「恋愛」が宿痾となったのにはその精神史的な背景が影響している。その点については、拙著『なぜ、私たちは恋をして生きるのか――「出会い」と「恋愛」の近代日本精神史』（ナカニシヤ出版、二〇一四年）で論じたので、本稿では詳しく扱わなかった。
（4）『透谷全集　第一巻』、岩波書店、一九五〇年、二五四頁
（5）恋愛における「単独者性」については小谷野敦が『〈男の恋〉の文学史』（朝日選書、一九九七年）の冒頭（五頁）で詳しく語っている。
（6）『透谷全集　第一巻』、岩波書店、一九五〇年、二六八頁
（7）『透谷全集　第三巻』、岩波書店、一九五五年、一八五頁
（8）『透谷全集　第一巻』、岩波書店、一九五〇年、二六四頁
（9）テイラーは近代化により世界が脱魔術化されたとき、「行為の位置付けにしても様式にしても、ある意味、その気になれば誰でも変えられるもの」になり、そこではたらく「所与の目的に対するもっとも経済効率の高い手段は何か、その適用を計算するときに用いるタイプの合理性」を「道具的理性」と呼んでいる。C・テイラー『〈ほんもの〉という倫理――近代とその不安』、産業図書、二〇〇四年、六頁。
（10）ジンメルの「コケットリー」と九鬼の「いき」の類似に注目した著作として山崎正和『社交する人間――ホ

モ・ソシアビリス』（中央公論新社、二〇〇六年）があり、教えられるところが大きかった。
(11)『ジンメル著作集7　文化の哲学』、白水社、一九九四年、一〇五頁。Georg Simmel, *Gesamtausgabe*, Frankfurt, Suhrkamp, 1996, Bd 14. なお訳文は一部改めたところがある。
(12) ジンメル前掲書、一一三－一一四頁
(13) ジンメル前掲書、一一四頁
(14) 檜垣立哉『賭博／偶然の哲学』、河出書房新社、二〇〇八年、五二頁
(15) 檜垣前掲書、六〇－六一頁
(16) C・テイラー、前掲書、六－七頁
(17) 檜垣前掲書、六三頁
(18) 檜垣前掲書、六三頁
(19) ジンメル前掲書、一二二頁
(20)『九鬼周造全集　第一巻』、岩波書店、一九八一年、一七－一八頁
(21) 九鬼前掲書、一八頁
(22) 九鬼前掲書、一九－二〇頁
(23) 九鬼前掲書、二二頁
(24) 九鬼前掲書、三二頁
(25) ジンメル前掲書、一〇四頁
(26) 九鬼前掲書、四三頁
(27) 九鬼前掲書、四三頁
(28) 九鬼前掲書、六二頁
(29) 九鬼前掲書、二〇頁

(30)「いき」を近代的恋愛のなかで生まれたものとすることにたいし、「いき」は江戸時代の価値観だという反論があるかもしれないが、九鬼の『「いき」の構造』は決して江戸的価値観をそのまま紹介したものではない。この本が大正の恋愛賛美の時代の後に書かれた意味を私たちはきちんと考えるべきである。

＊本稿は、文部科学省科学研究費補助金（課題番号25370083）の助成を受けたものである。また、本科研費研究会のメンバーとの議論がなければ本稿はこのような形にはならなかっただろう。福島清紀（富山国際大学）、森川輝一（京都大学）、奥田太郎（南山大学）、佐藤実（大妻女子大学）、佐藤啓介（南山大学）には心からの感謝を捧げたい。

【エッセイ】

愛

現在、世界各国で同性婚が認められるようになり、同性カップルであっても「家族」になることのできる時代がやってきた。互いに愛し合い（そこには性的な関係が含まれる場合が多い）、生涯をともにする相手であれば、それが同性であろうと異性であろうと「家族」になれるのが当たり前ではないか。だからその婚姻を公的に認めるべきだ、というわけである。愛し合うこと、家族になること、そして公的に認められること。だが、この三つの要素はすぐに結びつくものだろうか。そこにはある飛躍が隠れていないだろうか。

たとえば、私たちは恋に落ちたとき、「いま恋をしています」という証明がほしいとは思わないし、セックスしたことを声高らかに宣言したりもしない。愛し愛される二人の関係に対して、お役所が「その関係間違っていますよ」とか「それは良い関係ですね」などと口出ししてくれば、「私たち個人の関係なんだからほっといてよ」とイライラするだろう。恋することは個人的な問題、愛情は親密な二人の関係のもので、杓子定規な決まり事からはもっとも遠い自由でプライベートな領域なのに、口出ししないでくれ、そんな思いがわき上がる。にもかかわらず、私たちは「結婚」「家族」となると役所に書類を出し、「私たちの結婚を認めてください」と公的な証明を求める。「恋／愛」や「性」というプライベートな事柄は、「家族」へ接続するとき、ある変化を被る。「好きな人とずっと一緒にいたいから結婚する」。実はこの言葉には、その変化がともなっているのだが、私たちはそのことにほとんど気づくことはない。

『愛・性・家族の哲学』シリーズの第一巻にあたる『愛――結婚は愛のあかし？』では、この不思議な三位一体を問い直すべく、「愛」のかたちを東西の思想史から明らかにしていく。というのも、「恋」や「性」というプライベートな事柄が「家族」へと展開する際の鍵を「愛」が握っているからである。では、「愛」とはなんだろう。それは誰かを大切にしたり、慈しむことに決まっているじゃないかとすぐさま返ってきそうだ。だが、その「誰か」とは一体どのような存在なのか、「慈しむ」とは具体的にどういう行為なのか、と問い返されたらどうだろう。たしかに、人びとは「愛」という言葉に、他者とともに生きるためのさまざまな理想を託してきた。ただし、その理想のかたちは時代ごと、地域ごとに大きく異なり、「愛」ということを一口で語ることがためらわれるほどに、多様である。この多様な「愛」のかたちがズレを孕みつつ、折り重なって、現代の私たちにとっての「愛」が成立している。それゆえ、いまの「愛」を考えるためには、そのズレと重なりを思想史的に解きほぐさねばならない。本書が目指すのは、幅広い「愛」の概念に対し、「恋愛」と「結婚」という補助線を引くことで、先に述べた愛・性・家族の不思議な三位一体を解きほぐす出発点を整えることである。

本書を読むための簡単な見取り図を示しておこう。構成は「西洋から考える「愛」」と「日本から考える「愛」」の二本立てになっており、分量的には西洋についての記述のほうが多くなっている。このことには理由がある。現代の日本を生きる私たちにとって、「愛しているよ」というささやきはいくぶん気恥ずかしいものだろう。だが、海外の映画を見ればスクリーンのなかの俳優たちはいともたやすく"I love you"と呼びかけている。「愛しているよ」という訳語がもつ気恥ずかしさ、むずがゆさは、この言葉が西洋的な love の翻訳語であるところから来ていると思われる。でも、だからこそ、「愛」という響きは私たちを魅了する。こうした現代日本における「愛」を考えるには、まずその起源となった西洋における「愛」について知る必要がある。だが、西洋的な love も一枚岩の概念ではない。それゆえ、その複雑な成り立ちを詳細に調べることが大切なのだ。

西洋における「愛」の起源であると同時に常に「愛」を語る際の参照軸として機能してきたのが、ギリシアのプラトンである。第一章「古代ギリシア・ローマの哲学における愛と結婚――プラトンからムソニウス・ルフスへ」(近藤智彦)では、現代における「同性婚」というアクチュアルな問題を入り口として、古代ギリシア・ローマにおける「愛」と「婚姻」のあり方が分析される。よく知られているように、古代ギリシアでは「(男性同士の)同性愛」に高い価値が置かれていた。しかし、ローマ帝政期に入ると同性愛は批判の対象となり、夫婦愛の重要性が説かれるようになる。この変化が意味するのは、その後続くことになるキリスト教的な「愛」のあり方との連続性ではない。近藤がそこに見て取るのは、プラトン的な「脱肉体化」した愛が、肉体と精神の両面での愛へと展開していく過程である。

第二章、第三章ではキリスト教における「愛」がテーマとなる。まず、第二章「聖書と中世ヨーロッパにおける愛」(小笠原史樹)では、聖書における「アガペー」としての愛が提示される。キリスト教における愛は、古代ギリシア的なエロスとは異なり、「神から人間への愛」が原点にある。この神からの愛をもとにいかに人間が神を愛するのか、その一方で人間同士の愛のかたちはどのようなものなのか。キリスト教が大きな影響力をもった中世ヨーロッパでは、神と人間との関係のなかで常に「愛」が問われることになる。第三章「近代プロテスタンティズムの「正しい結婚」論？——聖と俗、愛と情欲のあいだで」（佐藤啓介）では、キリスト教、特にプロテスタンティズムにおける「結婚」の位置づけが論じられる。ここで佐藤はカトリックで「秘蹟」とされていた結婚が宗教改革以降、創造の秩序のもとに置かれたことで、男女間の「愛」のあかしとなったこと、一方でそれゆえに人間がもつ「情欲」の問題が浮かび上がってきたことを指摘する。こうしたプロテスタンティズムにおける愛ある結婚観と情欲の問題は、近代日本において恋愛結婚観が成立する際に大きな影響を及ぼしており、本書の第六章を読むための予備知識ともなるだろう。

だが、西洋の「愛」の思想はキリスト教に尽きるものではない。第四章「恋愛の常識と非常識——シャルル・フーリエの場合」（福島知己）では、男女の一対一の愛ある結びつきとしての恋愛、あるいは結婚という考え方に対して、『愛の新世界』に登場するファクマの物語が対置される。この物語は、「愛」を肉体と精神に分け、多数の相手に配分するというものだが、こうした思考実験を通じて、読み手はみずからの恋愛の「当たり前」を疑うことになる。恋をするとき、一体人は相手の何を求めているのか、それは「愛」と呼べるものなのかが、ラディカルな設定のなかで浮かび上がってくる。

第Ⅱ部は「日本から考える「愛」」と題し、古代・中世から近世を経て、近代日本における「愛」のかたちを概観していく。まず第五章「古代日本における愛と結婚——異類婚姻譚を手がかりとして」（藤村安芸子）では、『古事記』で描かれたトヨタマビメの物語と『崖の上のポニョ』の比較から、古代と現代の「愛」の違いが論じられる。今も昔も恋をすると人は相手の「本当の姿」を求める。しかし、人間の本当とは何か。藤村はそこに人間がもつ暴力性を見出し、この暴力性との関わりのなかで「愛」のあり方が形作られてきたことを指摘する。恋をして「本当の姿」を求めるのは、相手と一体化をのぞむゆえである。こうした恋のもつ激しい合同への思いが引き起こす悲劇については、コラム「近世日本における恋愛と結婚『曾根崎心中』を手がかりに」(栗原剛)が参考になるだろう。そして、第六章「近代日本における「愛」の変容」(宮野真生子)では、ここまでの東西の「愛」の思想史が近代日本にどのように取り込まれ、そして、ずれていったのかが論じられる。近代日本において「恋愛結婚」は身も心も融け合う合同、それこそが愛のあかしと理想化された。だが、その合同にはある暗部がつきまとう。一体化としての愛の真相から藤村論文にふたたび戻ることで、私たちは恋が求める「本当の姿」ということの問題に気づくことができるだろう。

東西の、そして、古代から現代への「愛」のあり方を追いかけるなかで、今の私たちにとっての「愛」の当たり前を捉え返し、疑ってみること。それは「愛」を単に賛美するのでも批判するのでもない。他者とともに生きる存在である私たちにとって開かれた「愛」のあり方を模索する第一歩なのである。

第六章　近代日本における「愛」の変容

1　「愛」をめぐる問題状況

「恋と愛って違うじゃないですかー」。

恋愛について議論するときに、しばしば登場するセリフだ。「恋は……こう……キュンとして突っ走る感じですけど、愛ってもっとすごくないですか」。「恋は、ともかく相手をものにしたい、一緒にいたいっていうのがありますけど、愛は、……無償の愛ですよ！　自分よりも純粋に相手のことだけを想って……」。

「恋」というのは、相手のことで頭がいっぱいになり、自分のものにしたいと情熱的に想うことで、

「愛」は相手をいたわり、自分よりも相手を優先するような優しさに満ちたものというわけである。こういう話のあとには、往々にして恋や恋愛という言葉は身近だが、「愛」はちょっと遠い感じというか、自分たちには難しい、なかなかご大層なものだという意見が続いたりもする。そのくせ、同時にこんなことを言う人たちもたくさんいるのだ。「やっぱり結婚には愛がないと！」

現代の私たちにとって、「愛」という言葉は、「結婚」や「家族」と結びつくことが多いようである。そのときイメージされる「愛」とはどのようなものか。おそらく、互いを想い、相手に尽くし、包み隠さず距てなく繋がるといった感じだろう。筆者は勤務先で結婚をテーマにしたゼミを行なっているが、そのゼミで「結婚と愛」を考えるための事例を紹介してください、と学生さんにお願いした際にあがったのは、難病のプロ野球選手を支える妻や、売れっ子アーティストの妻を尊重するサッカー選手だった。もちろん、実際の彼らには、日々小さなすれ違いやもめ事もあるだろう。しかし、私たちは彼らに「愛」のかたちを見る。彼らは互いを理解し合い、相手のために努力し、別々の二人というよりも、一つのユニットとして強く結びつく。それが「愛」なのだ。このとき大切なのは、彼らがお見合いなどではなく、恋をして結ばれたカップルだということである。「あなたが好き、あなたと一緒にいたい」という「恋」が、結婚することで他者に尽くす「愛」へと高められる。そして、恋する二人は oneness、つまり「一つになる」。「恋」と「愛」は違うのかもしれない。けれど、結婚はその二つの違うものをつなげてくれる。だから言うではないか、「恋愛結婚」と。結婚は「愛の証」と。しかし、そこで言われる「愛」とは一体何なのだろうか。(1)

実は、私たちが結婚に託す「愛」という言葉のなかにはさまざまな事柄が混ざっている。恋における

「一緒にいたい」という願望は、愛ある結婚によって「一つになる」こととして成就するというけれど、「一緒にいる」ことと、「一つになる」ことは同じだろうか。また、相手に尽くすことが「一つになること」なのだろうか、そもそも、「一つになる」ことなど可能なのだろうか。こうした疑問を問わずに、無造作に使われるのが現代の「愛ある結婚」という言葉と言えるだろう。本章では、私たちが結婚に託す「愛」の中身を考えるために、結婚と「愛」という言葉が結びついた経緯を近代日本の歴史のなかから見直し、そこで生じた問題について考えていこう。

2 「愛」という言葉は何を意味しているのか

(1) 時代とともに変化する「愛」のイメージ

「愛」の中身について考えると言われて、不思議に思った読者もいるかもしれない。「愛」の中身なんてわかりきったことで、「誰かを大切にする、慈しむ」という意味に決まっているじゃないか、と。だが、「年寄り」といえば、現代社会においては年老いた人のことを指すが、かつてはリーダーという意味だったというように、言葉には歴史があり、その中身は変化していく。そして、中身が変化するとともに、その言葉がもつイメージも変化する。江戸時代の年寄りが、リーダーの品格として重々しいイメージを有していたのに対し、現在では年寄りはいたわるべきものとして、むしろ弱いイメージに変わっている。

では、現在の「愛」はどのようなイメージかといえば、「無償の愛」や「愛を誓う」といった言葉からわかるように、少し高尚でおごそかな感じをまとっている。だが、こういうイメージがついたのは、ごく最近のことである。もちろん、イメージが変化したということは、その言葉の中身自体に変化があったことを意味する。では、もともと「愛」という言葉は何を意味し、どのようなイメージがもたれていたのだろうか。

(2) 中国語の「愛」

注意してほしいのは、いま私たちが使っている「愛」という言葉には、三つの起源があるということだ。中国語、やまとことば(古くから日本で使われてきた言葉)、そしてキリスト教の love、この三つの系統が複雑に入り組んだところで成立し、中身が見えにくくなっているのが、現在の「愛」である。第一に「愛」が漢字で表記される以上、それは中国からやってきたということを忘れてはならない。私たちは漢字を当たり前に使うゆえ、この文字が輸入品であることを往々にして意識しないが、同じ漢字を使っているからといって、同じことを意味しているとは限らないのである。

では、中国語の「愛」とはどのような意味なのか。原点は、中国の道徳・政治哲学である儒学にある。儒学では、人間は生まれながらに他者を慈しむ心がそなわっていると考える。その心のあり方を「仁」というが、その「仁」に基づいて、他者を大切にすること、それが「愛」である。したがって、中国語の「愛」は何よりも他者を大切にするという行為を意味する。そして、この行為(大切にする＝愛する)が、社会を支える道徳の基礎であり、愛の道徳に基づいて政治を行ない世の中を治めることが大切だと儒学は考える。つまり、中国語の「愛」は単に「好きだ」「大事だ」という気持ちの問題ではなく、社会を形作る重要な行為なのだ。

（３）近代以前の日本語の「愛」

この「愛」という漢語を古代の日本は輸入した。だが当初、この言葉を「愛（あい）する」という動詞として使うことは稀であった。むしろ、形容詞として、「愛（いと）し」、「愛（かな）し」、「愛（うるわ）し」、あるいは、動詞として使われる場合も「愛（め）づ」など、訓読で使用された。「愛（いと）し」という言葉は、現在でも「いとおしい」というかたちで使われるが、そこには「かわいい」という意味と同時に「気の毒だ、かわいそうだ」という意味も込められている。自分より小さいもの、弱い存在に対して心惹かれるときに使われる言葉、それが「愛（いと）し」「愛（かな）し」である。一方、「愛（め）づ」は、何かを好ましいと想う気持ちを表わす。現在でも使われる「花を愛でる」という言い方からわかるように、いわゆる恋心だけでなく、そこには物に対する愛玩という態度も含まれていた。この段階ですでに日本語の「愛」は中国語の「愛」から離れつつある。つまり、中国語の「愛」が儒学という政治・道徳哲学の基礎として、「人を愛することを道徳及び政治の根本におき、窮極的には国を治めることを理想とするような理性的態度を一つの特色とした」ものだったのに対し、日本語の「愛」は、むしろ「感情を重んじるもの」（松下 一九八二、二五四頁）へと変わっている。さらに中世以降、「愛（あい）する」という表現が使われるようになるが、これも宮地敦子によると「目上から目下への行為をあらわし、その多くは自己本位的なもの」にほぼ限られているという（宮地 一九七七、三四頁）。小さく弱き者に惹きつけられ、その存在を好ましく思ってかわいがる、それが近代以前の「愛」という言葉に込められた意味だったと言えるだろう。もちろん、そうした「愛」に相手を大切にする気持ちがないというわけではない。しかし、それは、自己犠牲的な無償の行為というよりも、弱い存在を庇護し自分のもとに置いておこうとするもので、どこか自己中心的な心持ちであったと言えるだろう。

（4）キリスト教の love との出会い

中国語で道徳的とされていた「愛」の「行為」が日本に輸入され、小さなものをかわいがる「愛」の「情」へと転換された。この段階で自己犠牲的な「無償の愛」というイメージはまだ日本語の「愛」のなかに存在しない。こうしたイメージが成立するのは、明治維新以後、キリスト教との出会いがあってからである。

さて、キリスト教という宗教は、しばしば「愛の宗教」と呼ばれる。このときの「愛」は、英語であれば love、フランス語であれば amour を指す。いまの私たちにとって「love = 愛」という翻訳はすんなり入ってくるものだろうが、この翻訳こそ明治初めのキリスト者たちを悩ませたものであった。というのも、第二章〔『愛――結婚は愛のあかし？』第二章「聖書と中世ヨーロッパにおける愛」（小笠原史樹）〕で見たように、キリスト教の love は特定の何かを好んだり、かわいがったりするような人間同士の感情の問題ではなく、人間を創造した神の love だったからである。神はすべての存在に等しく love を注ぐ。そして、人間はその love にならって「自分自身を愛するように隣人を愛しなさい」と命じられるのである。本来であれば、自分と同じように他人を愛することはなかなか難しい。この難しいことを神の love を手本として行なう。いわゆる「隣人愛」の実践がそれまでの自己本位的な「愛」のかたちと大きく異なるのは明らかだろう。だからこそ、明治初めのキリスト者たちはloveの翻訳に悩んだ。ちなみに、日本は明治以前にもキリスト教と出会っているが（戦国時代の切支丹《きりしたん》）、その際loveは「御大切」と訳されており、「愛」という言葉はない。

では、なぜ明治になってloveが「愛」と訳されたのか。このとき手掛かりとなったのが、皮肉なことに儒学の「仁」であり「愛」であった。というのも、切支丹禁令が敷かれていた日本を傍目に、一八四〇年代に入ると中国ではプロテスタントの宣教師が活動を始め、聖書の翻訳に取り組んでいたからである。その際、宣教師たちがloveの翻訳として注目したのが、儒学の「仁」と「愛」であった。たしかに、儒学には、慈しみの心を重視し、愛という行動を道徳の基礎に据えるという考え方がある。もちろん詳細に見れば、神の前での平等性や超越者の問題はあるが、キリスト教のloveにもっとも近いニュアンスをもつ言葉は「愛」しかなかった。こうして、キリスト教のloveは「愛」という翻訳語を手に入れ、その翻訳が明治の日本に入ってくることになる。だが、「中国語「愛」と日本人が用いる漢字「愛」は同義ではなく、英語のloveは漢字「愛」より「いつくしみ」の方がふさわしい」（吉平 二〇一三、六六頁）と日本語の「愛」と中国語の「愛」そして、英語のloveのズレに気づいていたキリスト者たちもいた。それゆえ、日本でも「仁愛」という訳や「愛」と書いて「いつくしみ」と読ませる方法など、そのズレを埋める努力がなされた。だが結局、明治元訳ではlove＝愛となり、それらのズレが意識されることなく、神を手本にした愛の実践が説かれることになった。

どうやら、「愛」とは「無償の」「誓うもの」という高尚なイメージは、キリスト教との接触以降に現われたと考えられる。だが、問題はここからである。というのも、日本人の多くはキリスト教徒ではない。おそらく「神のlove」と言われてもピンと来ない。それにもかかわらず、「愛」には高尚なイメージがある。いまの私たちは、「愛」という言葉に対しキリスト教からその高尚なイメージをもらい受けつつ、その中身を理解することなく使っているのではないか。外側のイメージはキリスト教の高尚なベールをまとい、その中身は儒学・やまとことば・キリスト教などが雑多にミックスされている。そして、そのミックスされた「愛」が「結婚／家族」と結びついていくわけだが、そこにはさらに複雑なプロセスが隠れている。この複雑なプロセスを解く鍵は、loveのもう一つの訳「恋愛」が握っている。

3 「色」から「ラブ」へ

(1)「恋愛」という言葉の誕生

「恋と愛って違うじゃないですか」というけれど、それを一つにしている言葉がある。「恋愛」だ。ご存知の読者も多いかと思うが、この「恋愛」という言葉は明治時代にloveの翻訳語として新たに登場したものである。キリスト教のloveや儒学の愛が対象を限ることのない「いつくしみ」であるのに対し、「恋愛」は特定の対象へ向かう特別な感情と言える。明らかに異なる意味内容をもつ「恋愛」と「愛」がloveの訳語として使用され、しかも両者が混在した意味合いで用いられたことから、近代日本の愛をめぐる混乱は始まった。本節ではまず、loveが特定の対象への恋心として訳出され、「恋愛」という翻訳語が成立するプロセスを見ていこう。

柳父章によると、「恋愛」という言葉の初出は明治三年出版の中村正直翻訳『西国立志編』とのことだが（柳父 二〇〇一、五二頁）、すぐにこの翻訳が広まったわけではない。キリスト教的loveを特定の人への恋心、「恋愛」として読みかえるきっかけになった小説がある。それが坪内逍遙の『当世書生気質』である。物語は、学生である小町田と彼の幼なじみで芸者の田の次、二人の恋の話に当時の学生たちの生活模様が織り交ぜられて描かれるかたちになっている。この小説には、「快楽《プレジャア》」「あらし《ストウム》」「手紙《レター》」など、日本語でも可能な言葉にあえて英語を当てはめ、西洋文化を受け入れようとしていた若者たちの姿が描かれるが、もっとも頻繁に登場するのが「ラブ／ラアブ」である。いくつか拾ってみよう。「来歴のある恋《ラブ》」（坪内 一九三七、七八頁）「恋愛《ラブ》に迷うもの」（同前、九四頁）「向うから惚《ラブ》るしてくれば」（同前、一五一頁）「一旦愛《ラブ》した位なら、あくまでラブするがいいぢゃアないか」（同前、四頁）[2]。「惚れる」「恋愛」「恋」といった、いわゆる恋心すべてに「ラブ」という言葉が当てはめられている。

（2）心を重んじる価値観の発生

しかし、「好き」になれば何でも「ラブ」というわけではなかった。逍遙は「色事」を上・中・下の三つのレベルに分け、上の恋だけを「ラブ」として認めていたようだ。上の恋とは「その人の韻気《きぐらい》の高きと、その稟性《こころばえ》の非凡なる」（同前、一九八頁）に惹かれるもの、つまり、相手の人格を尊重することから始まるものを指し、それに対し中のレベルは「まづその色をめづる」、要するに外見に惹かれるだけのものである。そして、下は「肉体の快楽」（同前、二〇〇頁）だけで結びつく関係とされる。肉体の快楽や相手の外見だけに惹きつけられるものは「ラブ」などではない。

おそらくこの価値観はいまもなお私たちのなかに残っている。外見や肉体的なつながりだけの恋

（「体が目当てだったの？」というセリフ！）は「本当の恋」じゃない、というイメージとして。実は、そうしたイメージの起源は明治時代にある。それ以前の時代では、肉体的結びつきが心の結びつきより下等であるとか、心の結びつきがなければ肉体的なつながりをもってはいけないというような考え方はなかった。というのも、「恋愛」という言葉が成立する以前、恋心は「惚れる」「色」「色事」と呼ばれていたが、これらの言葉には肉体的関係が自明の前提として含まれていたからである。このことを小谷野敦は「情欲」という言葉を手掛かりに的確に指摘している。現在では、性欲に近い意味で使われる「情欲」だが、江戸時代には、この言葉に「こひ」というルビが振られていた。

……近代の男によくあることだが、ある女と「セックスしたい」と思う際、「これは恋愛なのか、それともただの性欲なのか」と悩んだりする。……けれど、前近代の男がそういうことで悩んだだろうか。……「情欲」と「恋」が同じものなら、もちろん悩むはずなどないのである。「セックスしたい」と思ったら、それが「恋」なのである。『源氏物語』の貴公子たちなど、そういう意識の中で生きている（小谷野 二〇〇三、八一－八二頁）

「これは恋愛なのか、それとも性欲なのか」。この問いには、肉体と心の分離が前提されており、しかも、心のつながりこそ恋愛において大切なものであるという価値観が含まれている。そういう恋愛こそ「ラブ」に値するものなのだ。一方、江戸時代までの「色」や「情欲」や「惚れる」という言葉は、肉体関係をもつことと好きになるという感情を明確に区別しておらず、相手の体を求めるということは好きであると肉体と心を一続きのものとして捉えていた。それゆえ、肉体や外見ではなく「心」こそ大切という「本当の恋」を表現するには不向きであった。いわば、明治時代の人びとは「ラブ」という言葉を用いることで、それまでとは違う新しい恋のかたちを表現しようとしたと言える。

4　恋愛としての「ラブ」に託されたもの

(1) 近代化の証としての恋愛

それにしてもなぜ明治の人びとは、わざわざ「ラブ」という新しい言葉を持ち出して、それまでの恋のかたちと決別する必要があったのだろうか。答えは簡単である。恋愛／ラブこそが、近代化の証だったからである。

明治の日本にとっての最重要課題、それは欧米列強に追いつくことであった。そのために、江戸時代までの身分制度に縛られた世の中ではなく、自由で平等な社会の樹立が目指された。四民平等が宣言され、すべての人に移動・職業選択・婚姻の自由が与えられて、人びとは、自分の人生をみずから選び、努力次第でどんなふうにでも生きてゆくことのできる時代になった。

だが、これはあくまでもスローガンである。実際には、華族という貴族階級が存在し、平等といっても被差別民への蔑視は存在した。そして、男尊女卑の文化も根強く残っていた。たとえば、先に見た『当世書生気質』には、女性に恋することは男をダメにするものであるし、女性に恋をしないために威厳を保たねばならないという自説を展開する恋愛反対派の学生が登場する。彼はこの意見に続けて、女性に恋をするくらいなら「龍陽主義」つまり男色の方が「智力を交換」し、「大志を養成するという利益」(坪内 一九三七、一三二頁)があるから良いと言う。明らかに女性は男性より劣る存在であり、同等の関係を築くに値しないという考えがここにはある。

しかも、当時の日本では、親が決める見合い結婚が多数であった。結婚は恋の結果、愛の賜物などではなく、あくまでも家を守り生きていくための手段にすぎない。もちろん、見合い結婚をした後、愛し合うようになる夫婦もいただろう。だがそれは偶然の結果で、結婚にとって恋をして愛し合うことは必須の条件ではなかった。上級階級の男性ともなれば、妾を囲うことは珍しくなく、遊郭は男性にとっての社交場で、一時の色事を楽しむことができた。どこまでも女性は「家のため(見合い結婚)」あるいは「男のため(遊郭)」の道具であって、女性自身の意志が尊重されることは少なかった。明治の日本において、男女が対等の人間同士として向かい合うことはまだまだ難しかった。このような男尊女卑の状況を問題視したのが、当時の知識人、特にキリスト教徒たちである。彼らの一部は、男女平等の第一歩として女子の地位向上を訴えるため、一八八五(明治十八)年『女学雑誌』を創刊した。この雑誌こそ、恋愛としての love を世に広めることになる。

(2) 巌本善治の恋愛結婚論

キリスト教徒にとって、すべての人は等しく愛すべき存在である。にもかかわらず、生活のなかでもっとも身近にいる夫婦でさえ、その平等が達成されていないというのはゆゆしき事態であった。『女学雑誌』主幹の巌本善治は「婚姻論」で家のための結婚を「愛なく、愛せられずして」行なうもので、そのような結婚に平等な関係は育たないと批判する。では、どうすれば愛のある結婚、対等な関係は可能になるのか。そのためにはまず、相手を求め大切に思う気持ち、すなわち「恋愛」が必要であると彼は言う。相手を自ら求めるからこそ、慈しむ気持ちが生まれる。しかも、その「恋愛」は自分の意志で行なうものである。自分の意志で恋愛をし、互いを慈しみ合う結婚を行なう。そこには自由と平等の実現がある。だからこそ、恋愛（結婚）は近代化のあかしと言われるのだ。

ただし、キリスト教徒である巌本にとって恋愛し、結婚することは、何よりも神の love の実践である。決して、単なる恋愛結婚賛美ではない。彼は次のように訴えている。

> われ未だ心を決しわざとながら人を我身と均しく愛することを得ざりき、ただ「つま」に対して初めて此美しき心を振り起すことを得たり。而して此は肉親の刺激自ずからに我を動かすにあらず、我の霊、かく決し、かく行い、かく楽しめるもの也。……夫妻は之れ天地間唯一の同等者なり、初めて同等者の間に行わるるべき真の友情を味わうことを得。……われは、「つま」によりて、人類の真命を幾分か悟ることを得たり。……「つま」を得て、……我は我が最上の霊性を発達したり（巌本 一九七三、三三六頁）

肉親に愛情を抱くのは自分と血のつながりがある以上、自然なことだが、夫婦とは赤の他人同士である。にもかかわらず、夫婦は赤の他人である相手を自分と同じくらい大切にし、対等な人間同士として向かい合うことができる。神ではないただの人間にとって相手を自分と同じくらい大切にするという

「美しき心」をもつことができるのは、やはり自分が好きになり、ともに暮らす相手でないと難しいだろう。そうやって、恋をして結ばれた相手を大切に思うとき、人は「人類の真命」「最上の霊性」に近づくことができる。なぜなら、恋愛結婚をして、相手を自分と同じように愛することは、「隣人愛」の実践であり、そこで神の love を感じることができるからである。だから、恋愛も結婚も「神聖」だと巌本は言うのだ。

(3)「本当の恋愛」から「愛ある結婚」へ

このとき注意してほしいのは、キリスト教にとって肉体的欲望は罪であるため、神の love に近づくための恋愛に肉欲は含まれないということだ。あくまでも大切なのは、相手を「我身と均しく愛する」こと、「心のつながり」であって、心のつながり（情交）に基づく恋愛の先で、「美しき心」を抱いた神聖な婚姻への道が開かれる。こうして体よりも心のつながりこそ「本当の」恋愛という価値観が成立し、「本当の恋愛」から「愛ある結婚」へという現代につながるプロセスが完成する。

「本当の恋愛」から「愛ある結婚」、このつながりだけであれば現代と何も変わらない。しかし、当初そのつながりを支えていたのは、神の love を目指すという課題であった。結婚を隣人愛の実践の場として考えるからこそ、相手を自分と等しく愛することが可能になる。だが、現代の私たちの恋愛・結婚に神の love は残っていない。にもかかわらず、「無償の愛」や「夫婦は一心同体」と言われるのはなぜなのだろう。それとも、神の love がなくとも、恋愛すれば愛ある結婚に自然とたどりつくものなのだろうか。

5　恋愛としてのラブの危険性

現代において恋愛・結婚という結びつきは、あまりに当たり前と思われていて、なぜ、恋愛結婚がいいのかと問うても、多くの人が「だって好きな人だから一緒にいるんじゃないですか」と答えるだろう。だが、「好き」であることと、「一緒に暮らす」ことは同じだろうか。一緒に暮らすには最適である人が、必ずしも性愛的に好ましい相手であるとは限らない。むしろ、好きだからこそ、一緒に暮らしづらいということも十分に考えられる。好きだから何でも許されるというわけではないにもかかわらず、恋愛結婚では、そこにあるとされる「愛」が免罪符になって、さまざまな問題が隠蔽されているだけではないだろうか。本節では、恋愛と結婚の対立関係を指摘したうえで、両者が「愛」の名の下に結びつけられたとき、どのような問題が生じたのかについて見ていこう。

（1）北村透谷の恋愛観

恋愛と結婚は、あまりに違う。その違いに気づいたのが、北村透谷である。キリスト教の洗礼を受けた知識人であった彼は『女学雑誌』の寄稿者の一人であり、自身も恋愛結婚を実践している。彼は、高らかに恋愛を賛美する。だが、彼の恋愛結婚は失敗に終わり、そのなかで恋愛の欺瞞に気づくことになる。

透谷の代名詞といえば、「恋愛は人生の秘鑰なり、恋愛ありて後人世あり、恋愛を抽ぬき去りたらむには人生何の色味があらむ」（北村 一九五〇、二五四頁）というフレーズである。「秘鑰」とは、秘密の扉を開く鍵を意味し、彼にとって恋愛は「人世の奥義の一端に入るを得る」ゆえに大切であるとされる。ここで言われる「人世の奥義」とは、うまく世渡りをするとか、成功を治めるとかではない。透谷にとっての「人世の奥義」は、日々の生活で見失われがちな真の自己を知ること、一昔前の言い方をするなら、世間的なことに煩わされない「本当の自分」を見つけることを意味する。

では、なぜ、恋愛をすれば「本当の自分」が見つかるのだろうか。それは、恋愛が単調な毎日を壊す、非日常的な体験だからである。誰かを好きになると仕事や勉強が手につかないという人は珍しくないだろう。そのなかで、ときに人はそれまでの自分では考えられなかった行動をとったりして、自分の意外な側面を見つけることがある。あるいは、知りたくなかった自分の嫌な面を知ることもあるかもしれない。それらを通して、人は恋愛のなかで「自分」という存在を問い直す。恋愛の情熱は、日々の生活で見えなくなった自分を目の前に突きつけるものなのである。それゆえ、「恋愛の性は元と白昼の如くなり得る者にあらず。……恋愛が盲目なればこそ痛苦もあり、悲哀もあるなれ、また非常の歓楽、希望、想像等もあるなれ」（同前、二六八頁）と透谷は言い、恋愛の特徴を冷静ではいられない激しい情熱、盲目性に求めた。

（2）恋愛は「本当の自分」を手に入れるための手段

こうした激しい恋愛を透谷は「狂愛」と呼ぶ一方、結婚を「静愛」と言う。恋愛から結婚へ、それは「狂」が落ち着いて「静」に至り、愛が深まるといったことを意味するのではない。透谷は、自身が恋愛結婚をしているにもかかわらず、婚姻に対して「婚姻の人を俗化するは人を真面目ならしむる所以」（同前、二六一頁）ときわめて冷淡である。そして、フェミニズムにしばしば批判される、あの有名な文章を『厭世詩家と女性』で書きつける。

抑も恋愛の始めは自らの意匠を愛する者にして、相手なる女性は仮物なれば、好しや其愛情益々発達するとも遂には狂愛より静愛に移るの時期ある可し、此静愛なる者は厭世詩家に取りて一の重荷なるが如くになりて、合歓の情或いは中折するに至は、豈惜む可きあまりならずや。（同前、二六四頁）

透谷は、恋愛を「自らの意匠」つまり自分の理想を求めるものだという。自分の理想とは、先に見たように、恋愛の情熱によってたどり着こうとする「本当の自分」である。恋愛と聞くと、一般的には他者を愛し、他者に向かうものというイメージがあるが、その先には「恋する自分」への憧れが隠れている。日々の生活に追われる自分はつまらない存在だけれど、恋を知ることで自分は輝きを手に入れることができる。そこにあるのは、自己犠牲や他者への慈しみではなく、「本当の自分」を手に入れようという欲望である。現代の漫画やドラマで繰り返し描かれる、恋愛で「より良い自分」になるというモチーフを透谷は一五〇年前にすでに見抜いていた。

だが、そうした恋愛は結局、自分のためではないのか。その通りだ、と透谷は答える。恋の相手は「仮物」、すなわち「本当の自分」にたどり着くための媒介にすぎないのだと。そこには、他者を対等な存在として愛し、神のloveを実践するという巌本善治が見ていたキリスト教的な意図はもはやない。むしろ、巌本が考えたような、神のloveに近づくための婚姻は、透谷にとって「重荷」にすぎない。結婚とは長く続く生活であり、ともに食べ眠り、金の計算をし、親戚づきあいに巻き込まれる「日常」である。そうした日常のなかで「本当の自己」が失われてしまうがゆえに、彼は恋愛に向かったのだから。非日常な恋愛は、日常の婚姻と激しく対立する。

（3）恋愛と結婚の対立関係

恋愛がもつ非日常性、自己中心性は、透谷だけの問題ではない。たとえば、プラトンの著した『饗宴』に登場するアリストファネスは、エロスの本質を「全きものに対する憧憬と追求」（プラトン 一九五二、八四頁）と指摘している。恋において相手を求めるのは、充たされない自分（欠如のある片割れとしての自己）がその欠如を充たすことで、「全きもの」（完璧な存在）になるためであって、「恋」という事柄自体が、自己中心的な働きを有しているというわけだ。一方、巌本の目指した「愛ある結婚」とは、キリスト教の隣人愛を実践することであった。そこでは、他者を自己実現のための手段とするのではなく、他者を自己と等しく愛する自己犠牲的な態度が求められた。もちろん、そのような態度は簡単なことではない。だからこそ、人は神のloveを導きとして、その困難な愛のかたちを実践しようとするのである。キリスト教の隣人愛は、逆説的に、神のloveなきところで他者を愛することの困難さを明らかにしているといえる。プラトンや透谷が見たように、人間的な恋に自己への傾向が必然的に含まれているなら、なおのことそうであろう。透谷はキリスト者であったからこそ、恋愛と結婚の対立関係をいち早く見抜けたのかもしれない。そして、自身の恋愛結婚が失敗に終わったことを悟った。だが一般的には、この対立が重視されることのないまま、愛／ラブは、自己中心的な恋愛も、キリスト教的な隣人愛も含みこみ、区別されずに広く使われるようになっていく。近代日本の「愛」をめぐる混乱はここに始まったと言えるだろう。

すでに一五〇〇年近く前に透谷が恋愛のもつ自己中心性に気づいていながら、近代化を目指す日本で恋愛結婚は理想化され、愛ある結婚、対等に向き合い慈しみあう関係が喧伝される。恋愛と理想化された結婚のあいだに存在する大きな断絶をキリスト教への信仰をもたない者はいかにして超えるのか。そこに登場するのが、恋愛結婚における「一つになる」「距てなくつながりたい」という願望である。

6　「愛」があれば、どうなるのか

（1）夏目漱石『行人』が描く「他者のわからなさ」

自由恋愛をして結婚をしたら、どのような関係が構築されるのか。いや、どのような関係が構築されるのが「べき」なのか。その答えを教えてくれるのが夏目漱石である。彼は、繰り返し「他者のわからなさ」を小説のなかで描いている。特に『行人』に登場する一郎は、繰り返し近くにいる他者のわからなさを訴える。

一郎には直という妻がいる。二人は当時としてはありふれた見合い結婚で結ばれた。学者で気難しいところのある一郎と、やや愛嬌に欠ける直の夫婦関係はうまくいっているとは言い難い。それでも、

「見合い」なのだから、「恋愛結婚」ではないのだから、夫婦なんてそんなものと割り切って日々を過ごしていけばよいのだが、そうはいかないのが一郎である。一郎には二郎という明るい性格の弟がいるのだが、ある日唐突に一郎は「直は御前に惚てるんじゃないか」（夏目 一九三〇、一二四頁）と二郎に問いかける。もちろん、二郎は即座に否定する。しかし、二郎の顔が赤くなったことを指して、一郎は「本当のところをどうぞ聞かしてくれ」とたたみかける。さらに「御前他《ひと》の心が解るかい」（同前、一二七頁）と尋ねる。ここで一郎が気にしている「他の心」とは「女の心」すなわち妻である直の気持ちである。そして、十九世紀イギリスの小説家メレディスの言葉を引用しながら次のように言う。

自分は女の容貌に満足する人を見ると羨ましい。女の肉に満足する人を見ても羨ましい。自分はどうあっても女の霊というか魂というか、いわゆるスピリットを攫まなければ満足が出来ない。……しかし二郎、おれが霊も魂もいわゆるスピリットも攫まない女と結婚している事だけは慥《たしか》だ。（同前、一二九頁）

一郎がもっとも苦しんでいるのは、直の気持ちがわからないことである。二郎のことは兄弟であるし、信用していると一郎は言う。しかし、他人である妻の気持ちがわからない。だから、二郎に直と二人きりで泊まり、「節操を試して」きてくれと懇願する。二郎はそれを拒否するが、暴風雨という不慮の出来事で期せずしてその貞操実験が果たされてしまう。もちろん、二郎と直のあいだには何も起こらない。そのことを二郎は一郎に報告するが、一郎はそれを信じてはくれない。こうして物語のなかで一郎は延々と直の気持ち、ひいては他者の心のわからなさに悩み続ける。

(2) 一郎の悩みの正体

だが、率直に言って一郎の悩みはおかしい。なぜなら、他者の気持ちがわからないことなど当たり前で、私たちは目の前の存在が何を考えているのかわからないから「他者」と呼ぶのだから。その心が完全にわかれば、それは「他者」などではない。しかし、一郎は妻である直に対して、そのわからなさを解消したいと望む。なぜ、彼はそんなことを望むのだろうか。そこには彼の結婚に対するある理想と誤解が隠れている。

先の引用から明らかなように、一郎は相手の「スピリット」「霊」を攫むことが結婚において大切であると考えている。結婚とは、相手の魂を攫むという「心の結びつき」でなければならない。その理想の源流に位置するのが、巌本善治の恋愛結婚論であるのは明らかだ。夫婦は対等な存在として、互いをみずからの半身として慈しむべきで、そのためには「心の結びつき」を可能にする恋愛が必要である、それが巌本の立場であった。一郎はこの価値観に基づいて、直の「スピリット」を要求する。だが、実際にはこの夫婦は見合い結婚なのだ。佐伯順子が指摘するように、「夫婦関係に最初から期待しない「色」の男女観と、なんとかして「夫婦愛」を手に入れたいともがく一郎の結婚観は、対極的なもので、直の「スピリット」を攫もうともがく一郎は「夫婦間にも「恋愛」があるべきではないか、と考えるからこそ」(佐伯 二〇一〇、二三四頁)苦しむのである。

見合い結婚でありながら、恋愛結婚と同じようなつながりを求める一郎は、ここで決定的な誤解をしている。たしかに、巌本の考えた恋愛結婚は、相手をみずからと同じように慈しむことであった。だが、その慈しみは、相手の心を完全にわかることなどではないし、恋愛における「心の結びつき」というのも「他者のわからなさ」がなくなることを意味していたわけではないはずだ。ところが一郎は、恋愛すれば相手の心が隅々までわかるのだ、わからねばならないと強迫的に信じている。そのくせ彼は自己を絶対と考えており、他者へ歩み寄ろうとしない。これでは他者を理解することなど到底不可能だろう。結果的に一郎が出した結論は、目の前の他者と同化し、自他の隔てをなくせば、みずからと同じように他者を慈しむことになるはずだ、というものである。もちろん、その同化は女性である直が一郎に歩み寄ることを意味しているのだが。それゆえ、一郎が理解することのできない心をもつ直は、自分に愛される気もないし、自分を愛そうともしていないと彼は悩むことになる。

（3）「一つになる」という理想の出現

キリスト教徒ではない多くの日本人が、この一郎の悩みを笑うことはできないだろう。自己と同じように他者を愛するという困難なことを、神の love を導きとせずに目指すとき、何が起こるのか。キリスト教なき場所で「愛する」ことの難しさを体現したモデルケースが一郎の姿なのだから。

キリスト教の隣人愛が説く「心のつながり」、「我が身と等しく相手を愛する」ということが、異なる他者を尊重するという意味ではなく、自己と他者の隔たりを解消して、一体化することで果たされると変換される。現代でもおなじみの「一つになること」が恋愛結婚の「愛」のかたちという考え方がこうして登場する。しかしそれは、半身として他者を尊重するのではなく、半身とするために他者の「他」

を消去してしまう、というやり方とも言えるのではないだろうか。

このとき問題なのは、実際に恋愛結婚をしたら、互いの心が隅々までわかるようになるかどうかという事実問題なのではない。上野千鶴子が「そういう立場を取ることが可能なのが制度としての婚姻というものでしょう」と喝破するように、恋愛結婚は愛あるものだという理念のもとに、「一つにならねばならない」という理想がはめこまれ、その理想の実現のために「内面をわからねばならぬ、透明であらねばならぬという規範意識」（上野 二〇〇六、二三二頁）が成立したことが問題なのだ。神の love なきところで他者を愛するために、恋愛結婚は互いが「透明」であれ、そして一つになれ（oneness）と要求する。それこそが「愛」なのだから、と。しかし、そのようなことは原理的に不可能ではないのか。一郎の苦しみが解消されることはあるのだろうか。

7 「一つになる」愛の果てに

(1) 高村光太郎・智恵子夫妻の悲劇

互いに対して透明で、二人が一体化した状態こそ「愛ある結婚」だ。それを理想化した結果の悲劇が『行人』の一郎だったが、これは単なるフィクションのなかの問題などではない。『行人』が出版されたのと同じ頃、この理想を内面化し、それを実行しようとする男女が現われる。それが高村光太郎・智恵子夫妻である。彼らの恋愛から結婚、そしてその終わりまでの道行きは「愛ある結婚」という理想のもとに「一つになること」を追い求めた者の真実を暴き出す。

高村光太郎は、一八八三（明治十六）年に仏像彫刻師であった高村光雲と母わかの長男として東京の下町に生まれた。ロンドン、パリと三年半にわたり西洋美術を学び、帰国後は評論や詩作などでも活躍した。一方、長沼智恵子は一八八六（明治十九）年に福島の酒造業の家に生まれた。裕福な家庭で何不自由なく育ち、日本女子大に入学する。一つ先輩には、平塚らいてうが在籍し、この頃の日本女子大は、時代の最先端の女性が集まる場所であった。そのなかで智恵子はみずからの才能を絵画の世界に見出し、女子大卒業後は画家を目指して太平洋画会研究所に学んだ。一九一一（明治四十四）年に創刊された『青鞜』の表紙を手がけ、「新しい女」の仲間入りを果たす。欧米帰りの新進気鋭の彫刻家光太郎と「新しい女」である智恵子が出会ったのはこの頃、智恵子が光太郎のアトリエを訪問したことがきっかけであった。二人は次第に親密になっていくが、智恵子の両親は娘の将来を案じ、地元の医者との縁談を進めていた。このことを知った光太郎は、「N――女史に」（のちに「人に」と改題）という詩を発表する。「いやなんです／あなたのいつてしまふのが」（高村光太郎　一九五五、一九一頁）から始まるこの詩に応えるように、智恵子は光太郎と人生をともにすることを決断し、それから二十年以上に及ぶ夫婦生活を送ることになる。

二人の関係は一種奇妙なものであった。一九一四（大正三）年頃から生活をともにするようになるが、法律婚の状態ではなかった。彼らは自分たちが近代化された自由で対等な関係であることを自負していた。光太郎自身は「女の生きて行く道」という評論で「男に自由があるように女にも自由がある。是れが男女を通じて其の生活の根本である」（高村光太郎　一九五七a、二四一頁）と自立した人間同士が愛の関係を結ぶことの重要性を訴え、一方の智恵子も「「女である故に」ということは、私の魂には係りがありません。女なることを思うより、生活の原動はもっと根源にあって、女ということを私は常に忘れています」（高村智恵子 一九九八a、一一九頁）と書き、光太郎との自由で平等な関係を生きようとしていた。実際、芸術家同士であった二人はしばしばアトリエにこもって、貧しいながらも互いの創作に打ち込む生活をしていたようだ。しかし、『智恵子抄』で多くの人が知るように、その幸福（？）な暮らしは十五年ほどで終わりを告げる。智恵子の自殺未遂から統合失調症の発病、入院、そして、一九三八（昭和十三）年に智恵子は五十三歳でその人生を終える。『智恵子抄』とは、智恵子の死後に光太郎がその出会いから別れまでを振り返りつつ編んだ詩集である。

（2）二人が目指した理想の結婚

この詩集は一般に「愛」の詩集であると言われる。たしかに、このなかで光太郎は智恵子を賛美し、死してなお、彼女の愛に包まれていることを詠う。彼らが愛し合っていたことは間違いないだろう。しかしそれゆえに、二人は「愛ある結婚」という理想にがんじがらめになっていったのかもしれない。「愛ある結婚」という理想が二人をどのように絡め取り、特に智恵子を追い詰めていったのかを詳しく見ていこう。

先にあげた「N——女史に」は「いやなんです」の呼びかけの後にこう続く。「あなたはその身を売るんです／一人の世界から／万人の世界へ／そして男に負けて／無意味に負けて／ああ何という醜悪事でしょう」（高村光太郎 一九五五、一九二頁）。ここで光太郎は、見合い結婚に愛はなく、生活のために金で「身を売る」ことと同じであると批判する。それは平等な一対一の男女関係（一人の世界）とはまったく異なる、ただ生活するために自己を捨てた生き方（万人の世界）で、智恵子はそのようなことをしてはいけないのだ。なぜなら、彼女は「芸術の価値を知りぬいて居る方／それ故、人間の奥底が見える方」だからである。この言葉を聞く限り、彼にとって、智恵子は一女性としてだけでなく、芸術にたずさわる同志であり、そこには対等な関係が開かれている感じを受ける。そして、二人が結ばれたあと、光太郎は次のように詠う。

あなたは本当に私の半身です／……／私の生《いのち》を根から見てくれるのは／私を全部に解してくれるのは／ただあなたです（「人類の泉」高村光太郎　一九五七b、二二二－二二三頁）

愛する相手は、自己の「半身」である。二人はクリスチャンではないので、二人を導く神の love はない。だが、それは問題ではない。芸術を求める者同士であれば、「私の生を根から見て」「全部理解」することができる。それは、「僕のいのちと／あなたのいのちとが／よれ合いもつれ合いとけ合い……／すべての差別見は僕等の間に価値を失う」（同前、二四九頁）ことを意味しており、それゆえ、「そこには世にいう男女の戦がない」と光太郎は謳う。まさに「透明な自我」による「一体化」である。一方の智恵子もそれに応えるように、二人の暮らしを「潤され温められ、心の薫ずるおもいがする私達の家。……よきにせよ不可なるにせよ、掩うものなく赤裸で見透しのそこに塵埃をとどむるをゆるさない」（高村智恵子　一九九八b、一二四－一二五頁）と「透明」な関係を強調する。

郵 便 は が き

恐縮ですが
切手を貼って
お出し下さい

606-8161

京都市左京区
一乗寺木ノ本町 15

ナカニシヤ出版
愛読者カード係 行

■ ご注文書（小社刊行物のご注文にご利用ください）

書　　名	本体価格	冊 数

ご購入方法（A・B どちらかをお選びください）

A. 裏面のご住所へ送付（代金引換手数料・送料をご負担くださ

B. 下記ご指定の書店で受け取り（入荷連絡が書店からありま

市	町		書店
区	村		店

愛読者カード

後の企画の参考、書籍案内に利用させていただきます。ご意見・ご感想は
名にて、小社サイトなどの宣伝媒体に掲載させていただくことがあります。

お買い上げの書名
ふりがな） お名前　　　　　　　　　　　　　　（　　　歳）
ご住所　〒　　　－

電話　　　（　　　）	ご職業
メール　　　　　@	

お買い上げ書店名

市　町　書店・ネット書店名
区　村　　　　（　　　　　）

本書を何でお知りになりましたか

1. 書店で見て　2. 広告（　　　）　3. 書評（　　　）
4. 人から聞いて　5. 図書目録　6. ダイレクトメール　7. SNS
8. その他（　　　）

お買い求めの動機

1. テーマへの興味　2. 執筆者への関心　3. 教養・趣味として
4. 講義のテキストとして　5. その他（　　　）

本書に対するご意見・ご感想

（3）「一つになること」の真相

「透明な関係」、そんなことが本当に可能なのだろうか。芸術家という特殊な職業であれば可能なのかもしれない。だが、二人はともに暮らし、生活を営んでいたのである。そのなかで隅々まで融合することは難しいだろう。実は、智恵子の「赤裸で見透かし」という言葉にはカラクリがある。この引用の前には、「二人が為事《しごと》を放擲《ほ》った時の私達の家庭は、まるで幸福の洪水だ」と記されている。つまり「為事」という日常の雑事を手放したときだけ、透明な幸福は訪れるのだ。しかし、「為事」という日常は彼らを追いつめていく。二人の暮らしはとても貧しく、光太郎の評論や実家からの援助だけが収入源だった。そんな貧しさも光太郎の手にかかれば、詩として昇華されるが、智恵子は家事を行ない、家のことに気遣わねばならない。それでも当初、智恵子は絵画の勉強に努め、展覧会への応募も行なっている。しかし、ことごとく落選に終わり、やがて彼女は絵画から距離を置き、家計の足しにと糸を紡ぎ、機織りを始める。一方、光太郎は積極的に創作活動を続けていた。認められない智恵子の絵画、創作意欲みなぎる光太郎。次第に智恵子はみずからの作品ではなく、光太郎の作品をみずからのものと愛するようになり、彼の創作を支える役割になっていく。

そうした智恵子との暮らしを光太郎は「同棲同類の暮らし」と言い、貧しい暮らしのなかで質素になり、飾り気のなくなっていった彼女を「あなたはどんどんきれいになる」と称讃する。だが、それは「同棲同類の暮らし」だろうか。光太郎に智恵子が「同棲同類」と見えていたのは、智恵子が「赤裸」な存在になるために自己を捨て、「智恵子は光太郎に自己同化し、自分を愛するように盲目的に光太郎とその芸術を愛した」（湯原 二〇〇三、一五〇頁）からではないのか。

たしかに、光太郎と智恵子の結婚生活は、対等な関係を目指して始まったものだったろう。だが、気づけばそれは、互いの人生を持ち寄り、相手を尊重し、愛することではなく、女が男の人生を引き受けるために「赤裸（＝透明）」になって自己を失うことで、男の人生と同一化することになってしまった。それを「愛ある結婚」と信じてしまったところに、二人の悲劇は起因すると言えるだろう。

（4）不可能な理想と化した「愛」

こうした智恵子に対して、なぜ「新しい女」を自負していた彼女がたやすく自己を男に引き渡してしまったのか、という疑問もあるだろう。だが、それは逆である。彼女が「新しい女」だからこそ、近代的で自由な人間になろうとしたからこそ、恋愛結婚が謳う「愛」のトリックにはまったのである。光太郎は巧妙にそのトリックを利用したのだと黒澤亜里子が的確に指摘している。

> 「新しい女」としての智恵子を魅きつけるためには、光太郎としてはそこに一種の観念的な「超越」のからくりを用意する必要がある。すなわちそれは、一方で結婚という卑俗な世界に「身を売る」という転落に甘んじ、「男に負けて子を孕む」という醜悪な現実を露骨なまでに突きつけて智恵子の強烈な矜持に揺さぶりをかけ、もう一方で「芸術の悩みを味つた方／それ故、芸術の価値を知りぬいて居る方」としての智恵子の泣きどころを操るという手管である。つまりこれは、光太郎を選ぶことが、そのまま「芸術の価値を知りぬいて居る」、「人間の奥底の見える」自己同一性《アイデンティティ》を選択することだと錯覚できるような眩惑を含む、巧妙な罠なのである（黒澤亜里子 一九八五、一一七頁）

光太郎を選ぶことが、芸術を知る、いわば「価値ある自己」を選ぶことを意味していたから、智恵子は光太郎との結婚を選んだと黒澤は言う。もちろんそうだろう。さらに、その前提には「恋愛結婚」「愛ある結婚」を選ぶ人は、自由で平等を知る近代的存在だという自負がある。そして、その恋愛結婚には、「一つになる」という「愛」の理想が埋め込まれている。理想的な恋愛結婚を果たし、自由で平等な存在になるためには、その「愛」の理想に殉じなければならない。光太郎は繰り返し、「とけ合い」「もつれ合い」と彼女にその「愛」の理想を訴えかける。「愛」の理想に殉じ、「一つになる」恋愛結婚を果たした、私たちは「近代的」なのだ、という囁きがそこに隠れていたのではないか。だが、その結末がどうなったのかは、周知の通りである。「赤裸」な自己で、他者と同一化する「愛」の理想は、「透明な自我」による「自己の溶解」という病へとたどり着いた。「愛」は決して、自己と他者を「一つ」にしてはくれなかったのだ。

智恵子の一生を私たちは『智恵子抄』という「愛」の物語として長らく受けとってきた。その間、どれだけ多くの女性が、「恋愛結婚」という愛の理想を信じて、透明な自己に向かって努力をし、男性の人生に同化しようとしてきたことか。おそらく、そのような選択をした女性たちは強制されて男性の人生に同化したのではないだろう。みずから進んで選択し、愛ある結婚を実践しようとした。近代化したとはいえ、いまだ男尊女卑の残る社会で、「自己」という存在を手に入れるための、それが数少ない方法だったのだろう。だが、そこにあったのは「愛」という不可能な理想だった。「恋」と「愛」は違う。けれど、結婚だけが「一つになる」ことで「愛」を可能にする。そんなふうに呟く私たちの夢の果てに智恵子がいるのではないか。

さいごに

欧米と出会い、キリスト教の影響を受けながら、近代日本に成立した「愛」の内実を本章では見てきた。私たちが現在使っている「愛」のなかには、キリスト教的な隣人愛への憧れ、恋のもつ自己中心性、「一つになる」という恋愛結婚の理想像などが入り交じっており、それを「無償の」「とけあった」というイメージが甘やかに覆っていると言えるだろう。

こうした状況に対して伊藤整は、「キリスト教系の祈りの発想のないところでの夫婦の愛というものは、大きな疑いの目で見直されなければならら」（伊藤　一九八一、一四八頁）ず、「心的習慣としての他者への愛の働きかけのない日本で、それが、愛という言葉で表現されるとき、そこには、殆んど間違いなしに虚偽が生れる」（同前、一五一頁）と批判した。

たしかに、近代日本の「愛」は、キリスト教で言われるloveと同じものではないだろう。だがそれを伊藤のように「虚偽」と切って捨ててよいのだろうか。『行人』の一郎が悩み、高村智恵子が命を賭けたように、近代・現代の私たちは「愛」というものの理想をよすがに恋をし、他者との関係を築こうといまだにしている。だからこそ、その「愛」の理想に何が託されていたのかを知る必要がある。

そして、そのなかで、他者とともにあろうとする「愛」のかたちをもう一度考えてほしい。本章では、「愛」の「一体化」を批判的に扱ったが、一方で私たちが他者を求めるとき、その相手と「一緒にいたい」「ともに暮らしたい」という欲求をもつことは珍しいことではない。その欲求のなかには、相手に近づき、できることなら「一体化」したいという願いが含まれていることも多々あるだろう。実際の日常とは、一体化の願いをもちながら、互いの矛盾や相剋に悩み、一体化の願いを断念しつつともに暮らすことを模索する生活と言える。だが、それもある種の「一つ」を目指す運動ではないのか。「一つ」になることはできないけれど、「一つ」を目指すからこそ手に入る関係もまたある。異なる存在である自己と他者が「ともにある」とは、そうした相剋や模索を孕みつつ形作られる生き方であると言える。だとすれば、いま求められているのは、他者と生きる愛を、恋愛が結婚として実った「あかし」ではなく、「ともにある」というプロセスのなかで捉え返すことではないだろうか。

(1) 本章では、「愛」の成り立ちを恋愛と結婚との関係から見ていくという方法をとったため、「家族」における「愛」、特に子どもと親の関係について扱うことはしない。ただし、結婚の愛に託された「一体化」というモデルは、おそらく親子関係にも影響を及ぼしていると考えられる。この点については本シリーズ〔シリーズ「愛・性・家族の哲学」〕第三巻『家族』を参照していただきたい。

(2) 本章では仮名遣いを適宜新字に改めた。

▒参考文献

伊藤整（一九八一）「近代日本における「愛」の虚偽」『近代日本人の発想の諸形式』岩波文庫。

巌本善治（一九七三）「婚姻論」『明治文学全集32　女学雑誌・文学界』筑摩書房。

上野千鶴子・末木文美士（二〇〇六）「対論　性／愛／家族」『思想の身体　愛の巻』春秋社。

黒澤亜里子（一九八五）『女の首――逆光の「智恵子抄」』ドメス出版。

北村透谷（一九五〇）『透谷全集　第一巻』岩波書店。

小谷野敦（二〇〇三）『性と愛の日本語講座』ちくま新書。

佐伯順子（二〇一〇）『「色」と「愛」の比較文化史』岩波書店。

高村光太郎（一九五五）『高村光太郎詩集』岩波文庫。

高村光太郎（一九五七a）『高村光太郎全集　第六巻』筑摩書房。

高村光太郎（一九五七b）『高村光太郎全集　第一巻』筑摩書房。

高村智恵子（一九九八a）「女なる事を感謝する点――本誌のお尋に対する諸家の飾りなき答え」『高村光太郎全集別巻』筑摩書房。

高村智恵子（一九九八b）「私達の巣」『高村光太郎全集　別巻』筑摩書房。

坪内逍遙（一九三七）『当世書生気質』岩波文庫。

夏目漱石（一九三〇）『行人』岩波文庫。

プラトン（一九五二）『饗宴』久保勉訳、岩波文庫。

松下貞三（一九八二）『漢語「愛」とその複合語・思想から見た国語史』あぽろん社。

宮地敦子（一九七七）「「愛す」続考」『國文學論叢』二十二巻、龍谷大学。

柳父章（二〇〇一）『一語の辞典　愛』三省堂。

湯原かの子（二〇〇三）『高村光太郎――智恵子と遊ぶ夢幻の生』ミネルヴァ書房。

吉平敏行（二〇一四）「Love の明治元訳「愛」と「仁愛」をめぐって――「愛」を「愛しみ」と訳す可能性」『教会の神学』日本基督教会神学校。

【エッセイ】

性

本書『性——自分の身体ってなんだろう?』(ナカニシヤ出版、二〇一六年)に収められた論考は、すべて編者二人が福岡の地で行なっている「恋愛・結婚合同ゼミ」のイベントがもとになっている。西洋における結婚概念の哲学的検討を行なっていた藤田さんが、近代日本の恋愛論研究をしていた私(宮野)を誘って始まったもので、いまでも初めて声をかけてもらったときのことを私ははっきりと思い出すことができる……のだが、藤田さんにそのときのことを話すと、いつも「え? そうでした? 宮野さん、話作っていません? (笑)」と茶化されてしまう。

記憶というのは不思議なもので、間違った記憶でも繰り返し思い出しているうちに、自分の都合のよいかたちに作り変えられるということはたしかにある。私は藤田さんに九州大学の大橋キャンパスで話しかけられたとき、片手にコーヒーを持ちながら、内心「……この人は一体なんだ」と戸惑っていた記憶があるのだが、でも、本当は疲れてちょっとぼんやりしていただけなのかもしれない。ところが、何かの拍子にちょっと話を盛ってやろうと思い、その「ぼんやり」を「戸惑い」として誇張して語り、その語りがいつしか本当の記憶のように定着した、のかもしれない。近頃では、しばしば藤田さんに「宮野さん、それ違いますって」と言われているので、むしろ、こっちの記憶が間違っているのかも、と何が本当なのか、よくわからなくなっていて、ちょっと困っている。

やっぱり、何が「本当」なのかを知りたいと私たちはしばしば思うし、「本当」のものがほしいと願う。自分のものにするならキュービックジルコニアではなくて、「本当」のダイヤモンド、ビールふう飲料ではなくて「本当」のドラフトビールが飲みたい。そして、「ああ、やっぱり本当のものは違うね」と言う。「本当」がもたらす線引きに満足し、安心する。では一体、何をもって「本当」とするのか。「本当」の基準とは何だろうか。たとえば、私の好きなビールにサクランボを使ったベルギー原産のビールがある。それは、野生の酵母を使って職人が丁寧に造ったとても美味しいルビー色のビールなのだが、日本の法律ではサクランボを使った場合、ビールとしては認められないため発泡酒として売られている。これは「本当のビール」ではない、というわけだ。実際、私の友人はこのビールを飲んだとき「これって、ビールなの？　果物のカクテルみたいだよ。こんなのビールじゃないよね」とコメントした。彼にとってのビールは、泡がクリーミーな、のどごしのよいホップの薫る麦汁が「本当」で、フルーツの香りがするものは「本当ではない」ものなのだろう。こんなふうに私たちは、ある事柄や物事を考えるとき、一定の基準を作って線引きをし、「本当」と「本当ではないもの＝偽物」を分ける。だが、ベルギー本国に行けば、チェリーの香りが高く、酸味のきいたルビー色の液体は、伝統的な手法で造られた「本当のビール」である。所変われば基準も変わる。この変動する基準によって「本当」が決められ、作り出される。ところが、私たちはしばしば、基準が変わるものであり、「本当」もそれにともなって変化するということを忘れ、あたかもはじめから「本当」と「偽物」が分かれていたかのように誤解してしまう。実は、私たちにとっての「身体」や「性」のあり方――「男女」という区分、性をめぐる「普通」という線引き――もこれに似ている。

「身体」や「性」をめぐる基準が実は文化的・社会的に構築されたものであることは、本書の宮岡論文〔『性――自分の身体ってなんだろう』第一章「固有の身体・多様な性を生きる――文化人類学の視点から」（宮岡真央子）〕や筒井論文〔同第四章「「脳の性差」と自然――「男脳」「女脳」って?」（筒井晴香）〕を読んだ読者の方なら十分理解しているだろう。しかし一方で、ビールのように人工的に作ったものと、私たちにもともと備わった「身体」や「性」を一緒にするのはおかしいのでは、という疑問を抱く人もいるかもしれない。そういう疑問を抱いた人は、「身体」や「性」は「自然」に備わったものなのだから、その「自然」こそ「本当」だという考えなのかもしれない。では一体、身体の自然、あるいは自然な身体とは何なのかを考えてほしい（佐藤論文〔同第三章「私たちの性とエンハンスメント――美容整形をめぐって」（佐藤岳詩）〕を思い出してみるのもいい）。たとえば、目が悪くいつもコンタクトレンズをつけている人にとって、「いつもの視界」はコンタクトを通してはっきりと映るものだろう。では、「自然な視界」とはコンタクトのないぼんやりしたものだろうか。ぼんやりした視界の自分が本当で、はっきりした世界を見ている自分は偽物なのだろうか。

たしかに、「本当」を決めて線引きすれば、複雑な物事がキレイに整理され、いろいろなことがわかりやすくなった気がする。だが、そのわかりやすさや線引きは、大切な（ときにそれゆえ難しい）何かを考えないためではないのか。変化すること、曖昧なこと、多様なものから目を背けているだけではないだろうか。本書を通じて、そうした「本当」「普通」あるいは「自然」を疑ってかかる視線を少しでも持ってもらえれば編者としてはとても嬉しく思う。

最後に、少しだけお礼を述べたい。冒頭で述べたように、本書に集まった論考はすべて「恋愛・結婚合同ゼミ」でのイベントをもとにしたものである。イベントに参加してくれた先生方、学生、OB・OGのみなさんがいなければ、この本が生まれることはなかった。一応、本シリーズ〔シリーズ「愛・性・家族の哲学」〕の編者はゼミ主催者二人となっているが、あくまでも合同ゼミの場そのものが本シリーズの主体である。編者など、「本当は」いないのかもしれない。改めて、参加者のみなさんに心からの感謝を捧げる。

「おいしければ（ハッピーであれば）いいじゃない」と素直にグラスをかかげながら、「じゃぁ、おいしいビール（ハッピーな性）ってなんだ」と、多様性をめぐる議論がワイワイとできる社会になることを祈りつつ。

第七章　母性と幸福
——自己として、女性として生きる——

はじめに

「母性」という言葉は、私たちにどういったイメージを喚起させるだろうか。この言葉にたいし、子どもを産んで母になったという単なる「状態」をイメージする人は少ないだろう。母性が喚起するのは、母であることに伴って発現する何らかの「性質」である。そして、その「性質」こそが母であることの「本性／本質」を担っているかのような誤解もしばしば生まれる。さらに、生得的な「本性」をもっているのだから、「母は子どもを愛するものである」といったかたちで母子関係、あるいは母性愛を規範化することがしばしば起こる。もちろん、母であるという状態とそれに由来する性質が生得的に説明できたとしても、そうした事実問題と、母性を規範的に語ることは全く次元の異なることであり、母性の規範化は批判すべきことであるにもかかわらず、なぜ母性をめぐる誤解や規範化が生じるのだろうか。本稿ではこの問いにたいして、母性という語が登場した大正時代の精神史を取り上げることで、母性をめぐる語りの成立とその問題点を明らかにしていく。そのうえで、母という生き方のなかにある幸福の別な可能性を探っていきたい。具体的には、まず、近代日本で母性論を広めた下田次郎に注目し、母性が求められるようになった歴史的経緯を分析する。次に、『青鞜』を中心に展開された妊娠・出産をめぐる言説から、当時の女性知識人たちが抱えていた問題を明らかにしていく。そして、『青鞜』の中心人物であった平塚らいてうの言説から母性に託された願望を読み解くと同時に、産む身体である女性にとってのもう一つの生き方、幸福のかたちについて論じていこう。

1　母と子の関係をめぐる変化

大正時代は、都市中間層の女性たちに育児書や出産についての啓蒙書が受容され、母性言説が広まった時代である。そのなかでも最も読まれたのが下田次郎だろう。彼が書いた『胎教』は大正二（一九一三）年に出版され、改版増訂を繰り返し昭和三（一九二八）年までの十五年で六十五版を重ねた。またその姉妹版である『母と子』も大正五（一九一六）年から昭和五（一九三〇）年までの間で二十三版となっている。『胎教』は妊娠の仕組みを科学的視点から説明するものだが、それと並行して下田は『母と子』で良妻賢母教育の旗振り役として「母心」「母性」を強く訴えている。一見すると矛盾するように見える二つの語りだが、じつはそうではなく、むしろ妊娠への科学的視点こそが「母心」「母性」の

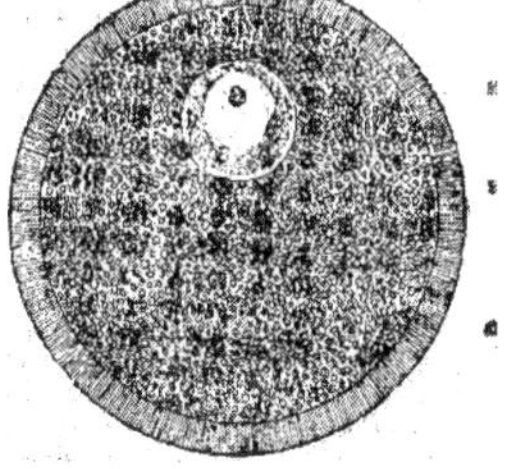
図1　『胎教』より

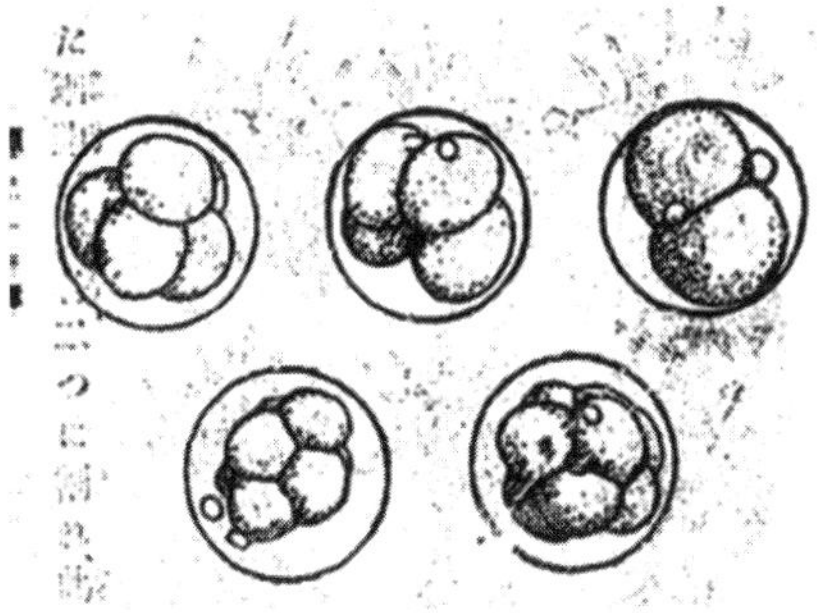
図2　『胎教』より

偏重を呼び起こすものだったと考えられる。本章では、出産と胎児をめぐる視点の変化を見ていくことで、「母心」「母性」が求められた理由を明らかにしていこう。

『胎教』には「胎児の発育」という章があり、図版入りで卵子の構造（図1）[1]が示され、受精の過程、そして、受精卵の分割（図2）[2]が説明されている。さらに、出産前の胎児の位置が子宮の断面図とセットで掲載されている。これを見た女性たちは、本来見えるはずのない身体内部で生じていることを科学の知識を用いて視覚的にイメージするようになったことだろう。そのような受容を顕著に見てとることのできる例が、大正五（一九一六）年に原田皐月が書いた「獄中の女より男に」という小説である。

物語は、堕胎の罪で捕らわれた女性が法廷の場でおこなった裁判官とのやり取りを夫に書き送るという書簡仕立てで、主人公の女が語る妊娠・胎児観は下田の『胎教』を読んでいたことを思わせる内容になっている。堕胎を「人類の滅亡も人道の破壊も考えない虚無党以上の犯罪だ」と怒る裁判官にたいして、女はこう言う。

女は月々沢山な卵細胞を捨てています。受胎したと云う丈けではまだ生命も人格も感じ得ません。全く母体の小さな附属物としか思われないのですから、本能的な愛などは猶さら感じ得ませんでした。そして私は腕一本切って罪となった人を聞いた事がありません(3)

女がイメージするのは、自分の身体のなかにある卵子であり、未だ人間の身体になっていない受精卵の状態である。そこに見え隠れするのは、『胎教』で示されたあの受精卵の分割の図である。だが、女はそこに「生命」を感じることはできないと言い、「母体の附属物」と断言する。いわば、女にとって受精卵は身体から切り離し可能なパーツであり、ある種の「モノ」として捉えられている。この後、女は裁判官から「何故胎児が附属物だ」と問いかけられた際、「胎児は生命を持ち得る(4)」と答えるのだが、その理由をある程度成長した胎児は「一箇の貴い人命人格を持ち得る(5)」からという。この段階での胎児は女にとって自分と異なる人格をもつ「他者」となっている。パーツとして見る視線と、人格を認める立場は矛盾するようにも思うかもしれないが、そこにあるのは、受精卵・胎児を自分とは「異なる存在」として距離をとって、三人称的に観察するまなざしと言える。このようなまなざしを可能にした一因が、見えないはずの身体内部を受精卵や分割の過程といった科学の言葉だったと考えられる。

近代の女性は、三人称的な観察するまなざしで身体内部と胎児をイメージする。その特徴は、胎児を母体から切り離し、独立の存在として見る点にある。では、近世の女性は、自己の身体と胎児をどのように理解していたのだろうか。図3は、『女重宝記大成(6)』という江戸時代に広く読まれた女訓書で示された妊娠出産に至る胎児の成長の絵解き図である。

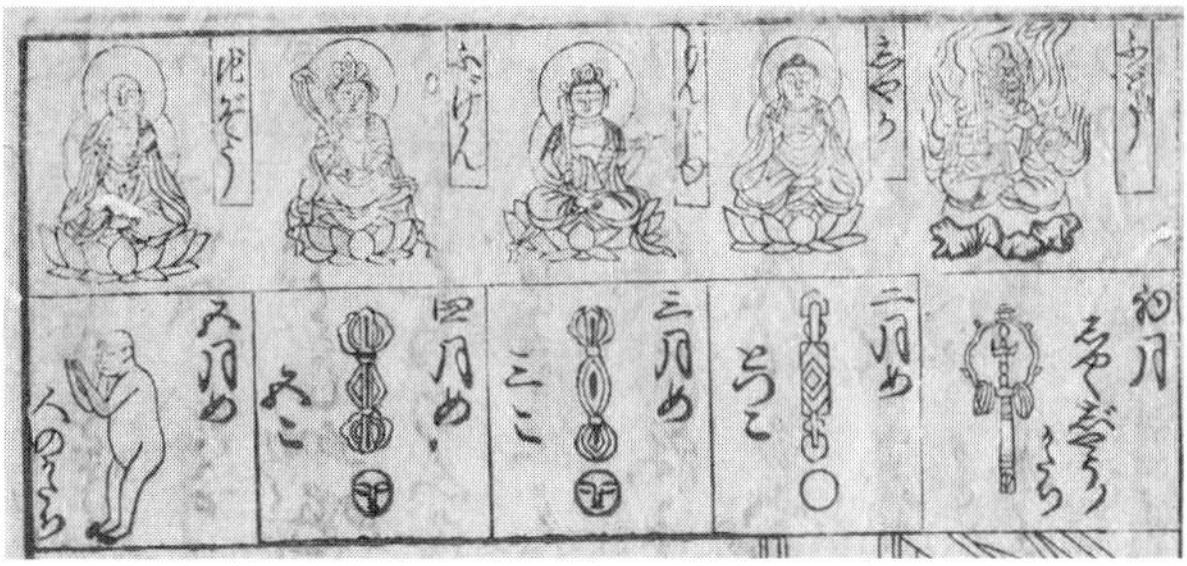

図３　『女重宝記大成』より

これを見ると、四ヶ月目までの胎児は仏具として示されている。当時の人びとは、四ヶ月までの胎児を「一天の白露を草の葉に止めたるごとく……子宮にあって、いまだ腹に入らず」（一ヶ月）、「腹に入りたれども……かたち脆くして固からざる」（二ヶ月）、「その形、凝れる血の如く[7]」（三ヶ月）といったふうに不安定な存在と捉え、その胎児には「毎月守りたまう仏有りて、月々に次の仏へわたしたまえば、その仏、又うけ取りたまう」といった仏の加護がついていると考えていた。そのため、未だ形のはっきりしない胎児は仏具として描き出され、胎児は仏の加護を宿した存在としてイメージされる。このイメージは、当時間引きの際に語られたという「七歳までは神の内」という生命の再生に対する考え方につながっている。さらにそこから、「授かり物」としての子どもという捉え方、そして、女性の身体は、神あるいは仏の加護を受けた存在を宿す「借り腹」であるという身体観も成立することになる。

では、胎児はどのような状態で子宮のなかにいるのだろうか。歴史学の視点から近世・近代の妊娠・出産観について研究する沢山美果子は、江戸期の堕胎や流産をめぐる資料を精査したうえで、まだ形をなさない胎児がおりた場合を「脱血」や「血荒」と呼ぶことに注目し、

「母の身体と子ども（胎児）の身体は血液、体液を介して結びつく単一の有機体とみなされていた[8]」と指摘する。先の『女重宝記大成』でも胎児の形が「血の如く」と書かれていたが、母親が病気になれば、「母体と胎児、子宮のなかをともに流れる血液を介して胎児に作用する[9]」という。母と胎児は、独立した二つの身体ではなく、血液を同じくする一体化したものとして理解されており、胎児は母にとっての「他者」ではなく、まさに一つの身体を共有する存在として一人称的に感じられていたと言えるだろう。

以上のような近世の妊娠・胎児観を原田皐月の「獄中の女より男に」で語られる言葉と比べてみると、その違いは一目瞭然である。子どもを授かり物と捉え、血を共有する一体の存在と感じる近世の一人称的感覚にたいし、「獄中の女より男に」の女は、受精卵を「授かり物」ではなく、「母体の附属物」と言い、三人称的に観察している。そして、いまだ命を宿しているとも思えない細胞に「本能的愛などはなおさら感じない」と女は断言する。近世と近代の言説を比較して明らかになるのは、母親と胎児との身体的な一体感が薄れていることである。こうした変化をもたらしたのは、見えないはずの身体内部を科学的イメージで可視化し、母体と胎児を客観的に眺めるようになった三人称的まなざしだったと言えるだろう。『胎教』で科学的言説を広めた下田自身がこのことにどの程度の危機感を抱いていたのかは定かではない。だが、『胎教』に続き『母と子』を出版し、生物学や進化論の視点を用いつつ、人間の母の偉大さ、母性の自然さを語る彼の言葉には、薄れてしまった母子の身体的一体感を取り戻そうとする強い意図を感じる。

『母と子』で下田が繰り返し挙げるのが母乳哺育（とくに実母の母乳）の重要性である。彼は母乳哺育とそれに伴う長い哺育期間に「生物の進化に現るる自然の目的[10]」を見いだし、「人の子の生まれる前母は無数にあったが、真の愛は生まれなかった。……唯の母はあったが母心を有した母はなかった。人の母を造る為には人の子を要したのである……これを生物進化の第五弾といっても宜い[11]」と言う。「母心」はこうした進化の結果、「自然の目的」として人間の母に与えられたものとなる。さらに、「婦人は母となれば、自ずから、この貴き仁愛を行うことが出来るのであります[12]」「幸いにして多くの母は、正しい天性を授けられて居ります[13]」というように、母心は「天性」として語られ、母は子を「おのずから」愛することができて当然であるという規範化が生じる。こうして、下田は自らが広めた科学的妊娠観によって薄まってしまった母と胎児のつながりを、母乳哺育という身体的接触を通じて再度繋げ、そこに進化の結果という科学的装いの言葉を重ねることで、「母心」や「母の愛」の自然さを強調するのである。沢山が指摘するように「母と子の生理的結びつきを価値化する母性愛論[14]」の原点がここにある。

このように見てくると、妊娠・出産への科学的視点の普及と「母心」「母性」言説の高まりは表裏の関係にあることがわかる。原田皐月が描く女は、この関係が抱える矛盾に鋭い目を向ける存在であったと言えるだろう。それゆえに、下田ら良妻賢母教育を進める者にとっては脅威に映ったはずである。だがそれでも『青鞜』につどった女性は、母と子の間に横たわる矛盾から目を背けることはなかった。次章では、この点について述べていこう。

2　子どもへの違和感

『青鞜』につどった女性たちは、子どもという存在をどのように考えていたのか。妊娠の過程から出産直後までの子どもへの思いを綴った文章として、ここでは岩野清の「始めて母となった時」をまず取り上げる。岩野清は、明治十六(一八八三)年、東京芝に生まれた。教員、新聞記者として働いた後、『青鞜』に参加する。『青鞜』のメンバーのなかでは、平塚らいてうより四歳、伊藤野枝より十三歳年上の年長格にあたる。岩野清を有名にしたのは、「肉が勝つか、霊が勝つか」と言われた岩野泡鳴との恋愛関係である。当初、プラトニックな関係を保ったままの同居を清は望むが、最終的に二人は出会った翌年の大正二(一九一三)年に入籍し、その翌年には男の子をもうけている。この男の子を妊娠し、出産するまでの心境を吐露したのが「始めて母となった時」である。

この小文は、重要なキーフレーズだけを改行し、□で囲むといういっぷう変わった形式で、それを順に並べると「妊娠と云う」「腹の中に一時寄生」「自由を奪われる」「憎い敵だ」「淋しい涙が」となる。彼女は子育てに情熱を傾ける母親たちにたいし、「自分を現在に於いて生かして行こうとする不断の努力と勇気とが足りないのをごまかすために、子と云う別な人間を第二の自分のように思い極めて……自分で自分に言いわけをしていた旧い人たち(15)」と冷ややかに言い放つ。清にとって子どもは「自分の腹の中に一時寄生した新しい生命」であって、全く異なる「他の生」である。そして、寄生した「他の生」は彼女の日常を束縛する。「まだ分離さえもしないうちからもう母親の肉体や精神をあらして行く子と云うものを憎い敵だと思った(16)」。ここには、子どもを自己とは異なる他者として捉える視線がある。ただし、原田皐月の描く女がその他なるものを単に附属物として何の評価もしないのに対し、清にとって胎児は自己を阻害する異物である。だが、同時にその異物性は「私の体内にいるこの小さい者も生きようとして自分の道を作って行きつつあるのだ」という「他の生」の発見、尊重でもあった。そんな清が出産に向ける視線は冷徹である。「大工が鑿や鉋で材木を切りさくように鋏で切ったり針でぬったりしている産科医の冷静な表情をみた時、私は自分の肉体が自分ではなく木か石などで造った機械かなんぞのように思われた[17]」。彼女が自分の身体を見る目は、産科医の目と同化している。そして、その反省的なまなざしを自分自身に向けるとき、「子を生まない女性のもつ弾力のみなぎっている皮膚」がなくなったのだと「淋しい涙」を流す。子どもは、彼女の人生を切り刻む「敵」であり、彼女は嬰児の泣き声を「勝利を誇る敵の凱歌」として聞くことになる。

『青鞜』にはしばしば、母子一体・母性愛への疑念や子どもへの違和感が描かれる。有名なところでは、平塚らいてうが奥村博史との同居を選んだ際に両親へ書き送ったとされる、「自己を重んじ、自己の仕事に生きているものはそうむやみに子供を産むものではない……。私には今のところ子供が欲しいとか、母になりたいとかいうような欲望は殆どありません」（一／一九一三[18]）という文章がある。若きらいてうにとって、子どもとは自己の仕事を阻害するものでしかなかった。ここまではっきりした言い方ではないが、たとえば、茅野雅は「女のうた」で、子を「真の大なる生命」と歌う一方で、だがそれが自らにとっては「十字架」であり「重き黒き荷」であることを指摘している[19]。さらに、『青鞜』のメンバーのなかで最も野性的と言われ、「生命と自然を尊重するアナーキスト[20]」伊藤野枝においても、こうした子どもへの違和感はためらいがちに吐露されている。伊藤は先にみた原田皐月の「獄中の女から男へ」にたいしての感想を野上弥生子への私信という形式で『青鞜』に掲載している。そこで伊藤は子どもを「附属物」とみなす原田の考え方を批判し、胎児であっても一箇の「いのち」をもった存在であり尊重せねばならないことを訴える。だがその一方で、じっさいの育児の場において感じる心持ちを「狂暴なあらしのように、まつわりつく子供をつき倒してもあきたりないような事がありますそのかなしい感情をどうすることもできないということが私には情なくも腹立たしくもあり絶望させられるのです[21]」と子どもへの苛立ちを記している。すでに「母心」「母性」が喧伝されるようになった大正初期、子どもを愛したいにもかかわらず、手放しで愛することのできない自分への絶望がそこに表れていると言えるだろう。このように良妻賢母を求める動向にたいし、『青鞜』につどった女性たちは子どもへの違和感を語り続ける。なぜ、彼女たちは母になりたいと思うことなく、母になったとしても子どもを「敵」といい、時に隠しきれない苛立ちをぶつけてしまうのだろう。そこにあるのは、妊娠・出産をめぐる視線の近代化だけではない。女性たちの生き方自体の変化とその不安定さが隠れている。

3　「自己」として生きること

それでは『青鞜』につどった女性たちは一体どのように生きることを求めたのか。胎児を「敵」と断言する岩野清は妊娠中に「目黒より」という小文で次のように自らの望む生き方を綴っている。

良妻賢母と云う形骸だけの女になって、自己をころした空虚な生活はしたくない。子を生み育てる外に能のない肉だけの女になりたくない。子を生んだり育てたりするだけの事は禽獣でもやっている。私は禽獣すらしている事をしただけで人間の中の女だと誇っている事は出来ないと思っている。……只それだけで満足せず、其上にまだ人間として人間の特色を発揮しなければならない[22]

彼女が拒否するのは自己を「ころす」ことである。清は「個人主義と家庭」という小文で、現在の社会は家族・国家を第一として、家族や国家が個人の生を圧迫していることを批判し、自らはそうした家族主義に対して「自己を生かすことに、真剣に真面目に努力する」[23]個人主義に立つことを明言する。それは利己主義ということではない。それぞれの「個性の尊重が認められ」、個性を発揮してすべての人が「主体たる自我の充実」を図ることが重要なのだ。「各生きた魂をもった一個人」として生きることが「人間の特色の発揮」であると彼女は考える[24]。

「自己を生かす」こと、「人間の特色の発揮」といった考え方は、広く『青鞜』のメンバーに共有されていた思想であった。そのことを最もはっきりと示しているのが、大正元（一九一二）年『青鞜』第二巻第一号で組まれた「附録ノラ」の特集である。筆をとった女性たちは概ねノラに好意的である。彼女たちは、無自覚なままに妻として母としての人生を受け入れていたノラが自ら考え、「さめたる人」[25]となって自分の生を選び取るところに快哉を叫び、「なによりも人間です」というノラの発言に「真の人間の生涯」[26]に入ろうとする姿を見る。ここでも彼女たちが評価するのは、ノラが「我」の声を聞き始めた[27]」ことであり、「徹底した自己を入るるに明らかな立場[28]」をとったことである。与えられた女性のジェンダー役割を無批判に受け入れるのではなく、自分を持ち、「自己を生かす」こと、それこそが人として生きる上でもっとも大切であると彼女たちは考える。女や妻や母ではなく、「私」として生きる。彼女たちの「自己」「個性」を求める言葉から見えるのは、こうした「かけがえのない私」への欲望と言えるだろう。そして、それは平塚らいてうが『青鞜』創刊の辞として書き綴った「青鞜社の社員は、……一人残らず各自の潜める天才を発現し、自己一人に限られたる特性を尊重し、他人の犯すことのできない各自の天職を全うせん」（二／二七）という呼びかけと響き合う。

ところが、当のらいてうはノラにたいし冷ややかな目を向けている。ノラが獲得した自由は、他者との対立・束縛から逃れたというだけで、そこに「自己」と呼ぶに値するものはないと彼女は批判する。なぜなら、そこに「自己とは何か」という問いが欠けているからである。単に自由を手に入れただけで、「自己」が確立されるわけではない。それゆえ、らいてうはノラの「人間です」という叫びにたいしても「自覚なさるにはあまりに容易に過ぎはしますまいか。女というものがこのくらいのことで人間になれると思ったら大間違でしょう、真の自己はそう容易に見えるものではありません」（一／八三）と手厳しい。彼女にとってノラの問題点は、自己を活かす生き方を選んだことではなく、その生き方が未だ「真の自分」ではないという点にある。その意味で、らいてうもまた「自己」を重視する思想の持ち主であったと言えるだろう。ただし、他の青鞜メンバーの「自己」についての考えが、自己実現に向かう個性の称揚にとどまっているのにたいし、らいてうは「そもそも自己とは何か」と問おうとする。そして、このらいてうの「自己」をめぐる問いこそ、彼女が母性礼賛へと向かう分岐点となるものなのである。

4　平塚らいてうの「自己」と「自然」

らいてうの思索の変遷を考えるうえでポイントとなるのは、彼女が終生重視した「自然」の問題である。本章では、『青鞜』時代の若きらいてうが「自然」と「自己」をどう位置づけていたのかを読み解くことから、母性主義に至る彼女の思索の原点を明らかにしていこう。

『青鞜』創刊の辞で同志にむかって「天才を発現し」「自己」となることを訴えたらいてうだが、そこで言われる「天才」とは何を意味していたのか。彼女がこの創刊の辞で繰り返し語るのは、「潜める天才」という言葉である。天才と聞くと私たちは何か特別な能力をもった普通の人とは異なる存在を思い浮かべるが、彼女は天才を「真正の人」であると言い、あらゆる人間が潜在的には天才であると考えた。そして、その天才を発現させることこそ、「真の自由解放」であるという。

天才の発現を阻むものには二つある。第一に「男性といい、女性という性的差別」(一／一六)、つまりジェンダーによる抑圧である。だが、「女として」「男として」という形で押しつけられた性役割(らいてうはそれを「性格」と言う)を取り払うだけでは未だ十分ではない。彼女が第二に克服すべきと考えたのは「我」という存在であった。

我れ我を遊離する時、潜める天才は発現する。私どもは我が内なる潜める天才のために我を犠牲にせねばならぬ。いわゆる無我にならねばならぬ(無我とは自己拡大の極致である)。……私どもはもはや、天啓を待つものではない。我れ自らの努力によって、我が内なる自然の秘密を曝露し、自ら天啓たらんとするものだ。私どもは奇蹟を求め、遠き彼方の神秘に憧れるものではない、我れ自らの努力によって我が内なる自然の秘密を曝露し、自ら奇蹟たり、神秘たらんとするものだ。(一／二五－二六)

禅の修行をおこない、見性に至った彼女らしい言葉である。知識や立場に固執するような我は、「中層ないし下層の我、……仮現の我」にすぎず、そうしたこだわりを捨てて無我となったとき、自己の内奥にある「自然」を活かすことができる。その「自然」をらいてうが「久遠の生」や「いっさいの活力の源泉」とも呼んでいることからもわかるように、彼女は個々人の生の根源にある（ベルクソン流の）大きな生命の流れを「自然」という言葉で意図している。こうした「自然」へのアクセス方法は、一種独特である。まずは「無我」という自己否定が求められるが、その一方で「奥底の情意の火焔の中なる「自然」の智恵の卵よ」（一／二〇）と言われるように、自然はあくまでも自己を推し進めた先にある。彼女は「自らの努力」によって自己の情意を解き放つとき、人は自らの内部にある「自然」に気づき、その「自然」を我がものとすることができると考えた。らいてうにとって、「自然」は徹頭徹尾、自己のなかにあって再発見すべきものであった。仮の我を取り除き、自己の内部にある「自然」を我がものとできたとき、「潜める天才」は姿を現し、「真正の人」となることができる。だからこそ、「自然」に至るための無我／自己否定が「自己拡大の極致」と位置づけられるのだ。

自己の内部に超越的なものを捉え、そこにこそ真の自己があると考える方法は、若きらいてうが多大な影響を受けたとされる綱島梁川の思想をほぼ引き写したものである。梁川の思想は、「我即神となりたる」と言う「見神」の経験に基礎がある。彼は自己の内部に神を見いだし、自己が「天地の奥なる実在」と化す経験について語っているが、このような綱島の思想を竹内整一は「宇宙・自然との新たな関わりを発見するということが同時に、そうした関わりのうちに新たな個としての自己を定立・実現する」[29]ものと指摘している。一般的に神とは、自己の外部に存在する超越者と考えられることが多い。だが、西洋近代化のなかで伝統的心性から切り離された綱島や当時の知識人たちは、もはや外部の超越者を信じることができない。その一方で、彼らに求められたのは西洋的な個人として立つことである。神なきところで、個人の独立を支える基盤になるものはどこにあるのか。こうした課題のなかで求められたのが自己の内部に神や超越的なものを見いだすという方法であった。自己であることを手放さず、自己の根拠を確立するために、自己の内奥に超越的なものを見いだし、それとつながることで真の自己を獲得する。その超越的なものを綱島は「神」と呼び、らいてうは「自然」と呼んだ。『青鞜』とある種の兄弟誌と言われることもある『白樺』では、『青鞜』と同じように個性が称揚され天才たることが求められるが、『白樺』の中核を担った武者小路実篤は個人の根柢に「自然」を捉え、有島武郎は「本能」や「生命」を見た。近代的自己の確立という問題は時に男性知識人だけによって語られてきたとイメージされがちだが、それは、もちろん女性知識人たちにとっても同様の問題であった。

このように見てくると、自然を重視し、我を否定するらいてうの思想を「西欧化された近代に対するトータルな批判[30]」や「非合理のハーモニイ[31]」と捉える視点はミスリーディングと言わざるをえない。むしろ、彼女の「自然」は近代という時代のなかでこそ生み出され、語られたものであった。江原由美子が言うように「近代主義はその幻想装置の内に「自然」を内包している[32]」のであって、そもそも、自然／反近代／非合理と文明／近代／合理を対立的に捉えること自体がきわめて近代的な視座なのではないだろうか。いずれにしても、らいてうにとっての「自然」とは、「自己」を支える根拠として求められたものであった。しかし、私たちは自己のうちに本当に「自然」を見いだすことなどできるのだろうか。

自己の「内なる自然」はどこまでも「幻想」でしかないのではないか。この問題にらいてうも突き当たることになる。

5 「母性」への転回

若きらいてうの思索は、彼女の恋と結婚、そして出産、子育てのプロセスとともにあると言える。彼女はつねに自分の経験を通して考えた。『青鞜』創刊の辞を高らかに宣言したときの彼女はまだ恋を知らない。他者を求める恋ではなく、自らのなかにある潜める天才を発現すること、真正の人となって他ならぬ自己に至ることが当時の彼女が求めたことであった。らいてうはそれを「唯我独尊の王者」(一／二六)になることであると言う。天才とは、他と孤絶した「唯我独尊」の状態であり、それゆえに「孤独、寂寥」を抱えている。そうした孤独と寂寥を生きる自己を支えるのが、自己の内部に見いだされる内なる自然であった。このときの彼女の思索に「他者」という契機は存在しない。ある意味で、自己と生命、自然を連続的に捉える極めて静的で統一のとれた思考だと言えるだろう。

その後、彼女は奥村博史と恋に落ち、彼との共同生活を選ぶ。そして、当初拒否していたはずの子どもをその身に宿す。妊娠中のらいてうが、自分が子どもをもつに至った理由を書きつつ、子どもをもつことへの揺れる気持ちを吐露したのが「個人としての生活と性としての生活の間の争闘について」である。これは原田皐月の「獄中の女より男に」にたいする伊藤野枝「私信」での反論を受けて、『青鞜』五巻八号(大正四／一九一五年)に掲載されたもので、らいてうは野枝による原田への反論が感情的にすぎることを指摘しつつ、妊娠をめぐる女性の心情について語っている。彼女が訴えるのは、妊娠という事実が「「性」としての婦人の生活――種族に対する婦人の天職――と「個人」としての婦人の自分自身との間の矛盾衝突」（二／四六）を引き起こすということである。「個人」としての自分が求めるのは、潜める天才を発現し、真正の人になることである。そのためには、個人としての自分のために使う自由な時間が必要だが、妊娠という事柄はそうした自由な時間を奪ってしまう。だからこそ、らいてうは当初、「自己を重んじ、自己の仕事に生きているものはそうむやみに子供を産むものではない」と両親に書き送ったはずである。ところが、彼女の中で次第にある想いが募っていく。それは「ひとたび愛の生活を肯定し、そして自分から選んでこの生活にはいった自分が、しかも、今その愛に生き、その愛を深めかつ高めることに努めつつあるその同じ自分が、その愛の創造であり、解答である子供のみをどうして否定し得よう」（二／五〇）という問いかけであった。そして、彼女は「今が今まで自分の中には全くないものと信じきっていた子供に対する欲望や、母たらんとする欲望が実は自分の愛の中にも潜んでいる」（二／四九－五〇）ことに気付く。

恋と結婚、さらに結婚することと妊娠することはそれぞれ異なる事柄であるが、らいてうはそれを「愛」という言葉で一続きのものと捉えている。この考え方自体が近代的なものであり、再検討を要するものであることは一旦置く。ここで問題にしたいのは、彼女が「愛」という言葉の先で子どもの存在を模索することであり、それを「どうして否定し得よう」という形で、受け入れざるをえない自然な欲望として考えている点である。さらに、これらの言葉に続けてブラウニングの「女らしさはただ母性にあり、すべての愛は、そこに始まりそこに終る」（二／五一）という句を「今の私の心に浮かんだ」ものと書き付ける。愛する相手がいれば子どもを希望するのは当たり前。なぜなら、子どもこそ男女の愛の結実であり、こうした男女の愛も最終的に子どもを求める想い、母としての女性の本性に起因するから、というわけである。子どもを希望する自然な欲望、すべての愛の原初に存在する母性のはたらき、そして、そこに「女」である意味を見いだす眼差し、らいてうの母性主義の原点がここにある。ただし急いで付け加えねばならないのが、このエッセーでの彼女は「あの争闘（個人と性）が解決されたわけでは決してありません……今後の私の生活は分裂の苦痛を経験せずにはすまないでしょう」（二／五一－五二）と繰り返し語っており、この段階での彼女は個人としての生を求める欲求を手放していないという点である。だからこそ、妊娠の経験は彼女にとってまさに「争闘」であり、「分裂」の経験であった。次なる彼女の課題は、個人と性／種族の間での分裂をいかに「選択し、統一し、調和していくべきか」（二／五二）ということになる。

無事に最初の子どもである女児を出産した直後、らいてうは日々の想いを記した「南湖より（一）」「母となりて」というエッセーを発表する。そこで彼女が強調するのは、「母の愛」が初めから完全ではないことである。自分自身の経験として、らいてうは出産直後に初めて子どもを見た際に「愛」というようなものを感じることができなかったと告白している。しかし、放っておけない心持ちに駆り立てられ、つねに子どものことが頭から離れなくなったという。「私の中の母性はこれから一日一日と子供の成長とともに発達しそして実現されてゆくことでありましょう」（二／一四五）。母性を初めから完全なものではないと指摘するらいてうの立場は一定の評価に値するが、その一方で彼女のこの語り口は、すべての女性が不完全ではあるが母性を具えていることを前提にしている。そして、その母性の発達において重要なものが「哺乳」だという。「母の愛は哺乳動物の一大特徴で……哺乳ということに深い関係をもった性的な根深いところからきている」（二／一三七）と語る彼女の口ぶりは、さながら下田次郎のようである。じっさい、らいてう自身も母性について語る際に、当時流行の生物学的観点、進化の過程といったことを念頭に置いており、下田が広めた科学的妊娠観の影響力の強さが伺える。これらのエッセーでは、妊娠前に自らが語っていた自己を求める立場への言及はあるものの、妊娠中に彼女が危惧していた個人と性の「争闘」についてはほとんど語られることはない。そして結論部で、母性の発達の先に「真実の女の生活」があるかもしれないという可能性がほのめかされている。では、そのように母性が完成に向かえば、個人と性の「争闘」「分裂」はどのような形で調和することになるのだろうか。

大正七（一九一八）年は、与謝野晶子と平塚らいてう、山川菊栄による母性保護論争の年である。母性保護論争とは、国家による母性の保護を訴えるらいてうと、女性の自立を説く与謝野晶子によるらいてう（およびエレン・ケイ）への「依頼主義」批判、両者にたいして、格差が大きい社会構造自体をまず問題視すべきという山川菊栄の意見が登場し、収束に向かった一連の議論の流れを指す。この頃になるとらいてうは「母性」を明確に「自然」というキーワードと結び付けて語るようになる。母性保護論争の前年に書かれた「母としての一年間」では個と性との争闘に言及するものの、自らが母乳哺育を望んだときの心持ちを「大自然がすべての世界の母親に命令しているもののように、そこに何らの理知の手数を経ることなしにおのずから湧いてきた」（二／二六七）と言い、この「見えない自然の秘密が母である私の心に植えた子供に対する私の愛」（二／二七四）が個人としての生を求める「エゴイズム（個人主義）」を「アルトイズム（他愛主義）」へと展開してくれるものだと言う。こうして、個と性の争闘は性の勝利、母性の勝利となる。

では、あれほどに「潜める天才」の発現を求め、真正の人になることを目指していた個は、母となって、子に尽くす存在になることで満足なのだろうか。天才になるという望みは失敗に終わったのだろうか。そうではない。なぜなら、「母は生命の源泉であって、婦人は母たることによって個人的存在の域を脱して、社会的な国家的な人類的な存在者となる」（二／三六二）からである。ここで言われる「生命の源泉」とは、単に「子どもを産む」ということを意味するのではない。先にみたように、母は、自然の秘密を宿し、大自然に命令される存在である。子どもを慈しむ愛情が自然に発露すること、そこにらいてうは「母」であることが大いなる自然とつながっていることを見た。「生命の源泉」とはこうした自然とつながっていることを意味している。それは、彼女が若い頃から求めてきた自己の内なる「自然」の覚醒であり、それゆえ、自然とつながった「母である」ことを「母性」と呼ぶのである。先に内在的超越としての「内なる自然」など幻想ではないのか、という疑問を提出したが、ここに至って「内なる自然」は「母性」という形で具体化されることになる。そしてこのような母性を発揮する存在は、単なる個人的存在などではなく、全人類に貢献しうる意義を担った存在、「人類的な存在者」であるとらいてうは考える。この当時「人類的存在」という言葉は白樺派でもしばしば使用されるが、いわゆる「天才」のことを指す。こうして、女性は母になることで「生命の源泉」となり、そこで自然とつながって自己を支える内在的超越を手に入れると同時に、母性の発揮によって「潜める天才」を発現し、自己実現を果たす。したがって、個と性の争闘の果て、母性が求められることは個の負けではなく、むしろ、らいてうの立場から見れば、「真正の人」となることを意味していたと言える。

個と性の争闘を続け、矛盾を見つめ続けるのは率直に言ってかなり苦しいことである。その苦しみにたいし、性に生きること、母性を発揮することこそ、個の実現でもあるのだというらいてうの母性を称揚する言葉は魅力的に響く。しかも、そこで語られる言葉に進化論や生物学といった科学的知識がちりばめられていることは、訴求力を強める方向に働いたと考えられる。当時の女性知識人たちが母性主義へと傾斜していった背景には、らいてうが辿ったような個人への憧れと葛藤、そして、その解消への願いが隠れていたのではないだろうか。

6　母性という桎梏、その別の可能性

らいてうは母性保護論争の後、文字通り自然とつながった人生を求めて大正十（一九二一）年夏、東京の家を処分し、田舎での家族生活を選ぶ。その暮らしのなかで彼女が綴ったエッセーには都会で働く職業婦人への懸念が「宇宙の大生命と直接通じているその母性を日に日に失いつつある一つの社会奴隷である」（四／四六）と表明されている。こうした母性称揚の言葉は彼女の書き物のあちこちに見いだされる。だが、母性を称揚することで、彼女自身の個と性の争闘は決着をみたのだろうか。母性によって「真正の人」になれたのだろうか。

これにたいし、大正十三（一九二四）年にらいてうは「母としてのわたくしの生活」で正直な心情を語っている。彼女は、「自分自身を育てよう、自分自身の仕事を完成しようという自分の個性的な――同時に社会的な――欲望を漸時に抑えつけて、いつからということなしに、自分の全生活の中心が子供

の上に移動してきました」と「母の心」（四／二三）を語り出す。自然な母性愛があふれ出すといったいつも通りの論調にも見える。だが、それに続けて彼女が言うのは、「もしここに婦人の母としての生活（同時に妻としての）と自分自身の仕事または職業とを立派に両立させることができたと誇らかに言い切る婦人が一人でもあったら、わたくしはその人をまたなく羨ましく思う」（四／二五）ということなのである。子どもへの愛はたしかにある。それならもっとその愛を丁寧に子どもに向けられて当然であるはずだが、それができない。このエッセーにはらいてう自身の子どもが言ったとされる「うちのお母さんはお菓子をこしらえないの」「原稿なんか書かないお母さんになるといいんだけれどなぁ」（四／二五）といった言葉が紹介されているが、それにたいし彼女は「子供本位」に生きることのできない自分を強く責め、母としての苦しさ、葛藤を吐露している。

彼女にとって母性とは「大自然の命令」である以上、発揮せねばならないものである。ところが、じっさいの自身の生活を振り返ったときに、子ども本位で生き、子を愛することができていない。そこに大きなギャップが生じ、自分を責めている。だが、これは彼女が自ら提示した母性を「母は子をつねに愛さねばならない」と規範的に捉えているがゆえである。いわば、彼女は自らの語った母性によって自縄自縛に陥っている。

こうした母性の桎梏にたいし、当初『青鞜』の面々は声を上げていたはずである。では、個と性の争闘を「苦しみ」と捉えるのではない、別の可能性はなかったのだろうか。最後にこの矛盾対立のなかで「幸福」を語った岩野清の言葉をみてみよう。先にみたように、子どもを敵と、泣き声を凱歌と言った岩野清は子育てをしつつ、その後もさまざまな文章を書き残している。だが、彼女の書いたものに「母性」を説くものは管見によれば一つもない。もちろん、子どもと自己の生き方との間での葛藤は多く書かれている。だが、それらはらいてうのように苦しみや自責の念ではない。

彼女は「個人主義と家庭」において家庭を「各箇人相互の便利のための集合[33]」と定義し、家庭は個人の自由と権利を圧迫してはならないと述べている。もちろん、複数の人間が共に暮らすのであるから、そこで各個人の対立は生じるし、時にその対立は「孤独」を感じさせるものであるかもしれない。しかし、彼女は言う。

子は親にそむき、妻は夫にそむき、自分以外に自分のないことをしみじみと味わい覚って、自我の生を充実することが自分として最も神聖な事業であることを切実に感知するまでにならなければだめだと思う。そうして後、個人主義を基礎とした新たなる家庭が造られるであろう。個性の尊重が認められ、犠牲、服従と云うような義務的な理由のない行為を圧しつけられることなく、相互の理解と同情とによって能動的に相さまたげないようになる[34]

自己として生きることを求める人が、それでもあえて他者とともに生きようとするのはなぜか。この問いに対する答えは、対立の孤独をくぐり抜けた先にしかない。子どもは時に十分な時間を自分にかけてくれない母をなじるかもしれない、夫と妻は自分の仕事の時間を取れないことで喧嘩をすることがあるかもしれない。そのために孤独を感じることもあるだろう。だが、その孤独のなかで相手のことを考え、自己を問い直すからこそ、清が言うように「相互の理解」が可能になり、私たちは他者とともに生きていくことの意味を見いだすことができる。だとすれば、私たちは徹底した「個と性の争闘」を生きねばならない。そのとき、決して「孤独の淋しみから遁れるために……安価な幸福にたよっていること」は許されない。彼女はこうした「個人主義的家庭は、通俗な意味の幸福をもたらすものではない[35]」と言っているが、それはあくまでも「通俗の」という括弧付きである。安価で通俗な幸福に流れるのではなく、その対立に踏みとどまることの中に幸福を模索しようという強い想いが彼女の言葉からは見てとることができる。らいてうも常に「個と性の間の争闘」を見ていたはずである。ただ、彼女にとってその争闘は統一し、乗り越えるべきものであった。その結果、母性による「個と性」の統一が見いだされたわけだが、彼女自身はその統一を引き受けられず自責の念に苦しむことになった。だとすれば、岩野清のように統一など求めず、対立と矛盾のなかに幸福を模索する道もあったのではないだろうか。そして、そうした道は『青鞜』初期の女性たちの声の中にたしかにあったのである。

さいごに

女性の自立が進み始めた大正時代は、女性が「女であること」と「自己として生きること」の狭間で苦しみ始めた時代でもあった。母性論はその狭間を巧妙に埋めるものとして機能し、だからこそ、多くの女性にとっての桎梏となった。ただ人として幸福に生きたいと願うことの難しさ、母性を語ったらいてうは、後にその難しさを社会の側に見いだし、社会改良についての積極的な発言をおこなうようになる。女性が人として幸福に生きるとはどういうことか。彼女たちの議論は今なお全く色あせることなく、むしろ今こそ読むべきものである。

(1) 下田次郎『胎教』、実業之日本社、一九一三年、五二頁
(2) 下田次郎前掲書、五二頁
(3) 原田皐月「獄中の女より男に」、折井美耶子編、『論争シリーズ5　資料　生と愛をめぐる論争』、ドメス出版、一九九一年、一三五頁。なお、引用にあたって、旧仮名遣いを現代仮名遣いに改めた。
(4) 原田前掲書、一三六頁
(5) 原田前掲書、一三七頁
(6) 「女重宝記大成」、山住正巳・中江和恵編注『東洋文庫　子育ての書1』、平凡社、二四八頁
(7) 「女重宝記大成」、山住正巳・中江和恵編注『東洋文庫　子育ての書1』、平凡社、二四七頁
(8) 沢山美果子『出産と身体の近世』、勁草書房、一九九八年、九〇-九一頁
(9) 沢山前掲書、七七頁
(10) 下田次郎『母と子』、実業之日本社、一九一六年、一一三頁
(11) 下田前掲書、一一四頁
(12) 下田前掲書、一二六頁
(13) 下田前掲書、一三六頁
(14) 沢山美果子『性と生殖の近世』、勁草書房、二〇〇五年、二六五頁
(15) 岩野清「始めて母となった時」、『泡鳴全集　別巻』、臨川書店、一九九七年、一九八頁
(16) 岩野清前掲書、一九九頁
(17) 岩野清前掲書、一九九頁

(18) 平塚らいてうからの引用はすべて『平塚らいてう著作集』(大月書店、一九八三–一九八四年)に拠る。引用に際しては、引用箇所のあとに(巻号/頁数)で表記した。
(19) 茅野雅「女のうた(抄)」、堀場清子編『「青鞜」女性解放論集』、岩波文庫、一九九一年、一一八–一一九頁
(20) 米田佐代子・池田恵美子編『『青鞜』を学ぶ人のために』、世界思想社、一九九九年、一三七頁
(21) 伊藤野枝「私信——野上弥生様へ」、前掲『資料 性と愛をめぐる論争』、一四八頁
(22) 岩野清「目黒より」、『泡鳴全集 別巻』、一六六頁
(23) 岩野清「個人主義と家庭」、『泡鳴全集 別巻』、二一七頁
(24) 岩野清「個人主義と家庭」、『泡鳴全集 別巻』、二一八頁
(25) 上田君「「人形の家」を読む」、『「青鞜」女性解放論集』、六〇頁
(26) 上野葉「「人形の家」より女性問題へ(抄)」、『「青鞜」女性解放論集』、四六頁
(27) 上野葉前掲書、三八頁
(28) 上田君前掲書、六一頁
(29) 竹内整一『自己超越の思想——近代日本のニヒリズム』、ぺりかん社、一九八八年、六二頁
(30) 米田佐代子『平塚らいてう——近代日本のデモクラシーとジェンダー』、吉川弘文館、二〇〇二年、二二頁
(31) 井手文子『平塚らいてう——近代と神秘』、新潮選書、一九八七年、八二頁
(32) 江原由美子『女性解放という思想』、勁草書房、一九八五年、五三頁
(33) 岩野清「個人主義と家庭」、『泡鳴全集 別巻』、二一八頁
(34) 岩野清前掲書、二一八頁
(35) 岩野清前掲書、二一八頁

＊本研究は、JSPS科研費25370026、25370083、16K02152の助成を受けたものである。

【エッセイ】

家族

私自身の話を少ししたい。私にとって家族とは、遠くから眺めているものというのがもっともしっくりくる。一人っ子だった私は、子どもの頃食事をすませるといつも、おもちゃの入った箱のなかに入り、そこから大人たちがお酒を飲み、話をしながらゆっくり食事をとっているのを眺めていた。別に冷たくされていたわけではない。それくらいがちょうどよかったのだ。大人になったいまでは、たくさんの子どもをもつ友人の家に時々行き、賑やかなその家族を眺めながらピザを食べたり、お酒を飲んだりする。そうやって、目の前に積み重なる生活の時間を見ながら、いつも思ってしまう。「では、家族というのはなんなのだろうか」と。血がつながっていれば、一緒に暮らせば、財産を共有していれば、家族だろうか。あるいは、そうした条件が家族のもつ一種独特な親密さ（「家族なんだから助け合うのが当然」「家族なんだからなんでも言って」）を呼び起こすのだろうか。けれど、その親密さは時々私をとても息苦しくさせる。だからいつも、家族を外から眺めてばかりいた。

そんな私が、パートナーのいる生き方を選んだとき、はじめに混乱したのが「家族になる」ということの意味だった。あのときの混乱した気分を江國香織が寸分違わずに言葉にしてくれている。

いま思うと、私はなにもかもに疑心暗鬼になっていた。もともと疑い深い性質なのだ。それに加えて結婚というのはあらゆる恋人から根拠を奪うので、どうしたって疑心暗鬼にならざるを得ないのだった。

たとえば一緒に暮らす前ならば、夫が会いにきてくれるととても嬉しかった。会いにくるということは、私に会いたいのだなとわかったから。でもいざ一緒に住みはじめると、夫は毎日ここに帰ってくる。私に会いたくなくても帰ってくるのだ。そのことが腑に落ちなかった。ばかばかしいと思われるだろうけれど、どうしても腑に落ちなかった。

（江國香織『いくつもの週末』集英社文庫、二〇〇一年、一〇九－一一〇頁）

恋人同士には「愛」がある。では、家族には何があるのだろう。この家に帰ってくるのは、ここしか帰るところがないからで、「愛」ゆえでないかもしれない。「家族」だから帰ってくる？　だとしたら、それはなんて束縛なのだろう。私は「家族」という名でパートナーを縛っているかもしれないことに戸惑い、怯えた。一体、家族ってなんなの。でも、こんな私の不安を笑う人もいるだろう。「家族」ってのはそういうもんだ。そこしか帰るところがないから、それは自分の「家」なのだし、そこに戻ってくることで人びとは「家族」になる。恋人は共に暮らすことで「夫婦」になっていく。でも、とあの頃の私が問いかける。その「なる」とか「なっていく」という変化をもたらすものはなんなの、その変化を私はどう考えたらいいの、と。そんなことばかり、若かった私は考えていた。本書あるいは本シリーズを読んだみなさんは、かつての私の戸惑いを笑うだろうか。それとも、あの頃の私に答えを示してくれるだろうか。

『愛・性・家族の哲学』と題された本シリーズも最終巻となったが、ともに編者を務めた藤田さんと合同ゼミを開き、本シリーズの企画を立てた原点には、こうした私自身の小さな問いかけがあったことをいまさらながら痛感している。自分の問題からしか問いを立てられない哲学のやり方は、少し古くさいのかもしれない。だが、問いかける者があっての問いであり、その問いは常に問いかけるものとのつながりのなかでしか生まれてこないのだとしたら、自分の問題から出発することこそ、哲学の求めるものではないのだろうか。もちろん、そのように問いを立て、考えることは一人でできるものではない。常に、そこには共に生き、共に考えてくれる人びとがいる。私たちと共に思索を紡いでくれた合同ゼミの参加者、執筆者の皆さんには改めて心からの感謝を表したい。そして、読者のみなさんが本書のなかで受け取った問いを捉え返し、自分自身の問題として生きてもらえることを切に願っている。

第八章　「いき」な印象とは何か

――「いき」をめぐる知と型の問題――

はじめに

九鬼周造の『「いき」の構造』を論じるとき、彼が「いき」に託したものは単なる美意識などではなく、自己と他者の動的な関係性であり、その動性を導くひとつの理想、倫理であったということが繰り返し語られる。(1)筆者もこうした理解に基本的に同意する。(2)だが、「いき」のもつ動性と倫理性を重視するあまり、私たちは「いき」が花街から生まれた価値観であり、ふるまいや表現の型として引き継がれてきたことを忘れがちである。たしかに「いき」は動的な人間関係を表すものだが、同時にそれは花街における特殊な知識として蓄積し、花街に関わる人にとって、定型として機能していた面もある。そもそも、動的な人間関係といっても、その動性は無秩序であることを意味しない。私たちは何の手引きもないまま、他者と関係を築くことは困難であるし、多くの場合、そこには何らかの枠組みがある。したがって、「いき」がもつ自他の動的な関係性は、そこで働く枠組みや型の側面を抜きにして明らかにならないと言えるだろう。だが、これまでの九鬼論では、こういった型の機能について議論されることはほとんどなかった。

ただし、知識となり型として働く「いき」という捉え方については、九鬼自身の論述にいささか揺れがある。彼は、「客観化された「いき」(概念的認識)」と「意識現象としての「いき」(意味体験)」との間には「越えることの出来ない間隙がある」(一／七四)[3]として、「いき」の意味体験に重きを置く[4]。ここで彼が意味体験と呼ぶのは、他者との動的関係のなかで直接に会得されるもので、一方、そうした体験の契機を「いきとは○○である」「△△の特徴からなる」と概念化することが「客観化」と言われる。そして彼は、概念分析に基づく知識だけでは「いき」にたどり着かないと強調する。たしかに、概念と体験の間には落差が存在する。では、体験以前に「いき」とは何かという概念を知り、その表現の形を学ぶ必要はないのだろうか。じつは、そうではない。「いき」は単なる体験ではなく、一定の知識を必要とし、他者と関わりながらその知識を更新し、深めていくところで成立する。体験と知識／型の間を往復することで可能になるのが「いき」なのだ。したがって、「いき」とは、他者との関係における動性だけでなく、知識／型をめぐる動性も必要になってくると言えるだろう。だが、こうした知識／型をめぐる動性について九鬼がまとまった形で論じることはなく、具体例に則して散発的に示唆されるだけである。本稿が目指すのは、「いき」の知識／型をめぐる具体例から、「いき」を可能にする二重の動性を取り出し、人間関係において働く知識と型の役割を見定めることにある。それは、『「いき」の構造』の可能性を押し拡げるものになると筆者は考えている。

そもそも九鬼がこの書を構想した頃、消費社会における享楽的なカフェー文化が花開き、「いき」な花街の伝統は「幻影」となりつつあった。それでも彼が敢えて「いき」を取り上げたのはなぜなのか。さらにいえば、現代に生きる私たちが単なる懐古趣味を越えて、なぜ「いき」を論じる必要があるのか。「型」として機能する「いき」がもたらす開かれた人間関係の有り様とそこに宿る知の形は、こうした問いに対する答えになるだろう。そして、結論部で「いき」が遊びを媒介とした共同性を可能にし、夜の世界がもつ独自の公共性になりうることを検討する。その作業は、九鬼が『「いき」の構造』で論じたことを超えて、「いき」がもつ可能性を新たに示すことになるだろう。

1　印象とは何か

「いき」を可能にする二重の動性を分析するために、本稿では「人はどのようなときに「いき」な印象をもつのか」という問いを補助線としてひく。ここで言う印象とは、デイヴィッド・ヒュームを嚆矢として議論が積み重ねられてきた西洋哲学史における印象概念ではなく、「印象的な色使い」「あの人は第一印象が良い」といった私たちの日常的な語感に基づくものである。

では、私たちが誰か（あるいは何か）に対し「いきだな」という印象をもつとき、そこには何が必要だろうか。もちろん、「いき」の印象を誘発する対象がなくてはならない。では、対象が存在すればよいのだろうか。おそらく、そうではないだろう。「いき」とは何かをある程度知らなければ、「いき」な印象は成立しない。つまり、そこには、「いき」をめぐる知識に基づく一定の型が最低限必要になる。このことからわかるのは、具体的な印象とは単に「勝手気ままなもの」として現れるのではなく、価値観や教養との関わりのなかで成立する、ということだ（ただし、後に論じるように、価値観や教養だけで印象が成立するわけでもない）。

こうした印象の成立過程について指摘したのが戸坂潤である。彼は当時文壇で盛んになっていた批評という形式を論じる際に、印象から批評が出発することの重要性を述べたうえで、次のように印象を位置づけている。

人々は生活の経験を通して自然何かの世界観を無意識的にせよ懐いているのであって、印象とは、そうした多くの無意識的な世界観の、刹那的な断面なのである。印象は大抵単純で端的な好悪・快不快というような抽象的な規定として受け取られるのであり、広い意味に於ける趣味の判断として直覚されるのではあるが、こうした趣味なるものは、元来、人々の意識の背後にかくれている世界観がその尖端を偶々露出したものに他ならない(5)。

辞書的にいえば、印象とは、ある対象をきっかけとして生じる感覚である。それは単なる感覚ではなく、しばしば感覚の強度を表すため、個人差が大きく主観的な経験にすぎないと見なされることが多い。たしかに感覚の強度として印象が成り立つ背景には、当人の好みや趣味といったものがあるだろう。戸坂もそのことを否定するわけではなく、印象を「その人の眼の高さのバロメーター(6)」と呼んでいる。ただし、その「眼の高さ」には「教養が融け込んでいる」[7]という。印象は、一見ごく個人的なものに思えるが、その基礎には教養という歴史的・社会的に作られたものがある。だからこそ、戸坂は印象を「世界観の露出」と位置づけた。彼が「世界観」という言葉を使うとき、その手前にある「人間の社会的・物質的・生活によって制約されて初めて発生した」「人生観」「生活意識」[8]といった人びとが抱く素朴な知のあり方を意図していたことに注意しておこう。

こうした戸坂の印象をめぐる議論のポイントは、印象を単に「世界観の露出」とするのではなく、「刹那的な断面」と捉えた点にある。私たちの日々の経験は大半が世界観の影響を受けている。したがって、印象がなにか特異な経験なのだとしたら、それは世界観に基づいているということではなく、その世界観が「切り取られる瞬間に成立する＝刹那的な断面」という点にあるだろう。それぞれの人がもっている世界観が、何かの対象によって動かされて一部分が現れる、その瞬間的な動き。それが、どのような形で切り取られるのか、その動性と具体性にこそ、印象の本領は存在する。

では、「いき」な印象が成立するとき、背後にはどのような世界観が存在し、それはいかにして切り取られるのか。この問いを念頭において、次節以降では『「いき」の構造』から「いき」な印象が成立する有り様を分析していこう。

2 「いき」という美意識

九鬼周造はパリで「「いき」の本質」という論文を書き、帰国後の一九三〇（昭和五）年に『「いき」

の構造』を上梓した。その序で彼は「「いき」とは畢竟わが民族に独自な「生き」かたの一つ」(一／三)と記しているが、「いき」は決して日本で広く見られる生き方ではなく、江戸時代後期の深川の花街に起源をもつ特殊な美意識である。周知のとおり、花街とは、金銭を媒介にして男女関係が繰り広げられる場所である。しかし、その場を楽しむには財力があればいいわけではない。「傾城(＝花魁)は金で買うものにあらず、意気地で代えると心せよ」と言われたように、花街での関係には文化的な規範が存在し、それに基づき男女関係を築ける者が理想とされた。その規範を導く美意識が「いき」である。

では、「いき」とはどのような男女関係を理想とする美意識なのか。九鬼はそれを『「いき」の構造』第二章「「いき」の内包的構造」で、「媚態」「意気地」「諦め」の三つの特徴から分析している。まず「いき」の基礎になるのは、第一の特徴「媚態」である。「媚態」とは、「一元的の自己が自己に対して異性を措定し、自己と異性との間に可能的関係を構成する二元的態度である」(一／一七)と言われるように、気になる相手に誘いをかける態度を指す。相手に近づき、誘いをかけるとき、「彼／彼女は私をどう見ているのだろうか」と相手の視線を意識し、自己のあり方を見返すだろう。場合によっては、相手の視線に合わせて意識的に自己のふるまいを変えることもある。それは、自己と他者の二つの視線で自らを捉えることであるゆえ、「二元的態度」と呼ばれる。こうした「二元的態度」の「媚態」は何を求めているのか。気になる相手に誘いをかけるという意味では、相手を手に入れることを目的としていると思われるかもしれない。しかし、九鬼によれば「いき」の「媚態」において重要なのは「合同」する(相手と結ばれる)ことではない。「媚態の要は、距離を出来得る限り接近せしめつつ、距離の差が極限に達せざることである。可能性としての媚態は実に動的可能性として可能である」(一／一七)と言われるように、相手を手に入れ合同したい、一元化したいとがむしゃらに求めるのではなく、時に身を翻し、距離と間合いを測りながら、二元の駆け引きを遊ぶこと、それこそが「いき」の基礎となる「媚態」であった。「いき」が見せる具体的な美的要素としてあげられる「色っぽさ」や「あだっぽさ」はこの動的な二元性にこそ宿る（もちろん、媚態の色っぽさだけで「いき」になるわけではないが）。だが、相手に心惹かれれば、その人と一緒になりたいと願うのは当たり前のことであり、二元にとどまることは難しい。そのため、二元を保つためのストッパーが必要になる。それが残り二つの特徴であり、「いき」を独特の色っぽさに仕上げるものである。

第二の特徴「意気地」は、「媚態でありながらなお異性に対して一種の反抗を示す強みをもった意識」（二／一八）と言われ、九鬼はそれを相手に対する「一種の反抗」と言い、「気概」あるいは「誇り」と呼びかえている。「媚態」において、自己は相手の眼を意識し、そのとき自己の存在が二元化していることを先に指摘したが、その裏面には自己が他者の視線に囚われてしまう可能性がある。つまり、「自分の姿は彼女にどう見られているだろう」という意識は、「どうしたら彼女に好かれるだろう」と相手の視線だけを意識し、言いなりになる危険がある。だが、それは相手の視線に従属し自己を失っている状態であり、自己と他者の二元ではなく、他者に吸収されている状態にすぎない。「媚態」において相手の視線を捕らえつつ、しかしそれに服従しない強さ、それが「意気地」である。この「意気地」こそ、花街の女性と客の関係を単に金のやり取りにせず、緊張感あるものにするために必要なものであった。

だが一方で、人の心は移り気なもの、それが花街であればなおのことである。たとえば、媚態で誘いをかけて、「あなたのためになんでもします、どうにでもしてください」と言ったところで、相手が「どうにか」してくれるとは限らない。他者が自己に対し、どのような反応を返すのかは全くの未知であり、一旦こちらを振り向いてくれたとしても、心変わりすることもあるだろう。このような人の心のわからなさを知っておくこと、それが「いき」の第三の特徴「諦め」である。九鬼はそれを「運命に対する知見に基づいて執着を離脱した無関心」、「現実に対する独断的な執着を離れた瀟洒として未練のない恬淡無碍の心」（二／一九－二〇）と言った。恋をすれば叶うのだ、などという「独断的な執着」を持つことなく、合同したとしても、それが永遠に続くなどと思わない「恬淡無碍の心」を持つこと、それが「運命に対する知見」に基づく「諦め」である。

「意気地」が他者に対して自己を保つ強さである一方、「諦め」は他者が自己の思いのままにはならないことの理解であり、他者をわかりえない他者として保つ態度であると言える。他者に取り込まれることを「意気地」において拒否して自己を守り、他者を取り込むことの不可能を「諦め」をもって知ることで、他者を尊重する。そのとき、自己と他者はいずれに取りこまれることなく、二元を保って互いに働きかける「可能的関係」を作ることができる。そのような「媚態」こそ「いき」であり、九鬼はそれを「垢抜して（諦）、張のある（意気地）、色っぽさ（媚態）」（一／二三）とまとめた。

では、「いき」はなぜ二元性を保つ媚態を求めるのか。そこには男女関係、ひいては人間の生に対しての一定の見方、いわば世界観が存在する。媚態の理想的形は、フランスのコケットリーに代表されるように、古今東西様々に語られてきた。そのなかで「いき」を特異な媚態にするのは、「諦め」がもつ「運命に対する知見」である。それは、この世を無常に象られ流転する「苦界」、己が身を「浮かみもやらぬ、流れのうき身」（一／二〇）と捉える世界と人生への見方であり、単なる男女関係の機微を説くにとどまらぬ、まさに世界観であった。だからといって「いき」の「諦め」は、単に厭世的になることを指すのではない。たしかに、この世は辛い「憂き世」で、誰もそうした運命から逃れられない。苦しい失恋も他人の気持ちの変わりやすさもありふれた事柄で、どんなに苦しんでもすべてはいずれ消えてゆく。「憂き世」は等しく「浮き世」でもある。ならばせめて浮き草らしく、力を抜いて漂っていこう。「憂き世」をはかなむだけでなく、「浮き世」として楽しんでいこうとする態度がそこにある。こうした態度を、九鬼は「いき」における「垢抜け」と呼ぶが、それを可能にするのが世界と人生に対する「批判的知見」（一／二〇）に支えられた軽やかな諦めなのである。

　こうした「批判的知見」に基づく「諦め」の世界観をもって「いき」な「媚態」をしかけることができるのは、育ちの良い素人娘でもなければ、若い肉体を武器にする芸者でもない。「流れのうき身」と軽やかに諦めるには、辛いことがありながらもやがてそれが変わっていくという経験がなければならない。しかも、単に経験があればいいわけでもない。「つれない浮き世の洗練を経て」と言われるように、その経験を人生の知として昇華させることで、ようやく獲得されるのが「諦め」の世界観である。それは苦労を積み重ね「諦め」て浮き世を棄てることではない。明るいニヒリズムとでもいうべき態度をもって、浮き世を楽しもうとすること、そのなかで他者といかに関わるべきかを模索する態度といえる。だからこそ、「いき」な姿は「人生の表裏に精通し、執着を離れた淡泊な境地……重苦しくなく、崩れていながら軽妙な美しさ[9]」とも言われ、一般にその典型は年増の芸者に見出されてきた。

3　「いき」の「意味体験」とは

「いき」を構成する三徴表とその根柢にある世界観を見てきたが、この徴表をきれいになぞれば「いき」な印象が成立するのか。事はそう簡単ではない。なぜなら、九鬼が言うように三徴表はあくまでも「いき」の契機であって、「意味体験」ではないからだ。意味体験なくして、「いき」な印象をもつことはできない[10]。では、「いきだな」と感じる意味体験とはどのようなものなのだろうか。意味体験の具体例から分析することで、「いき」な印象の成立を考えてみよう。

第四章「「いき」の自然的表現」で「いき」な感じを与えるものとして、九鬼は身体がとる様々な姿をあげている。まず全身は「姿勢を軽く崩すこと」。直立不動の「垂直線」の状態ではなく、相手へと近づく（しかし近づきすぎない）「曲線への推移に於いて」、「異性へ向かう能動性および異性を迎うる受動性」（二／四二）を示すのが重要である。さらに、眼も「平衡を破って常態を崩す」、伏し目がちや上目遣いといった瞳の運動、いわゆる「流し目」が「いき」な感じにつながる。全身の姿勢にしても、流し目にしても、そこで強調されるのは、相手に向かう運動である。ただし、単に相手へと接近すればいいわけではない。相手にアプローチする媚態を「いき」にするには、二つポイントがある。第一に、その運動は、あからさまに意図が透けてみえるようなものであってはならない。たとえば、九鬼は西洋流の腰を振る歩き方やウィンクを批判するが、それは、こういった運動が媚態の目的とする合同を露骨に感じさせるもの、つまり、一元化への志向が強く、「いき」が重視する二元の動的可能性などではないからだ[11]。さらに「いき」な流し目を単なる「色目」と区別して、九鬼は次のように言う。

しかし、単に「色目」だけでは未だ「いき」ではない。「いき」であるためには、なお眼が過去の潤いを想起させるだけの一種の光沢を帯び、瞳はかろやかな諦めと凛乎とした張りとを無言のうちに有力に語っていなければならぬ。（二／四五）

重要なのは、運動のうちに「過去の潤い」が見てとられることである。しかも、それは「無言のうち」でなければならない。つまり、あからさまに過去を示すようでは「いき」ではない。「いき」の「諦め」で九鬼が強調するように、その過去は「婀娜っぽい、かろらかな微笑の裏に、真摯な熱い涙のほのかな痕跡（傍点引用者）」（二／二〇）として暗示されるだけなのだ。以上、「いき」を感じるには、①意図的ではない接近のなかで、②過去の痕跡が現れることが必要であることが明らかになった（ただし、この二点だけで「いき」な印象が成立するのではない。あくまでも「いき」な印象のはじまりに必要なものである）。

九鬼が紹介する「いき」を感じさせる姿のなかでも、特に目を引くものとして、「湯上がり姿」がある。彼によれば、湯上がり姿は「裸体を回想として近接の過去にもち、あっさりした浴衣を無造作に着ているところ」（二／四三）が「いき」だという。「あっさり」「無造作」という言葉からわかるように、湯上がり姿の女性は、「いき」な感じを受ける側の存在（この場合の多くは男性）に何か意図をもって仕掛けているわけではない。むしろ、何の作為もなく浴衣を楽に着崩しているその風情に、受け取り手側がいわば勝手に「いき」を読み取ろうとしているのである。湯上がりの緩く抜かれた浴衣の襟に色事の経験を感じとり、こざっぱりした素肌に男に媚びない張りを見る。そこに働くのは、九鬼が「回想」「想起」というように、受け取り手側の想像力だが、想像力が触発され、特定の形を見出すには、あらかじめその形を規定する美意識をもっている必要がある。「いき」の美意識とそれが根柢とする軽やかな「諦め」、「浮き世」の世界観を知っていればこそ、若い女の湯上がり姿ではなく、年増の姐さんの湯上がり姿に「いき」を感じることができるのだ。

だが、そうやって受け取り手が「いき」を見出せば、「意味体験」が完成するわけではない。それは未だ、「いき」の世界観に基づき与えられた徴表を一方的に相手に読み込み、型どおりに「いき」を見ているだけで、「いき」の求める「二元」でも「動的」でもない。したがって、意味体験と呼びうる状態に到るには、受け取り手の一方向的な読み込みが解体される必要がある。そのとき、はじめて「いき」は直接性をもって体験され、意味体験と呼び得るものが成立する。では、その解体はいかに果たされるのか。

さて、湯上がり姿の姐さんに「いき」を読み取った者（多くは男性）は、そこに「媚態」を感じ、「二元的動的」な「（合同の）可能性」に誘われている者でもある。誘いを感知した者の多くは、その後ただ遠くから女性を見ていることはしない。湯上がり姿の女性に「ちょいと垢抜けたね」などと声をかけて、関係を動かし始めるだろう。あるいは、女性がちらりと横目で流した視線を捉え返し、姿勢を向け変えて、誘いにのろうとするだろう。つまり、可能性に向かって動き始めるわけである。他方、「いき」を読み取られた側（多くは女性）はこれにどう反応するのか。「いき」の意味体験が成立する分かれ目はここにある。初心な少女であれば、男の軽口に頬を染めるかもしれない。あるいは、狙い通りとばかりに男との距離を詰める手練れな女もいるだろう。しかし、そのいずれも「いき」ではない。なぜなら、そこには「いき」の核となる二元性も動性も存在しないからである。頬を赤らめるにせよ、距離を詰めるにせよ、そのとき、女性は相手から与えられた「いきな女」という定型をそのまま受け取っている。うまく利用するにせよ、それは相手から自己の姿が一方的に意味づけられ、自己を失った状態であるわけで、自分なりの立ち位置を保った二元的関係ではない。それゆえ、「いき」になろうと思えば、相手から一方的に与えられた自己を取り返す必要がある。かといって、「そういうことを言わないでくださいい」とぴしゃりと拒否してしまえば、今度は自己のみに閉じこもる一元化となる。二元化するためには、自己を取り返しつつ、他者を否定しないバランスが求められる。たとえば、それは相手が読み取った「いき」を「ご冗談ばっかり」と軽くいなすこと、あるいは、相手に捉えられた視線を横へ逸らし、相手の読みをはぐらかすことである。(12) 単に相手の読み取った「いき」を正面から「否定」するのではなく、「いなす」「逸らす」「はぐらかす」という言葉からわかるように、相手から与えられた形を（まんざらでもないと）いったん引き取りつつ、軽く押し返す、あるいは少しずらすことで自己の余地を確保することが肝要となる。押し返すという意味では「意気地」の発動だが、しかし、それを否定ではなく、軽いずらしにするのは、浮き世に揉まれて人間関係の機微を学んだ結果の「諦め」ゆえである。こうした「意気地」と「諦め」に彩られた「いなし」という働きかけがなされた瞬間、男性の一方的な「いき」の読み込みは解体する。そのとき目の前に存在する相手こそ「いき」な女性である。彼が持っていた「いき」の美意識と「諦め」の世界観に割れ目が入り、その表層性が明らかになる。と同時に、彼女の「いなし」を経験することで、「いき」は新たに象り直される。そこにこそ「いき」の直接的な意味体験が成立する。

4　印象を成立させる動性

ここで再び、戸坂の印象論に戻ろう。彼は、印象を「世界観の刹那的な断面」と述べていた。「湯上がり姿」に「いき」を読み込むということは、持っている世界観をそのまま当てはめ、「いき」の三徴表を型どおりになぞろうとするだけで、刹那的でも断面でもない。その次の段階、つまり、「いなし」という他者からの働きかけによって世界観に破れが生じ、新たな形で切り取られるとき（まさに「世界観の刹那的な断面」！）、「いき」な女性は立ち現れる。その鮮烈な感覚、直接性こそが「いき」な印象を成立させるものである。

このように、印象とは元あった世界観を基礎として、それが更新されるときに強く感じられるものと言えるだろう。こうしたあり方を戸坂は、世界観の一部である教養と印象の関係を手掛かりに次のように述べる。

印象に対しては、すでに印象にとけ込んで了っている教養ばかりでなく、まだ印象の肉となっていない仮定的な教養（生まな知識や常識やどっか他から来た理想や要求などを含めて）も、印象と大いに関係があるのだ。之は印象に対しては抽象的だ。印象からは一続きには行かない。距離がありギャップがある。之は印象自身にとっては決して親切なものとも限らないし、安易なものとも限らない。之は印象に対してフレムトなものだ。だが之は印象を変革し進歩させ成長させるものとなり得る(13)

彼が世界観や教養を語るときに強調するのは、それが単に所与のものではなく、複合的で仮定的に形成されるということである。たしかに私たちの世界観や教養は、育った環境などの文化・時代背景などの影響を大きく受ける。だが、そうした環境に生まれ落ちれば自動的に教養が獲得されるわけではない。「教養は……教えたり覚えたりすることが先行して、時あって教養は初めて身につくことができる(14)」。そのプロセスはすんなりと進むものではなく、学びながら、自分自身とその知の「距離、背反」と向き合うことでようやく身につくものであると戸坂は言う。教養はつねに仮定的な段階を経て、進歩していく。印象が成立するのは、こうした仮定的な段階にある教養が破壊され、自身との間にズレ(＝フレムトなもの)が生まれて、教養が更新される地点においてである。

「いき」な印象は、まさにこうしたプロセスをたどって成立する。まったく「いき」についての教養、世界観がない人同士の間で「いき」な印象が持たれることはない。「いき」を読み取る側も、読み取られる側も「いき」の何たるかをある程度知っている必要がある。ただし、その知はあくまでも仮定的な教養、暫定的な世界観であり、「いき」を読み取られた側は、定型的な「いき」から背反することで「いき」を生きようとし、読み取ろうとした側は、その表層性を突きつけられて、自身と「いき」をめぐる教養の距離を知ることで「いき」の何たるかを感じ取る。仮定的な教養を壊し、獲得される直接の意味体験、それが印象と言える。逆にいえば、仮定的な教養、世界観があるからこそ、印象は成立する。「いき」な印象は、「いき」の世界観を壊すがゆえに、それを深めたところで成立するものなのだ。こうした印象の動的あり方を重視したからこそ、戸坂は印象の成立のために仮定的な教養が必要であると述べ、「印象の発育史を頭におくことが必要だと思う(15)」と言った。

5　「二元的動的可能性」としての自己と他者

「はじめに」で私は「いき」には二つの動性があると書いた。一つは体験と知識／型の間の動性で、もう一つが自己と他者の関係における動性である。前者については、戸坂の印象と世界観の関係を手引きにここまで分析してきたので、本節では、後者の自他関係における動性について考えていこう。もちろん、この二つの動性は無関係なものではなく、自他関係の動性が可能になる根柢に前者の動性が大きく関わっている。

さて、「いき」な印象は、印象の受け取り手（男性）による一方的な世界観の読み込みを、印象の与え手（女性）が「いなす」ときに成立するものであった。こうした「いなし」が可能なのは、男性が読み込もうとした「いき」の世界観を女性がある程度了解したうえで、男性が自分をどう見ているのかわかっているからである。そのとき女性は、相手が「いき」の世界観に基づき女性に投影している姿と、じっさいの自分自身の間にギャップを感じている。それは、他者のまなざしとその背後に控える「いき」の世界観に対し、自己を対置し、それらの間で自らの存在を二元化している状態である。この二元化によって生じたギャップ、ズレを表明するのが「いなし」である。しかし、そのズレは明確に表明されるわけではない。「ご冗談ばっかり」と笑いながら、相手の読みが完璧ではないこと、自分は相手の思っているような存在ではないことがほのめかされるだけである。自分は「いき」ではないと女性の自己はネガティブに提示されるだけで、じっさいの彼女がどのような人なのか、その有り様が積極的に提示されることはない。ただ、「いき」の美意識を了解できるという点から一定の経験があることがほのめかされ、自己の存在を示す強さもあることだけはわかる。過去の痕跡を感じさせ（諦め）、一方的な読み込みから逃れて自己の存在を強調しながら（意気地）、アプローチしてきた相手に応答する（媚態）、そこで受け取り手は「いき」の直接的な意味体験をするのだ。

では、「いき」の直接的な意味体験を受け取った側（男性）の自己はどのように変化するのか。女性が「いき」の世界観と他者のまなざしに対し自己を二元化したように、男性側も二元化が迫られる。一方向的な読みが解体し、自分が「いき」に対して持っていた表層的な知識が暴かれ、反省が迫られる。女性の「いなし」によって、自己を批判的に見ることを余儀なくされるとき、彼もまた自己の存在が相手から見られ、問われる存在になっている、つまり、二元化していることに気づくことになる。

九鬼が言う「二元的動的可能性」としての「いき」な関係が動き始めるのは、ここからである。互いに「いき」の世界観を共有していることを確認し、その世界観と相手のまなざしの前に自分の存在を対置させて関係を作っていく。大切なのは、二元性と動性を保つこと、安易に一元化を求めないことである。そのためには「いき」の徴表であった「媚態」「意気地」「諦め」のトリロギーを保つ必要がある。しかし、それは簡単なことではない。性急に合同を求めて、媚態だけが突出することもあるだろうし、可能性を楽しむことに倦んで軽やかな諦めが失われ厭世的になるかもしれない。自己を取り返そうとした意気地が、単なる意固地に見えることもある。「いき」のトリロギーのバランスは、容易に崩れる。

ちなみに、恋という関係からみれば、バランスが崩れること自体は悪いことではない。バランスが崩れたところで、過去の痕跡が浮かび上がったり、その人の想いが垣間見えることもある。また、「いき」の諦めが厭世観を強めれば「渋み」や「寂び」になり、意気地の勢いを強めれば「いなせ」になるというように、そのアンバランスさは異なる魅力のもとになることもある。ただし、魅力になるにしても欠点になるにしても、そのアンバランスさは二元を動くのではなく、自己への執着、あるいは他者への同化といういずれか一元への回帰に繋がる危険性を孕む。もちろん、一元に閉じていくことは「いき」の本意ではない。それゆえ、意気地がきつくなりすぎれば、相手側は「つれないねえ」と媚態を強めるだろうし、恋の激情をぶつける者に対しては「そうはいっても一時のこと」と軽やかな諦めでかわすだろう。二元のバランスが崩れたとき、押したり引いたりしながら、二元のバランスを保とうとする。「いき」の世界観を共有しつつも、そこからはみ出し一方的になろうとする者にどう対するのか、この押し引きの動性において「いき」な印象は生まれる。

こうした「いき」な関係を動く自己や他者という存在をどう考えればいいのか。まず、自己とは何か、他者とは何か、といった、それらの存在を実体化するような問いは前提として間違っている。「いき」な関係を動く二者は、近づいたり遠ざかったりして互いの距離を測りつつ、「いき」の世界観を手掛かりに、相手をまなざし、自己を捉え返す。そこで両者はあからさまに「自分はこういう存在だ」とみずからを強く押しだすことはない。相手のまなざしとそこに働く「いき」の世界観を捉え、それらとみずからの姿のズレを意識しつつ、アジャストしていく。たとえば、「最近垢抜けたね」と言われ、「ご冗談ばっかり」といなすとき、単に否定するだけではなく、まんざらでもないという想いも含まれている。そのまんざらでもないという想いのうちには、自分がそのように見られていることに対する意外さや喜びもあるだろう（だからこそ、完全な拒否をするわけではない）。とはいえ、相手の思い通りに見られることも良くはない。一旦かわしたうえで、他者から見られた姿へと自分なりの変容を遂げ、「いき」な関係を続けていく。したがって、「いき」な関係において、「自己の内実」のようなものは意味をなさない。そのとき、みずからの過去や現在の欲望といった、いわゆる「むき出しの自己」を連想させるものはあからさまに示されることがないし、「むき出しの自己」こそが「自己の内実」として大切なものであるという考え方は見られない。もう少し正確に言うのなら、「いき」がもつ「諦め」の「浮き世」観においては、すべてが変わり失われていくものであり、それは他者だけでなく、自己も含めたことなのである。自分が一番自分のことを知っているわけでもない。相手に見られることで、気づかれる自分の姿もあり、相手との関係のなかで変容していく自分を楽しめることが「いき」においては大切なのだ。結局、自己や他者というものの実体などない。自己も他者も関係のなかで生成し、変容していく、二元的で動的、そして、これからどう変わっていくかわからないという意味で可能的な存在である。ただ、「いき」という関係だけがあると言ってもいいだろう。その関係のなかで、自他の変容をもたらすのが「押し引き」の「いき」な印象であり、その変容があまりに的外れなものになって関係自体を脅かさないように緩やかに型をはめているのが「いき」の世界観なのだ。戸坂の言葉を借りれば「いき」の世界観で関係は「仮定的」に象られているが、その型が壊れるようなことがあり、そこで生起する印象を手掛かりに、世界観が更新されて、ふたたび「いき」な関係に戻っていく。その意味でむしろ、自己と他者という存在は、「いき」という関係および世界観の偏差でしかないとさえ言えるだろう。

おわりに

ここまで、「いきな印象」とは何かという問いを導きとして、「いき」の体験について分析してきた。たしかに、「いき」は多くの論者に指摘されてきたように動的な自他関係である。だが同時に、「いき」は学ばれるべき知識であり、関係を象る定型でもある。知識／型としての「いき」なくして、「いき」の体験は成立しない。もちろん、この二つはイコールの関係で結ばれるのではなく、つねにズレがあり、「いき」の体験はそのズレに動性をもって成立する。そのなかで知識／型としての「いき」は深められていく。「いき」で重視される動的な自他関係は、こうした体験と知識／型の往復運動のなかで成立するものであった。

本稿の「はじめに」で述べたように、九鬼は「いき」の直接的な体験を重視しており、しかも、その体験の多くは親密な男女関係において成立するため、「いき」とは二者関係に閉じた、限定的にしか成立しないものと思われるかもしれない。じっさい、『「いき」の構造』では、こうした二者関係のもつ特徴がクローズアップされている。だが、ここまでの「いき」と知識／定型の運動の分析をふまえて、筆者は「いき」が二者関係にとどまらない他者との開かれた関係につながるものであると主張したい。なぜなら、「いき」が成立する二者関係における「二者」とは固定的なものでなく、「いき」な関係における偏差であって、それは「私とあなた」という二人称的な関係というよりむしろ、非人称的な側面を持つからだ。花街という不特定多数が訪れる場でこの非人称的な関係が営まれることで、「いき」という知識は洗練され、定型が厚みを増していく。そして、この深められた知識／定型をもとに、また新たな関係が築かれる。花街とは、二者関係でありながら非人称の関係が蓄積することで形成される遊びの場であり、そこには人間関係をめぐるある種の知が形成されている。

こうした花街のあり方や「いき」という人間関係を通して成立する知、それらの可能性を考えることは時代錯誤だろうか。多様な他者との共生が求められる現代において、遊びの場で身につける人間関係をめぐる知のあり方をまじめに研究してみることは必要だと筆者は考えている。多様な他者との共生も、身近なところでは一対一の関係から始めざるをえず、その意味で共生とは二者関係の積み重ねでしかない。背景を異にする、見知らぬ人といかに付き合うのか、遊びの場で獲得する人間関係をめぐる知はこうした問題を考える手掛かりを与えてくれる。たとえば、法哲学者の谷口功一は、まさに遊びの場であるスナックを知的に考える「スナック研究会」を立ち上げたが、「スナック研究会」の面々によれば、スナックとは「人生の学び舎」「人間関係のさばき」を身につける「勉強の場」であるという(16)。そこで学ばれるのは大仰な議論の作法などではなく、スナックに集う様々な人生をおくる人びとと出会い、一時を心地良く過ごすための方法である。多くの場合、そういった知識を若い客は、常連という名の先達から教えられる。こうしたスナックにおける学びの先で、谷口は「「理性」をたよりに侃々諤々の討議を行う場所としての「公共圏」などでは、毛頭ない。……燦然たる「理性」一辺倒ではない、夜のとばりの中での密やかな「公共圏／公共性」の可能性(17)」を見ようとしている。「いき」もまた、こうした遊びの公共性につながるものではないだろうか。遊びや社交空間を問うことを通じて、仕事（公）でも家庭（私）でもない「サードプレイス」[18]で築かれる関係の可能性を考えていくことを今後の課題としてあげることで論を閉じたいと思う。

（1）たとえば、田中久文は九鬼の「いき」の特徴を「他者との関わりのなかで美意識を問題にしようとした点で独自なものである」と評価し（田中久文『日本美を哲学する――あはれ・幽玄・さび・いき』、青土社、二〇一三年、一一一頁）、小浜善信は九鬼が語る「いき」を「わたしとあなたとがそれぞれ独立した個として自由闊達な人格的交わり（「無目的なまた無関心な自律的遊戯」）に到りうる」ことに見ている（小浜善信『九鬼周造の哲学――漂白の魂』、昭和堂、二〇〇六年、九二頁）。

（2）筆者自身も以前にこのような読み筋で「いき」について分析している。（宮野真生子『なぜ、私たちは恋をして生きるのか――「出会い」と「恋愛」の近代日本精神史』、ナカニシヤ出版、二〇一四年）

（3）九鬼周造全集（岩波書店、一九八一－八二）からの引用はすべて引用箇所のあとに（巻号／頁数）で示す。

（4）「「いき」の研究をその客観的表現として自然形式または芸術形式の理解から始めることは徒労に近い」（一／七八）

（5）戸坂潤『思想としての文学』、『戸坂潤全集』第四巻、勁草書房、一九六六年、三四頁

（6）戸坂潤「所謂批評の「科学性」についての考察」、一八七頁、『戸坂潤全集』第四巻

（7）同上、一九〇頁

（8）戸坂潤「イデオロギーとしての哲学」、八六頁、『戸坂潤全集』、第三巻、勁草書房、一九六六年

（9）西山松之助「「いき」の美意識とその背景」、『現代のエスプリ　いき・いなせ・間』、一四四号、至文堂、一九七九年、一〇頁

(10)「「いき」は個々の概念契機に分析することは出来るが、逆に、分析された個々の契機をもって「いき」の存在を構成することは出来ない。「媚態」といい、「意気地」といい、「諦め」といい、これらの概念は「いき」の部分ではなくて契機に過ぎない。」(一/七三-七四)

(11)「いき」と「コケットリー」の違い、「いき」の魅力が諦めと「過去」に基づくものであることについては、拙論「恋愛という「宿痾」を生きる」、『nyx』二号、堀之内出版、二〇一五年〔本書第四章〕を参照のこと。

(12)江戸下町に生まれ育ち、その文化に親しんでいた安田武は『「いき」の構造」を読む』(朝日選書、一九七九年)のなかで、「僕らが子供のころ、女中はだいたい田舎から出てくるでしょう。そうして一年ぐらいたった女たちに、よくおじさんたちが、「近ごろすっかり垢抜してきたな、やっぱり大川(隅田川)の水で顔を洗うと違うな」なんて言ってからかうわけですよ。女中のほうも、「ご冗談ばっかり」とかなんとか言って、さらりとその場をはぐらかしていくようになる。ムキになったり赤くなったりしなくなる。垢抜というのは、そういう両方の意味を持っているわけですよね。お湯に入って垢を洗い流す、その水が違うという言い方も面白いと思うんだけれども、同時に垢抜けるということは、都会に出て人間と人間との関係でいろいろ洗い揉まれると、人間関係の微妙さがわかってくるということでしょう。それが「垢抜」だと考えると、九鬼さんが「知見」という言葉を使って説明している「諦め」の意味がもっとはっきりしてくるんじゃないか」(八三-八四頁)と述べている。

(13)戸坂潤「所謂批評の「科学性」についての考察」、一九〇頁、前掲戸坂全集

(14)同上、一九〇頁

(15)同上、一九〇頁

(16)高山大毅「スナックと「物のあはれを知る」説」、三三-三四頁、谷口功一・スナック研究会編『日本の夜の公共圏――スナック研究序説』、白水社、二〇一七年

(17)谷口功一「スナック研究事始」、前掲書、二〇-二一頁

(18)「サードプレイス」という言葉が意味するところ、その役割についてはレイ・オルデンバーグ『サードプレイ

ス――コミュニティの核になる「とびきり居心地のよい場所」』、みすず書房、二〇一三年に詳しい。

※本研究はＪＳＰＳ科研費 JP17K02166 および JP16K02152 の助成を受けたものである。

【書評】

谷口功一・スナック研究会編『日本の夜の公共圏――スナック研究序説』白水社、二〇一七年

スナックが今ちょっとしたブームだ。そのブームの一端を担っているとも言えるのが本書である。だが、これはお気楽なエッセイなどではない。序章で編者の谷口が強調するように、この書は政治・文学・法律・思想などの専門家による全八章（＋補章）と二つの座談会がおさめられた、「「スナック」についての本邦初の学術的研究の試み」（七頁）なのである。

なぜスナックなのか。それはタイトルにあるとおり、スナックという場がある種の「公共性」を可能にするからだという。「公共性」と聞くと少し構える人がいるかもしれない（評者がまさにそのタイプだ）。理性的な討議を通じて、市民社会を作ろう。それはたしかに理想的なことかもしれないが、スナック研オブザーバーの横濱竜也が言うように、こうした「「公共性」を誰がどこで経験するのか。経験の裏づけがなく、切実さを実感していない「公共性」を、誰がどうやって支えていくのか」（二〇九頁）。現実感のないまま言葉だけが一人歩きし、何となく近寄り難く、お堅い感じになってしまう。しかし、公共というものが異なる価値観をもつ多様な他者との開かれた関係というのなら、真っ正面からの議論だけが方法ではないはずだ。理性一辺倒ではない柔らかな公共性、それを可能にするのがスナッ

クという空間である。

スナックには様々な客が来る。家庭でも仕事場でもない中間の空白地帯。しがらみのないところだからこそ、人はふと本音を漏らす。その本音が真っ向からぶつかることはない。はぐらかし、ときになぐさめ、引き受けながら、他の人も少しずつ語り出す。向かい合う語りではなく、カウンターの横並びで繋がる語り。そこには現代の都市社会を生きる者たちがかりそめに形成する共同性がある。苅部直が第七章「スナックと「社交」の空間」で明らかにするのは、こうした社交の場として機能するスナックの来歴である。一方、第一章高山大毅「スナックと「物のあはれを知る」説」では、カウンターで繋がるための作法が近世日本の花街から掘り起こされる。高山が手掛かりにするのは江戸時代の花街を支えた「粋人」「通人」の生き方である。「粋」は「推量」の「推」に連なり、「通人」は人情の「通じた人」を意味する。遊び人とは、不真面目な金持ちなどではない。「人間関係のさばき」方を心得た「コミュニケーション能力」の高い人こそ、「通人」と呼ぶにふさわしい。それは声高に自分のことを語ったり顔で蘊蓄を披瀝する（それは「野暮」な「半可通」だ）ことではない。「通人」はむしろ目立たない。角が立ちそうならやんわり宥め、その場の語りを繋げ、本人はひっそりと飲んでいたりする。そうやって身につけていく他者への所作こそ、柔らかな公共性を可能にする第一歩なのではないかというわけである。

だが、こうした柔らかさを求める態度は、ときに語りそれ自体を阻害する要因にもなり得る。高山は「粋」の精神が「他者の感情にしみじみ共感する」ことを重視する本居宣長の「物のあはれを知る説」に接近するとしたうえで、一方で宣長のそうした態度の裏側には「議論好き」の嫌忌があったと指摘する。横並びの柔らかな繋がりは、ときに「堅物」を嫌い、難しい話はしたくない、という雰囲気を醸成することがある。そのとき、スナックは単なるストレスのはけ口、気晴らしのための何でもありの空間に変わる危険性を帯びる。しかも、そこが男同士の「ホモソーシャルな空間」であるなら、なおのことだろう（第六章河野有理「〈二次会の思想〉を求めて――「会」の時代における社交の模索」を参照せよ）。だとすれば、スナックという場を問うには、そもそも「遊び」とは何か、「社交」が求めるのは何なのかという議論が欠かせない。「遊び」や「社交」がもたらすものがストレス解消や気分の共有といった感情的紐帯にとどまるのであれば、しばしば批判されてきた日本における情に基づく道徳的共同体の問題点を反復することになるだろう。重要なのは、感情への注目と同時に、遊びのなかで働く知性のあり方、ロゴスの機能を問うことではないか。これからのスナック研の活動に感情と知性、その相互作用の先で具体化される柔らかな公共性を期待し、この書評を閉じる。

第九章　カウンターというつながり

――『深夜食堂』から考える――

はじめに

本稿では、現在日本だけでなくアジア諸国で人気を博している『深夜食堂』を通して、カウンターという場所が作り出す関係性の有り様と、そこで食べ物が果たす機能について分析する。その際、日本の居酒屋文化を読み解くために、レイ・オルデンバーグのサードプレイス論を参照し、最終的には『深夜食堂』に代表されるサードプレイスが可能にする公共性の形について考えていきたい。

1　『深夜食堂』以前

『深夜食堂』はいわゆる食マンガと呼ばれるジャンルに当たる。昨今、日本は食マンガブームと言われるが、そのブームの立役者の一つがこの作品とも言えるだろう。しかし、食マンガと一口に言ってもその中身は多様である。まず、簡単に日本における食マンガの歴史を振り返ることで、『深夜食堂』の特徴を位置づけよう。

最初期の食マンガとしてあげられるのが一九七三年に『週刊少年ジャンプ』で連載が始まった『包丁人味平』である。この物語は主人公の味平が、料理対決を通じて成長していく様を描いたもので、調理法に「必殺技」のような名前がついていることもあり、料理それ自体を楽しむ漫画ではなく、バトル物、スポ根ものの要素が強い(1)。こうしたバトルの一種として料理を扱う食マンガは『ミスター味っ子』『将太の寿司』などがある。一九八〇年代に入ると、バブルへとつながる好景気のなかで、料理を味わい批評し、その蘊蓄を語るグルメ物が登場する。その嚆矢とも言えるのが一九八三年から始まった『美味しんぼ』である(2)。本作では「究極のメニュー」を求める主人公の姿が描かれ、そこに登場する食べ物は、カレーのような日常的な食べ物でさえ、今まで食べたことのない非日常性、特別さが求められる。バブルを経た九〇年代以降は、食が多様化したことで中華やフレンチ、イタリアンなど様々なレストランを舞台にしたマンガも増えていく。いずれにしても、そこにあるのも非日常的な食への関心だったと言えるだろう。しかし二〇〇〇年代に入る頃から日常的な食を描く漫画が増加する。たとえば、『孤独のグルメ』が注目するのは、定食屋や街場の中華料理屋のごく普通のメニューであり、『きのう何食べた?』では、ゲイカップルが月に二万円という食費をやりくりしながら作る毎日のご飯が描かれる。こうした気取らない食事を描く流れにのってあらわれたのが『深夜食堂』である。

2 『深夜食堂』の紹介

安倍夜郎『深夜食堂』は二〇〇六年『ビッグコミックオリジナル』で不定期連載としてスタートし、徐々に人気となり、二〇〇九年のドラマ化で一気に知名度があがった作品である。二〇一五年、二〇一六年と映画化され、現在ではNetflixでドラマの第四シーズンが配信されている。また、漫画版は二〇一四年十二月までの時点で韓国四十五万部、台湾、香港七十五万部、中国八十万部の売れ行きとなり、二〇一六年の十七巻以降は、中韓台も日本と同時に発売されるようになった(3)。ドラマも現地版が新たに作られるなど、人気が窺える。

物語は、深夜十二時にオープンし朝まで営業する「めしや」が舞台である。マスターが一人で切り盛りしており、店の場所は新宿ゴールデン街の近くの路地裏にあることが物語のなかで示唆される。店は小さく、詰めて座れば最大一〇名、普段は八名程度が座るコの字カウンターのみで、調理場はカウンターの中と奥にごく小さなスペースがあるだけで、ほとんどの作業が客の目に付く場所でおこなわれる。客層は、ヤクザから料理評論家、ストリッパー、普通のサラリーマンまで多彩である。メニューは白飯・豚汁・ビール・焼酎・日本酒のみで、それ以外のものは作れるものであれば、言えば作ってもらえる。ただし、高級食材を使ったメニューや、突飛な創作料理のようなものは出てこない。作中に登場するのは、第一話の赤いタコさんウィンナーと甘い卵焼きを筆頭として、お茶漬けや焼きそば、肉じゃがなど、ごく普通の食べ物ばかりである。『深夜食堂』の映像化にあたって、フードスタイリングを手がけた飯島奈美によれば、それは「皆が懐かしい料理」であり、それゆえに「地方の郷土料理はあんまりやらない」とインタビューで語っている(4)。さらには、ねこまんまやバターライスといった、ほぼ調理の手間がかからない、家で食べられるものも登場する。高級食材を使っているわけでもない、ごく普通のメニューをなぜわざわざこの店に食べに来るのか。そして、読者は何に魅了されるのか。

3　居酒屋とサードプレイス

『深夜食堂』に登場する食べ物はどれも大変美味しそうだが、それだけがこの物語の魅力なのではない。一番重要なのは、そこで繰り広げられる人間模様である。それは物語を読む側だけでなく、物語の登場人物たちがこの店に集う理由でもある。

さて、『深夜食堂』は「めしや」を名乗っているが、しばしば「飲み屋」の様相を呈し、どちらかというと定食も食べられる居酒屋に近い。街の居酒屋もまた、ありふれた、時に家で食べられるようなものを提供する。だが、人はそこに集う。では、人は居酒屋に何を求めて行くのか。この問いに対して、日本の戦後文化を研究するマイク・モラスキーは居酒屋を「物の流通および消費する場」ではなく「人との出会いおよび交流が発生する場(5)」と捉え、その魅力を「第三の場」という観点から分析している。

モラスキーが居酒屋を「第三の場」として読み解く際に参照するのが、レイ・オルデンバーグ『サードプレイス――コミュニティの核になる「とびきり居心地のよい場所」』である。彼によれば、第三の場（サードプレイス）とは、第一の「家」、第二の「職場」に続く、「インフォーマルな公共のつどいの場」である。たとえばそれは、職場に行く前に立ち寄るカフェであったり、家に帰る前のパブであったりする。こういった場所は「誰でも受け入れる」場であり、いつ行ってもいいし、いつ帰ってもいい。その自由さは家にも職場にもないものだ。もちろん、そうした自由はコンビニやファストフード店のような没個性ゆえの気楽さではない。没個性であることは一人という孤独と密接につながっている。たしかにサードプレイスは出入り自由だが、そこには互いをよく知るお馴染みの面子がいて、様々な会話が交わされる。それは「個人とより大きな社会との間をとりもつ基本的な施設[6]」として、人びとの生活を円滑にするためのコミュニティとして機能しているとオルデンバーグは言う。

なぜ、サードプレイスはそうした機能をもつのか。それはサードプレイスでは、「レベリング（平等化）」が起こるからである。サードプレイスはあらゆる人に開かれている。それはつまり、それぞれの人の立場を問わないということだ。あらゆる人が楽しむ場になるためには、社会的地位はサードプレイスの外に置いてくる必要がある。

サードプレイスの門をくぐるときには、きっとある変化が起こるはずだ。なかにいる全員が平等でいられるように、世俗の地位をひけらかすのはやめてほしい、と入口で念を押されるに違いない。外の身分の放棄、あるいは配達用トラックの持ち主とその運転手とを対等な者として扱う平等化の見返りとして、より人情味があり、より長続きする場に受け入れてもらえる。平等化は、日常の世界での地位が高い人にとっても低い人にとっても、喜びであり安らぎである(7)

私たちの日常生活は、たいていの場合、何らかの目的に基づく行動によって形作られる。その目的を達成するために、人と人は一定の役割に基づく関係を結ぶ。それは安定した日常を送るために大切なことだが、上司と部下や、妻と夫といった役割は、時に人の行動を制約し、その役割を生きている個人の有り様を見えなくする。サードプレイスのレベリングはこうした役割を外すことで「本人の個性や、他者と共にいることの固有の喜び(8)」を発見させることができる。

では、レベリングを可能にするものは何か。店の作りや立地も重要な条件になる。サードプレイスとして機能する店は「大半がぱっとしない」外見を持っている。場所も一等地にはなく、通りがかった人がふらりと来る所にはない。そうした地味さ、飾り気のなさはサードプレイスの「保護色」であるとオルデンバーグは指摘している(9)。地味さは外見だけでなく、内部の造りでも重要である。なぜなら、「衒いのない内装は、人を平等に扱うことや見栄を捨てることに通じ、それらを後押しする(10)」。たしかに、豪華な内装の店に行けば、多くの人はそれにふさわしいように振る舞おうとし、それは自意識過剰の空回りにつながることがしばしばある。日本のガード下にある立ち飲み屋や、路地の赤提灯といった居酒屋は、まさにこうした空間と機能をもつサードプレイスと言えるだろう。

4　カウンターという空間

オルデンバーグの議論をふまえて、『深夜食堂』を見直すと、この店がまさに「サードプレイス」であることがわかる。まず、立地であるが、『深夜食堂』の店舗は車の通れない路地裏にあり、看板がない。ただ「めしや」という暖簾がかかっているだけである。その古びた店構えは、その地で長く続いていることを感じさせ、「めしや」という名称は誰でも入ることのできる大衆向けの店であることを示している。と同時に、それは「めしや」なのだから、長居が必要な場所ではないこともわかる。さっと食べてさっと出る。好きにできるという「自由」が示唆されている。

中に入ると、店内はとても狭く、カウンターのみがある。このカウンターの形状も重要である。この店は横に長く客が一列に並ぶカウンターではなく、コの字カウンターになっている。横に長いカウンターの場合、マスターの目が届かない場合があり、また、客も隣同士以外は見えない。しかし、マスターを囲む形のカウンターであれば、マスターはすべての客と等しい距離を保つことができる。そして、客は横並びでありながら、対面の関係でもある。しかも、対面といっても、真正面から向かい合うことはなく、常にそこにはマスターが間に入ることになる。周りの客とつながることも可能だが、マスターが媒介項としてクッションになるおかげで、周りに気を遣いすぎる必要もない。オルデンバーグはこれを「個人が自由に出入りができ、誰も接待役を引き受けずに済み、全員がくつろいで居心地がよいと感じる」と説明している。街の達人バッキー井上は、次のようにカウンターの魅力を語っている。

ひとりでいるのは気楽だけれど時にさみしい。でも街にはカウンターがあってくれるので、さみしくなったらそこへ随意に行くことができる。……そのうちにひとりの人生だけれどひとりではなくなるような気になってくる(11)

カウンターに座る人は、自分が何であるかという役割でそこにいるのではない。カウンターに座るとき、そこにはひとりの「人生」があらわれている。こうした「人生」のあらわれ（オルデンバーグふうに言うならば「個人」として扱われること）が『深夜食堂』を「サードプレイス」として機能させ、さらに魅力的にする。なぜ、『深夜食堂』では「人生」があらわれるのか。それはこの店の「食」に関わっている。

5 『深夜食堂』における食の機能

この店にはメニューがない。「なんでも作ってくれる」が、そのためにはマスターとのやりとりが必ず必要になる。一律のメニューしかなければ、そこに「自分」なりの細かい好みや理由をつけることはできないが、全くメニューがない状態では、「自分」が何を求めるのか、本人の希望だけが頼りである。「何を食べたいか」ということは、どういう食習慣を持って育ったのか、今日はどんなふうに過ごしたのか、体調はどうなのか、といったその人全体を示す契機となる。まさにその人の「人生」がそこにあらわれると言えるだろう。それゆえ、『深夜食堂』に来た客は、カウンターで自分をさらけ出さざるを得ないし、そのときに「役割」を外した個人になってしまう。そして、その注文と食べ物は、狭いカウンターで周りの客にも共有される。この店では、すべての客が自分を示した状態でカウンターに座っていると言えるだろう。

だが、そこで出される料理は、独創的で個性の際立つようなものではない。ごくありふれた普通のものである。誰もが食べたことのあるような、だからこそ、人生の様々な側面に寄り添うことが可能な、そんな料理がカウンターに出る。狭い空間で漂う美味しそうな香り、思わず漏れる「ごくり」という生唾、食欲は階級を問わない。美味しそうなものの前では人は平等、まさにレベリングの発生である。さらに『深夜食堂』では、ある客が注文したものを見て、他の客が同じものを頼んだり、季節ごとに全員が同じもの（サンマや牡蠣フライなど）を食べていたりする。あるいは、自分の注文したものを他の人に分けたりする。共有が可能なのはありふれた食べ物だからだろう。癖の強いものや高級品、地方色の濃いものでは、こうしたつながりは発生しにくい。しかも、それは「食べる」という身体的な経験を伴う。レベリングとつながりが、身体的な次元でおこなわれるわけである。

しかし、ありふれた食べ物は単にレベリングとつながりという「同化」をもたらすだけではない。それは同時に差異化を発生させ、そこにいる者たちの異質性をあらわにすることもある。そして、その異質性こそ、「ひとりの人生」が際立ってくる瞬間でもある。「肉じゃが」をめぐる物語は、ありふれた食べ物がもつ同化と差異化の局面をよく描き出している。マスターの作った肉じゃがを食べた島ちゃんは「実家はもっと甘かったけど」と言い、千秋さんは「うち貧乏だったから肉じゃがって豚肉だった(12)」と語る。さらに「肉じゃが」で結婚詐欺にあったという堀江さんの話が続く。「肉じゃが」というありふれた料理から語られる、それぞれ違う「ひとりの人生」。だが、その差異や異質性は対立につながるものではない。その差異こそ、個人が立ち現れる瞬間である。そして、その差異が「どうしようもないこと」や「ダメなヤツ」と呼ばれるようなことであっても、周りの人々は、レベリングされたカウンターに座ることで、それをそっと受け止める。ある種の「愛情」と呼び得るものがそこにはある。このように形作られる関係性は、オルデンバーグの言う「インフォーマルな公共」につながるものではないのだろうか。

6 「サードプレイス」の「やわらかな公共性」

オルデンバーグがサードプレイスを「インフォーマルな公共の場」と位置づけるのはなぜなのか。そもそも、公共の場とは何か。公共の場とは、たくさんの人が集まる所というだけではなく、そこに集まる人々が様々な価値観をもつ人々であることを前提とし、そうした多様性を受け入れる、開かれたものであることが重要である。先にも見たとおり、サードプレイスはあらゆる人に開かれており、そこで社会的地位は問われない。まさに、多様性の受け入れで成り立つ場がサードプレイスである。だが一方で、サードプレイスにいる常連の存在は、その「お馴染み」の感じゆえ、外から見ると、その場を閉じたものと感じさせるかもしれない。しかし、サードプレイスにいる人は「みな同じような考え方をする」者ではない。オルデンバーグによれば、むしろ、サードプレイスの一員になれるかどうかは、「ある特定の主題に「何の関心もない」人びと――つまり自分とは反りが合わない人びと――と折り合いをつけられるかどうかにかかっている」[13]。改めて確認すると、サードプレイスで人は役割をはずして一個人になっている。普段は自らの役割に配慮し、言えないこともここでは言える。だからこそ、サードプレイスでは、それぞれの違いが際立つし、自分の興味のないことに仕方なくつきあう必要もない。そうやって違いが明確化したときに、異なる人々との関わりをどうやって作るのかが、サードプレイスが「公共」となるために重要な点である。

じつは、役割という手掛かりなしに、異なる背景をもつ人、違う考えの人と関わりを作るのは簡単なことではない。そこで求められるのは、反りの合わない人との対立点を明確にし、議論で相手を打ち負かすようなことではない。「折り合い」という言葉でオルデンバーグが示唆するように、違いを受け止めつつ、共にいる作法がサードプレイスでは必要なのだ。そのためには、まず相手を理解しようとする気持ちと、その場で発生している人間関係を見極める目をもつことが肝要となる。ここで物を言うのが、これまでサードプレイスで様々な人と出会い、多くの出来事に遭遇してきた経験値である。常連とは、こうした経験値を多く持っている者とも言える。そして、常連の「折り合い」の付け方を見ながら、新しく来た者は、サードプレイスにおいて多様な他者と共にいるための作法を学んでいく。それこそ「公共」ではないだろうか。しかし、この「公共」はいわゆる自律的に政治的な討議をおこなう「市民的公共性」とは少し違う。それはスナック研究会代表の谷口功一が言うところの「「理性」をたよりに侃々諤々の討議を行う場所としての「公共圏」」などではなく、「人間関係のさばきを身につけ人情に通じた」「やわらかい公共圏」[14]である。近年、政治思想や哲学では、市民の育成や公共性の涵養が大切であると言われるが、そうした公共性とは一体どうやって身につけられるものなのか。スナック研究会に集う者たちは、その実地がスナックをはじめとしたサードプレイスにあると言う[15]。

それぞれの人生の物語を持つママやマスターをはじめ、社長さんやサラリーマン、肉体労働の人など、いろんな仕事をしている老若男女のお客さんがいて、店の空気が出来上がっていく。……素晴らしい人間の社交場、勉強の場でもあるんだけど、ああいう場所で人とコミュニケーションを学べば、社会に出ても対人関係がスムーズにいくようになると思うんだけど[16]

だからこそ、オルデンバーグはサードプレイスを「個人とより大きな社会との間をとりもつ基本的な施設[17]」と位置づけたのだ。

さいごに
――ふたたび『深夜食堂』――

谷口が提唱する「やわらかな公共性」とは、正面同士の議論ではなく、横並びの関係で互いを受け止め合う関係と言えるだろう。『深夜食堂』テレビドラマ版「肉じゃが」の回では、結婚詐欺にあった堀江さんの話を聞いた常連の忠さんが、何もいわずビールを差し出すシーンがある。そのビールを受け取りながら、堀江さんはまた話を続けていく。「ひとりの人生」が食を介してカウンターで明らかになり、それが優しく受け止められる。その関係は単なる「なぁなぁ」の関係で、公共性というには至らないという批判もあるかもしれない。しかし、人は「ひとりの人生」を生きねばならず、それは時に過酷である。そのときに、ひとりではないという感覚を獲得し、内外で立ち働く力を与えてくれるのは、こんなふうにインフォーマルな場で形成されるつながりではないか。そして、そうしたつながり方、人間関係のさばき方を知ることが、市民として生きる、いわばフォーマルな公共性に展開していくのではないだろうか。

（1）南 二〇一三、一九四頁。
（2）杉村 二〇一七、第二章。
（3）「『深夜食堂』がアジア各国を席巻　派手さない作品に〝魅力〟」、https://www.oricon.co.jp/news/2047767/full/、二〇一八年二月十三日閲覧。
（4）「飯島奈美さん、『深夜食堂』で注文するなら何にしますか？」、http://top.tsite.jp/lifestyle/table/i/31627949/index、二〇一八年二月十三日閲覧。
（5）モラスキー 二〇一四、一一頁。
（6）オルデンバーグ 二〇一三、三三頁。
（7）オルデンバーグ同書、七一頁。
（8）オルデンバーグ同書、七一頁。
（9）オルデンバーグ同書、八九頁。
（10）オルデンバーグ同書、八九頁。
（11）バッキー 二〇〇九、五九頁。

(12) 安倍 二〇〇八、九八頁。
(13) オルデンバーグ前掲書、二九頁。
(14) 谷口 二〇一七、二〇-二一頁。
(15) たとえば、スナック研究会の一員横濱竜也は次のように語っている。「価値観の対立の下で、人びとが共生しあうための理念が必要で、その理念が「公共性」だというのはわかる。しかしその「公共性」を誰がどこで経験するのか。経験の裏づけがなく、切実さを実感していない「公共性」を、誰がどうやって支えていくのか。そんなものは絵空事にすぎないといわれたとき、「公共性」論者の答える術はどこにあるのだろうか。私の、そして世に数多あるスナック経験は、ひょっとするとそういう「公共性」への疑念に対して、わずかながらでも希望の光を照らすものかもしれない」(谷口同書、二〇九頁)。
(16) 谷口同書、三三頁。
(17) オルデンバーグ前掲書、三三頁。

■参考文献

安倍夜郎、二〇〇八年、『深夜食堂2』、小学館
レイ・オルデンバーグ、二〇一三年、『サードプレイス――コミュニティの核になる「とびきり居心地のよい場所」』、みすず書房
杉村啓、二〇一七年、『グルメ漫画五十年史』、星海社新書
バッキー井上、二〇〇九年、『京都店特選 たとえあなたが行かなくとも店の明かりは灯ってる。』、140B
谷口功一・スナック研究会編、二〇一七年、『日本の夜の公共圏――スナック研究序説』、白水社
南信長、二〇一三年、『マンガの食卓』、NTT出版
マイク・モラスキー、二〇一四年、『日本の居酒屋文化――赤提灯の魅力を探る』、光文社新書

【エッセイ】

カウンターには何があるのか?

食事に行くとき、あるいは飲みに行くとき、さらには喫茶店にコーヒーを飲みに行くときでさえ、私はカウンターに座るのが好きです。

そこで、たくさんのお酒を飲み、おしゃべりし、時にマスターに怒られ、常連になぐさめられたり、相談にのったりしながら、かなりの時間を過ごしてきました。とくに京都での学生時代には下手をすると家で勉強しているよりも、長い時間をカウンターにいたかもしれません(記憶にある限り、夜の七時に入って朝七時までいたというのが最長のような気がします)。

感覚的にいうと、当時の私はカウンターという場所で多くのことを学ぶと同時に、救われてきたんだと思っています。しかし、いったいなぜ?

居酒屋やバーという小箱の店は、多くの場合カウンターがメインです。もちろん、そこには美味しい食べ物があるし、良いお酒もある。けれど、良い酒だけを飲みたいのであれば、あるいは、良い食材を堪能したいのであれば、家に買ってきて楽しんだ方がコスパはきっといいはず。それでも人は外で食べ、飲むことを求めるわけです。もっと極端な例を出すと、家で食べられるありふれたものしか出ないような店に好んで行く人もいます。

たとえば、最近人気のマンガ『深夜食堂』はその典型ですね。出てくるものは、タコさんウィンナーや卵焼き、お茶漬けに肉じゃが。本当に普通のものです。ありふれたものしか出ないのに、なぜわざわざ店に行くのか。この問いに対して、日本の戦後文化を研究するマイク・モラスキーは居酒屋の魅力を「物の流通および消費する場」ではなく「人との出会いおよび交流が発生する場」と述べています。そして、その魅力を「第三の場」というキーワードから分析します。この「第三の場」という言葉の意味するところを、レイ・オルデンバーグが『サードプレイス――コミュニティの核になる「とびきり居心地のよい場所」』で詳しく説明してくれています。彼によれば、第三の場（サードプレイス）とは、第一の「家」、第二の「職場」に続く、「インフォーマルな公共のつどいの場」です。その例としてオルデンバーグは、職場に行く前に立ち寄るカフェや家に帰る前のパブをあげています。こういった場所は「誰でも受け入れる」場であり、いつ行ってもいいし、いつ帰ってもいいところです。その自由さは家にも職場にもないものです。それなら、コンビニやファーストフード店だってそうじゃないか、と思うかもしれません。けれど、サードプレイスとコンビニは全く違います。コンビニの自由は、その人が一人の人格、「私」という存在である必要がないというだけ、つまり、互いに顔を認識することもない「誰でもいい人」として扱われることから生じるものです。それは、自由というより、むしろ孤独に近いものです。一方のサードプレイスはたしかに出入り自由ですが、そこには互いをよく知るお馴染みの面子がいて、それぞれの顔をしっかりと認識し、様々な会話が交わされます。そして、このような活動を通じて、サードプレイスは人びとの生活を円滑にするためのコミュニティとして機能し、「個人とより大きな社会との間をとりもつ基本的な施設」となっている、とオルデンバーグは言います。

なぜ、サードプレイスはそうした機能をもつのでしょう。それはサードプレイスでは、「レベリング（平等化）」が起こるからです。サードプレイスはあらゆる人に開かれています。それはつまり、それぞれの人の立場を問わないということです。あらゆる人が楽しむ場になるためには、社会的地位はサードプレイスの外に置いてくる必要があります。オルデンバーグはこう言っています。

サードプレイスの門をくぐるときには、きっとある変化が起こるはずだ。なかにいる全員が平等でいられるように、世俗の地位をひけらかすのはやめてほしい、と入口で念を押されるに違いない。外の身分の放棄、あるいは配達用トラックの持ち主とその運転手とを対等な者として扱う平等化の見返りとして、より人情味があり、より長続きする場に受け入れてもらえる。平等化は、日常の世界での地位が高い人にとっても低い人にとっても、喜びであり安らぎである（オルデンバーグ、七一頁）

私たちの日常生活は、たいていの場合、何らかの目的に基づく行動によって形作られています。その目的を達成するために、人と人は一定の役割に基づく関係を結びます。それは安定した日常を送るために大切なことですが、上司と部下や、妻と夫といった役割は、時に人の行動を制約し、その役割を生きている「私」の姿を見えなくしてしまいます。サードプレイスのレベリングはこうした役割を外すことで「本人の個性や、他者と共にいることの固有の喜び」を発見させることができるというわけです。

ふりかえって考えると、私にとってカウンターはまさにこうしたサードプレイスだったのです。若く、まだ肩に力が入っていた頃、大学のなかで群れることを嫌い、うまく友だちも作れず、しかしプライドだけは高かった、まぁ、要するにこじらせ系女子だった私が、そのしょうもないプライドを打ち砕かれ、色々と背負っていたもの（背負っているつもりのもの）をおろして、ただの小娘に戻れる場所。そして、だからこそ、私はそこで色々なことを学べたのだと今になって思います。関西の酒場ライターであるバッキー井上さんは次のようにカウンターの魅力を語っています。

ひとりでいるのは気楽だけれど時にさみしい。でも街にはカウンターがあってくれるので、さみしくなったらそこへ随意に行くことができる。……そのうちにひとりの人生だけれどひとりではなくなるような気になってくる（バッキー井上、五九頁）

あいかわらず私は一人でカウンターに飲みに行きます。むしろカウンターに座るときは一人がいい。そこで色んなものを下ろして、小娘のときからさして変わっていない自分に気づくのです。「あいっかわらずアホやなぁ」。ひさしぶりに訪れた木屋町（京都の繁華街です）のバーでそう言われることほど嬉しい瞬間はありません。

■参考文献

レイ・オルデンバーグ、二〇一三年、『サードプレイス――コミュニティの核になる「とびきり居心地のよい場所」』、

みすず書房
バッキー井上、二〇〇九年、『京都　店　特選　たとえあなたが行かなくとも店の明かりは灯ってる。』、140B
マイク・モラスキー、二〇一四年、『日本の居酒屋文化――赤提灯の魅力を探る』、光文社新書

〔二〇一八年三月三十日（金）〕

第十章　食の空間とつながりの変容

はじめに

「家族の危機」が叫ばれるようになってすでに三十年近くが過ぎている。この危機を前にして一つの大きな問題としてクローズアップされるのが「食」である。たとえば、約十年前に石毛直道は「個食化が徹底し、家族のかこむ食卓のない家庭が実現するとき、それは家族という制度が崩壊するときである」（石毛、二〇〇五、二三八頁）と警告を発している。また、石毛とは対照的に父・母・子の愛情に基づく近代家族の有り様を「積み過ぎた方舟」と批判する上野千鶴子も、家族をめぐる最後の問題として「食べる」ことが残るだろうと述べている（上野、二〇〇二、一四九頁）。たしかに現在、非婚者は増え、単身世帯は増加している。その結果、個食は当たり前のことになった。では、石毛が見立てたように、家族は崩壊したのだろうか。事はそう簡単に進んでいないように見える。まず、個食を問題視するときの個食＝孤食という図式はもはや成り立たなくなっている。本稿では、「共に食べる」ことで「家族」がどのように結びつけられてきたのかを、食空間の歴史的変容から分析したうえで、現代の「食べる」ことと「つながり」の位置関係を見通していく。

1　どのように共食するか

本節では、日本において人びとがどのような方法で共食してきたのかを見ていく。近代以前の日本では、一つの大きな卓を囲んで同じものを食べるという共食はほとんどなされてこなかった。平安時代の『病草紙』をみると庶民階層でも折敷を使用し、個別に食事がなされている。江戸時代には、足つきの膳（銘々膳）が登場し、庶民の多くは各自の食器をそのなかに仕舞える箱膳を使用していた。共食という観点から見るとき、前近代日本の食は空間を共にするが、食卓は共にしない個別型であるといえるだろう。

明治時代に入っても、しばらくは銘々膳の使用が続く。それが明治三十年代頃になると、都市部の中間層を中心にちゃぶ台（卓袱台）が登場し、同じものを一つの卓で共に食べるという食事のあり方が登場する（石毛、二〇〇五、第四章、第五章）。たとえば、夏目漱石の『門』には以下のような描写がある。

宗助と小六が手拭を下げて、風呂から帰って来た時は、座敷の真中に真四角な食卓を据えて、御米の手料理が手際よくその上に並べてあった。……兄弟は寛いで膳に就いた。御米も遠慮なく食卓の一隅を領した。宗助も小六も猪口を二、三杯ずつ干した。飯に掛かる前に、宗助は笑いながら、「うん、面白いものがあったっけ」といいながら……（夏目、一九三八、一二一‐一二三頁）

岩波文庫版の『門』には、上記の「食卓」の箇所に注がついており、「明治三十年代から四十年代にかけて、都市居住者の家庭に急速に普及した〈ちゃぶ台〉のこと」（夏目、一九三八、一二三七頁）と指摘が入っている。『門』の連載スタートが明治四十三年だったことを考えると、食卓を囲んで家族・友人が楽しく食事をとるという風景は都市部において明治四十年代には一般化していたと言えるだろう。ちゃぶ台という食卓に託されていた意味についてては次節で扱うが、そうした精神的な意味合いとは別に、水道の普及による食器洗いの簡便化や衛生観念の広まりといった実際上の理由もちゃぶ台が広まった一因である。したがって、近代化のスピードによってちゃぶ台の普及具合も異なり、地方の農村部では昭和九年が使用率のピークといわれている。

2　共食に何が託されてきたか

では、銘々膳による個別食からちゃぶ台における共食へと食べ方が変わったとき、そこにはどのような意味が託されたのか。まず指摘しておかねばならないのは、明治に入り近代化したといっても、食の空間に託されていた意味がすぐに変化したわけではないということだ。銘々膳を使用していた明治初期、家族でとる食はなによりもイエ規範を示す教育の場であった。図1は明治二十五年の『尋常小学校修身』の教科書に掲載された家族の食事風景である。家長の膳は上座にあって、一番大きく、子どもたちは年齢順に座り、膳も小さい。「食事は、神仏や祖先も参加する日常生活におけるささやかな儀礼としての性格をもって」（石毛、二〇〇五、一五九頁）おり、人びとは序列化された空間で食を謹んでいただく。食事中にお喋りを楽しむということはなく、図版のタイトルにもあるとおり、「謹慎」が食に課された徳目である。

図１　「謹慎」（宮田、一九五九より転載）

銘々膳がちゃぶ台に変わった当初も、食事に託されていたのは教育やしつけの機能であった。とくに戦前は、食事中に楽しく話したというデータは少ない（石毛、二〇〇五、二一〇頁）。こうした食のあり方に対して疑問を呈したのが堺利彦であった。明治三十四年の『家庭の真風味』で彼は次のように訴える。

> 一家団欒の景色は最も多く食事の時にある。この点から考えれば、食事は必ず同時に同一食卓においてせねばならぬ。食卓と言えば、丸くとも四角でも大きな一つの台のことで、テーブルと言ってもよい、シッポク台と言ってもよい、とにかく従来のぜんというものを廃したいと我輩は思う。さて、同時に同一食卓においてすれば、みな同一の物を食わねばならぬことはもち

ろんである。世には不心得なる男子があって自分は毎晩酒さかなの小宴を張って、妻子には別間でコソコソと食事をさせる、というようなことをする。これは実に不人情な、不道理な、けしからぬ事である。（堺、一九七一、五一頁）

家族の間に序列をつけず、一つの食卓で仲良く同じものを食べ、「一家団欒」の愛情深い空間を作り出す。堺が基本とするのは、いわゆる近代家族であり、『門』が描き出すのは、まさに近代家族の理想である。主人公の宗助と御米は恋愛結婚で結ばれた夫婦であり、そこに宗助の弟小六が遊びに来る。御米も「遠慮なく」共に食卓につき、男たちの会話に参加する。ちゃぶ台といえば、家族。家族といえば、狭い食卓で楽しく団欒。今も続くちゃぶ台のノスタルジーの原点がそこにある。

3　どこで食事をするのか

ここまでは食事の仕方と食事に託された機能について見てきたが、本節では物理的な食事の空間がどのように変遷してきたのかを追いかける。食の空間といっても、階層や地域によって大きく異なるが、いわゆる庶民階層に限って考えた場合、前近代の食の空間は基本的に炊事場と一続きであった。たとえば、農家であれば、家に入った土間部分がそのまま炊事場となっており、農作業の合間に、立ったまま食事をとることもあったというし、土間とつながった玄関の間で食べることもあった。また、庶民の長屋は、外で煮炊きをする場合も多かったが、炊事場からそのまま食べる空間につながっていたことは変

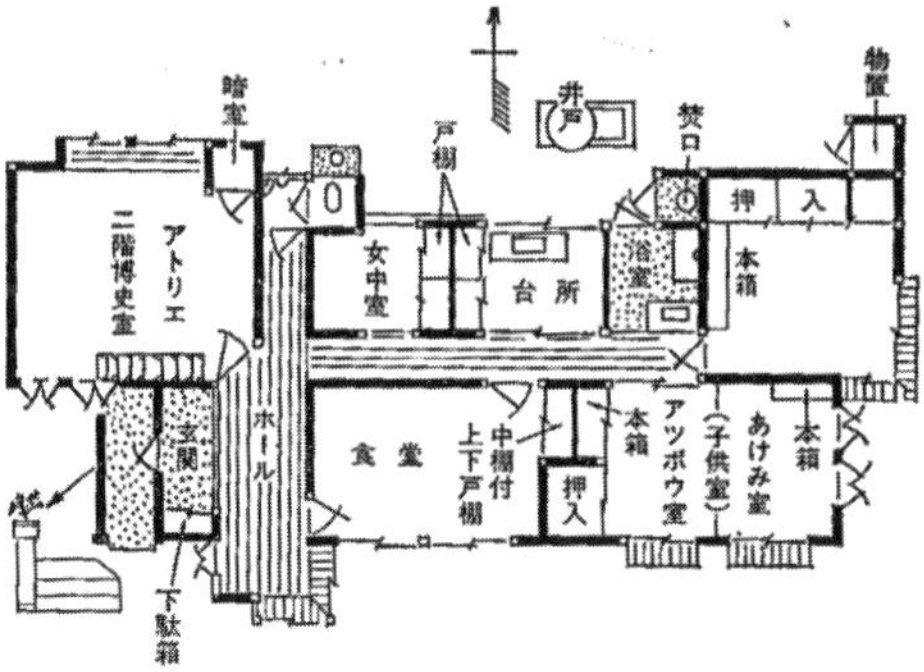

図2　平塚らいてう邸

わりない。両者とも特徴は、作る空間と食べる空間が隣接していること、そして、その空間は外部への開放性をもっていた点にある。

明治時代になっても、作る場と食べる場がつながっていることに変わりはなく、台所に隣接して設けられた茶の間が食事の場として機能していた。しかし、北村らによれば、こうした形は次第に変化していくという。そのきっかけになったのが、「食堂」という呼称の登場である（北村、二〇〇二、八〇－八四頁）。たとえば、平塚らいてうが一九二七（昭和二）年北多摩郡砧村の成城学園分譲地に建設した自宅を見てみよう（図2、平塚、一九八三、二六七頁）。家族構成は子ども二人、夫婦、女中の五人暮らしである。廊下を挟んで、食堂と台所は分離しており、台所は女中部屋や浴室といった水回りと隣接している。廊下を挟むうえ、それぞれの空間は扉で仕切られているため、独立性が高い。出来上がった料理を配膳し、食べるという動線で考えると、以前のように台所と茶の間が隣接している方がよいだろう。だがその一方で、台所が女中部屋や浴室と接続することで、家事全般の利便性は向上している。さらに、平塚家の台所は当時の最先端であった同潤会アパートにヒントを得て作られたもので、「ゴミはいちいち戸外のゴミ箱に捨てずとも窓に添って置いた炊事台に備え付けられたゴミ箱の中に捨てさえすれば自然と戸外のゴミ箱に落ちてゆく」ようになっていて、炊事台は「長さ四尺六寸、幅一尺五寸。流し、洗い桶、洗い物の水切り台、米びつ、野菜戸棚、ゴミ箱、醤油、酒、酢等の瓶入、ほかに引出し三個ほど」（平塚、一九八三、二六九－二七〇頁）がついた、合理的なものになっている。いわば、台所は効率の良い「作業場」であることが求められ、その一方で、食事の場はそうした作業から切り離され、独立した「団欒の場」としての機能に特化されていると言える。

4 「家事」という大問題

以上の分析から析出される一つの問題は、「食べる」ことと「作る」ことの分離である。現代の家族の食をめぐる言説は、往々にして、単に一緒に食べるというだけではなく、「食育」という言葉に象徴されるように「手作りの家庭の味」というイメージをまとっている。これに対して、明治から大正にかけて「一家団欒」が語られるとき、それはあくまでも「共に食べる」ということであって、食べるものをいかに作るかは、比較的軽視されている。こうした「共食」をめぐる「作ること」と「食べること」の分離がなぜ生じているのか、手がかりは堺利彦の言葉にある。先にあげた『家庭の新風味』で「一家団欒」の大切さを強調したあと、堺は次のように言う。

今日普通の家の台所ははなはだ大きすぎる。……これでは食事についての主婦の事務が多すぎて、ぜひとも女中が必要になったり、外の事に手が回らぬようになったりする。何とかして今少し台所の事を手軽にする法はあるまいか。……女中を置くよりもその費用でもって水道を台所に引いた方がよほどよい。次に我輩は飯たき配達会社というようなものの早くできることを希望している。新聞配達、牛乳配達のように、早朝に飯を配達する所があると想像したまえ。いかに便利なことであろう。……必ずいつかは飯たき配達の行われる時がくるに違いない（堺、一九七一、五二頁）

ポイントは二つある。一つは家事の負担が大きいため、女中が必要になるということ。もう一つは、ただし女中を使う余裕があるのなら、台所を近代化したり、食事を外部化して合理化を図るべきということである。彼の言葉の背景には、時代特有の事情がある。この頃、近代的家族観の登場や衛生観念の向上で、生活に手をかけることが求められるようになり、家事の負担が増大していた。その負担を担う存在が女中であった。先の平塚家の図面からもわかるように、当時の中産階級では女中を使うことは一般的なことである。ところが当時は、女工などの仕事が登場したこともあり、女中の働き手が少なくなっていた。女中がいないと家事はまわらない、しかし女中がいない、という状況だったのである。そこで求められたのが、水道をひいて水汲みを廃するといった家事の負担を軽くすることだった。したがって、明治以降の家事科教育と教科書の展開を研究する表真美が指摘するように、家族が一つの食卓に集って同時に食事をすることは、単に「一家団欒」の証というだけでなく、一度に食事を済ますことで調理や片付けの手間を省くという「家事の合理化」につながるものでもあった（表、二〇一〇、九七頁）。

さらに食事を「作る」ということに対する価値の問題がある。表によれば、明治十年西村茂樹の「第二学区巡視報告」に基づき「裁縫と治家術」が女子教育に課され、「手芸」「裁縫」が科目化される（表、二〇〇一、四二頁）。高等科の女子には「家事経済」として「衣服、洗濯、住居、什器、食物割烹、理髪、出納等」が課されるが、「料理」という科目が単独で立つことはない（表、二〇一〇、七八−七九頁）。また、明治末頃まで、家庭科教科書に「楽しい家族の食事と団欒」への言及もないという。当時と現代では衣服の事情が違うことを差し引いても、この当時、家事のなかでも裁縫が重視されていたことは間違いないだろう。そうした態度は、らいてうの「丹念に繕われた靴下が夫と子らの枕もとに一足ずつ置かれたとき彼女の頬にはつつましげな満足の微笑のかげが浮かんだように思われた」（平塚、一九八三、三五三−三五四頁）という言葉にも見て取ることできる。手作りの料理よりも、「繕いもの」に託される「良妻賢母」の証がそこにある。もちろん、らいてうが料理をまったくしないというわけではないし、彼女はエッセーのなかで、自分の子どもから「△△ちゃんのお母さんはビスケットだのカステラだのお家で焼いていたわ、なぜうちのお母さんはお菓子をこしらえないの、ね、家でも焼いてね、……」（平塚、一九八三、二六頁）と言われ、引け目を感じたことを綴っている。しかし、それは「ビスケット」であって、「飯炊き」という日常的な食ではないのである。そして、日常的な食を作る空間は、平塚家では徹底的な合理化がほどこされた場所でもあった。

このように見てくると、近代日本の食の空間は、近代家族の愛情に基づく家族のつながりを強化する場へと変貌すると同時に、家事の合理化が求められる前線でもあったことがわかる。この明らかに異なる志向の間での綱引きがおこなわれていたのが、台所であり、食堂という空間であったといえるだろう。

5　戦後の「共食」のあり方と現代の「食」

現在の家の間取りを見たとき、基本的にｎＬＤＫという呼び方がなされる。その原形となったのが、戦後に登場した51Ｃモデル（一九五一年に公営住宅を全国展開するために建設省によって作られた標準設計）である。このモデルは、父・母・子からなる核家族の暮らし方を形作ったものと言われ、その大きな特徴として「寝食分離」があげられる。夫婦・子どものプライベートが確保され、家族の成員が集まる機会は「食べる」ときに限られるようになる。スペースの問題上、「食べる」空間は「作る」空間と一つになり、いわゆるダイニングキッチンが成立した。このモデルを考案した鈴木成文は、ダイニングキッチンに「一般の長屋や農家でも行われていた」形式を見出したと述べているが（鈴木、二〇〇四、二三頁）、前近代の台所空間と戦後のダイニングキッチンには大きな違いがある。前者の台所は外部に開かれ、時にそこに訪れた人と食事を共にすることも可能だったのに対し、後者はあくまでも公団のなかのプライベートな住空間に閉じたものである。この閉じた空間を「一緒に作って一緒に食べる」という近代家族の愛情が覆う。もちろん、その一方で戦前から続く家事の合理化の流れも止められない。二つの異なる方向は、結局、性別役割分業に基づき女性が家事の担い手になるなかで「母の愛」の呼びかけのうちに回収され、アメリカ風のダイニングキッチンでオシャレな西洋料理を作るママという理想が生まれていった。さらに、昭和五十年代に入ると、ダイニングキッチンにおける「対面式作業台」が普及し始める。それは「台所のインテリア化とともに、台所が団欒の場として重視されてきたことの現れである」（北村、二〇〇二、一三二頁）。しかし、このように台所を「団欒の場」として強調することは、当時すでに家族での共食が減っていたことの証左でもある。いわば、戦後のダイニングキッチンとは、変容しつつある家族を「団欒」という言葉を規範化することで、つなぎとめるための場として機能してきたと言えるだろう。

「共に作り、食べる空間」をめぐる矛盾は現在三つの方向に向かいつつある。第一に「家事の合理化」を進めるなかで、家事は家族のためではなく、女性たちの自己実現の手段として捉えられるようになったこと。もちろん、それ以前にも家事は「家族に尽くす母」という像を形成するための手段であった。しかし、近年見られるのは、そうした役割ではなく、「私自身」のために家事をおこない、美しいキッチンを保つことで「心をきれいにする」という自己啓発的な傾向（牧野、二〇一五、一六三頁）である。第二に、「家庭の団欒」は家族がダイニングキッチンに集えば出来上がるものではなく、何らかの演出が必要になってきたこと。また、同じものを食べずに空間だけを共にする「フードコート」のような形態ができあがってきたこと（藤原、二〇一四）。第三にコレクティブハウスやシェアハウスにおいて、ジェンダーフリー・エイジフリーに人が集うことで家事のイベント化をおこない、それによって家事の合理化と人々のつながりの間に生じる矛盾を超えようとする取り組みが現れてきたこと（小田部、二〇〇九）。以上、三つの方向から導き出されるのは、「共食」と家族という連関は崩壊している、というよりも、むしろ、発展的解消を遂げつつある、ということだ。それゆえ、私たちはもうそろそろ、食の空間を家族という呪縛で縛るのはやめるべきなのではないだろうか。

▒参考文献

石毛直道、二〇〇五年、『食卓文明論――チャブ台はどこへ消えた？』、中公叢書
上野千鶴子編、二〇〇二年、『家族を容れるハコ　家族を超えるハコ』、平凡社
小田部育子、二〇〇九年、「コレクティブハウジングの理念と実践」、牟田和恵編『家族を超える社会学――新たな生の基盤を求めて』、新曜社
表真美、二〇〇一年、「家事教科書にみる家族の食事と団らんについての教育に関する史的研究――明治二十年代までの家政書を中心に」、『家政学原論研究』、三十五巻
表真美、二〇一〇年、『食卓と家族――家族団らんの歴史的変遷』、世界思想社
北村かほる・辻野増枝、二〇〇二年、『台所空間学――女性たちが手にしてきた台所とそのゆくえ』、彰国社
堺利彦、一九七一年、『家庭の新風味』、『堺利彦全集』、法律文化社
鈴木成文、二〇〇四年、「「51C」の成立とその後の展開」、鈴木成文・上野千鶴子・山本理顕編『「51C」家族を容れるハコの戦後と現在』、平凡社
夏目漱石、一九三八年、『門』、岩波文庫
平塚らいてう、一九八三年、『平塚らいてう著作集4』、大月書店
藤原辰史、二〇一四年、「食の空間論――フードコートで考える」、藤原辰史『食べること考えること』、共和国
牧野智和、二〇一五年、『日常に侵入する自己啓発――生き方・手帳術・片づけ』、勁草書房
宮田丈夫編、一九五九年、『道徳教育資料集成第一巻』、第一法規出版
米澤泉、二〇一八年、『「くらし」の時代――ファッションからライフスタイルへ』、勁草書房

【書評】

伊藤邦武『九鬼周造と輪廻のメタフィジックス』ぷねうま舎、二〇一四年

哲学的思索は実存的体験と批判的考察と形而上学的帰趣との統一において成立する

(『九鬼周造全集』第三巻、九一頁)

九鬼哲学とは、まさにこの言葉の通り、実存に根ざして現実を動的・批判的に捉え返し、その先で形而上学的な地平を見つめた思想である。従来の九鬼研究では、『「いき」の構造』の検討を通じて、その実存観が論じられ、『偶然性の問題』から彼の見た現実の動性が分析されてきた。しかし、その先で九鬼が見つめた形而上学的地平についての研究はほとんど進んでいない。というのも、その形而上学は、回帰する宇宙という立場から生の輪廻を認め、人はその宇宙のなかで現在において回帰する時間と垂直的に繋がると考える、極めて思弁的な思想で、その神秘性は厳密な哲学的考察を拒むかに見えるからだ。もちろん、神秘的だから哲学的に重要ではないということではなく、すでに坂部恵、小浜善信らがその思想の独創性を指摘している。だが、九鬼形而上学が分析を拒否するのは、その神秘性だけによるのではない。彼の形而上学は、フランス・ポンティニーでおこなった講演「時間の観念と東洋における時間

の反復」で展開されるのだが、この短い講演のなかに、おびただしいほどの東西の文献、幅広い哲学・思想史的背景が凝縮されており、それを解きほぐす端緒がどこにあるのかさえ、容易には見えてこないのだ。

こうした状況に現れたのが、本書『九鬼周造と輪廻のメタフィジックス』である。著者はプラグマティズム、とくにパースの研究で著名な研究者だが、近年は宇宙論についての著作を多く上梓している(『偶然の宇宙』、『パースの宇宙論』、『ジェイムズの多元的宇宙論』)。ジェイムズやパースの宇宙論は、現代の物理学的な知見と響き合いつつ、神なき世界における新しい形而上学の姿を示すものであり、著者はこうした流れに九鬼形而上学を位置づける。したがって本書では、九鬼の代名詞である「偶然性」や「いき」への言及はごく限られ、形而上学的時間論のみに焦点が当てられることになる。ポンティニー講演は、全集版で十頁あまりの論文で、これほど短い論文を対象に一冊の本が書かれるというのは、珍しいことのように思われるが、逆に言えば、もつれた糸をほどき、折り重なった襞を伸ばせば、この短い論文が一冊の本になる広がりを有することの証と言えるだろう。本書を読み終わったとき評者にもたらされたのは、もつれた糸の先から一気に織物が広げられる、ある種のめくるめく感覚であった。

だが、もつれた糸を誤った方向に引くと余計にほどけなくなるように、扱いには慎重を要する。この点に関する著者の手さばきは見事の一言に尽きる。まずは、そうした手さばき、つまり、九鬼形而上学をどのような布置で読むのかという扱い方に関する本書の重要性、独自性に言及しておきたい。九鬼周造というと、西洋哲学の幅広い知識の一方で、日本・東洋的伝統にも精通していた人というイメージをもつ人が多いだろう。だが、それを、単に東西の思想に詳しく、その間で日本・東洋の独自性を探った哲学者と考えるなら（じっさいそのような捉え方は多い）、九鬼形而上学の深層を取り逃がすことになる。本書が指摘するように、九鬼が好んで引用する『ミリンダ王の問い』はそもそも東西の思想伝統の対決を描いたものであるし、彼が立脚する仏教思想の源流をたどったとき、そこに現れるのは、彼が若き日に学んだ岩元禎やケーベルといった哲学教師たちなのである。その思想は、「ショーペンハウアー流のカント解釈、ならびにそこから導かれる東洋思想への関心」（一三九頁）という重層的な地点から出発しており、それゆえに「彼がどのような形で東洋思想と西洋の現代哲学とを「接ぎ木」しているのか」（一三一頁）を見ることが重要であると著者は指摘する。九鬼の東洋思想への関心が一体どこに由来するものなのか、従来の研究が完全に見落としていた点である。本書はこの点をすくい上げることで、折り畳まれた九鬼形而上学をほどく端緒を摑むことに成功している。

それでは、簡単に本書の内容を紹介していこう。第一章「「輪廻する時間」という挑戦」では、九鬼形而上学と向き合う手引きとなる四つの問いが提示される。（1）第一の問いは、九鬼形而上学において、西洋対東洋という構図はどのような意味をもっていたのかという問題である。この問いに対しては、単純な対立や折衷ではなく、「東西の思想の交流の場においてこそ、形而上学のディープな問題の水源が見いだされる」（二九頁）ことが著者によってあらかじめ指摘される。（2）第二の問いは、回帰する宇宙を人はいかに生きるべきかという問題である。ニヒリズムの超克に向かうのか、ペシミズムを生きるのか、オプティミズムを信じるのか。この問いを通して、九鬼形而上学に独自な宿命論的自己認識のメカニズムが明らかになる。（3）第三の問いは、垂直的な超越に基づく時間論の必要性についてである。この問いは、「宇宙の交代と意識の輪廻的回帰という大げさな仮想的次元」（三二頁）をもちだした理由、つまり、九鬼形而上学の理論的課題につながっている。これにたいし、（4）第四の問いは、回帰する宇宙のなかで成立する自己の深い自覚についてである。筆者は、その神秘的な自覚の先に、「九鬼の思想世界の深部にうごめいているように見える不定形で不気味な謎」（三四頁）があると言う。この四つの問いが九鬼形而上学を解きほぐす手がかりとなる。

第二章「生の哲学と二〇世紀の時間論」では、西洋哲学における時間論の見取り図が紹介され、そこから九鬼が自らの時間論を構築する際に抱いていた問題意識と狙いが論じられる。周知の通り、九鬼は西洋的時間論を自家薬籠中のものとしており、特にベルクソンとハイデガーの思索から大きな影響を受けている。彼自身、時間は自己の意志のもとにあると考えており、時間を内的生において捉えるベルクソン・ハイデガー流の解釈に理解を示している。だが、この二人の時間論では個人の時間意識に言及はできても、「世界の間主観的・間事物的存在性格」、「複数の意識が出会い、交差し、共存する世界の時間論」（七一－七二頁）を語ることはできない。この九鬼の問題意識を著者は、ベルクソンとハイデガーのカント批判を通じて浮き彫りにする。その際、この共存する時間が経験レベルの問題ではなく、「精神の共存在」の場として「世界の生成変化の根本を解明するような、存在一般の変化の論理」（七二頁）に基づかねばならないことを著者は強調し、ライプニッツのモナドロジーを媒介項として、九鬼時間論を「宇宙」へと誘導する。こうして、九鬼時間論とは「カント、ベルクソン、ハイデガー、ライプニッツによる四つどもえの理論的対決に棹さす試みであった」（七四頁）ことが鮮やかに示される。

では、九鬼形而上学とはどのような思想なのか、それを描くのが第三章「九鬼メタフィジックスの骨格」である。著者は九鬼の形而上学を、同一のものの永遠の繰り返しを説く魂論としての輪廻説、宇宙の回帰についての劫波説、輪廻する生は従来の水平的時間ではなく、垂直的な時間において感受されるという時間論としての脱自的構造論という三つの論点に分けている。そして、九鬼の議論を謎に充ちたものにしている要因として、「輪廻における謎」があるという。九鬼形而上学では、宇宙は回帰するゆえ一つではなく多数存在することになるが、それらの宇宙はつねに同一の様相をとっているとされる。この「一であるとともに多である」という困難を読み解くことが、九鬼形而上学の論理的・存在論的側面を解明することにつながり、そこから九鬼の認識論・人間論を捉え返すことで、彼の思想の意義を探ることを著者は目指す。

さて、ある思想の意義を語る際、つねにオリジナリティということが問題になるだろう。九鬼形而上学に関して言えば、輪廻や回帰する宇宙という論点は先行する伝統思想から取り出したものであるゆえ、やはり垂直の脱自に基づく時間論が最も独創的な点と考えられがちである。これに対し著者は、時間論の独創性を認めつつも、むしろ、その本領は輪廻と宇宙論を語る際に九鬼が伝統思想に加えた「理論的なひねり」「独特の発想の転換」(九八頁)にあると言う。ただし、そのひねりや転換を一読で捕らえるのは困難だ。もつれた糸の先を解きほぐし、ひねりと転換を見やすくするために、第四章「さまざまな輪廻説」では、九鬼の用いる「劫波」「大宇宙年」といった概念の由来がバラモン教や仏教、そして、古代ギリシア哲学から明らかにされる。そのうえで、第五章「回帰する宇宙という詩」では、それらの思想に九鬼が加えたひねりや転換が解説され、九鬼の形而上学を読み解く準備が整えられることになる。この章で著者は、九鬼が自身の輪廻観を築く際に参照した東洋思想をバラモン教、原始仏教、大乗仏教の三つの軸から分析し、これらの時代も内容も異なる思想に対し、九鬼がどのようなスタンスをとっていたのかを論じている。たしかに九鬼の議論では、これらの思想が縦横に引用され、扱いの厳密性に欠けるようにも見える。だが、著者によれば、九鬼にとって三つの思想の対立よりも、バラモン教から原始仏教を経て大乗へ至るなかで、輪廻という問題が神話のレベルから自己と世界との関係をめぐる宇宙論的な哲学に深化したことが重要なのである。なによりも、その深化の過程で輪廻は大きな哲学的問いを抱え込むことになった。この問いこそが、九鬼形而上学のひねりであり、彼の思想を解きほぐす手がかりであることを著者は見抜いている。それは「輪廻の主体」をめぐる問題である。仏教は「無我」の立場を重視する。だが、「輪廻をする」には、それを行う主体が必要となり、無我の立場と矛盾するように見える。問題はもう一つある。輪廻する主体を認めたところで、その主体は元の存在から新しい存在へといかにして移るのか。つまり、「一にして多」はどのようにして成し遂げられるのか。これらの東洋思想の問題が、九鬼形而上学において「「我の連続性と断絶」に関する形而上学の普遍的問題」、つまり、自己の同一性をめぐる問題へと転換され、「同時代の哲学の発想に接ぎ木される形で論じ直される」(一二九頁)。その転換の構造こそ、著者が光を当てようとするものだ。

九鬼形而上学を広げる準備は整った。以降の章では、もつれ、ねじれた糸の先から一気に織物が広げられることになる。その冒頭、改めて著者は九鬼形而上学を次のようにまとめている。

彼の回帰的時間論は、われわれの「現在」という瞬間において、実存的な脱自的超越と回帰宇宙的超越とが交差する、という特異な時間論である。この時間論には個物や魂の輪廻と宇宙全体の回帰という、二重の回帰ないし反復のモーメントが主張されていた。(一四四頁)

重要なのは、九鬼形而上学において個物の輪廻と宇宙全体の回帰という二つの要素が折り重なっている点である。まず第六章「ミリンダ王の問いと輪廻する意志」では、個物の輪廻についての分析がおこなわれ、一章で提示された第三の問い（垂直的時間の必要性）への回答が試みられる。九鬼形而上学において、個物はハイデガー的な水平的な脱自だけではなく、現在という瞬間において宇宙の回帰する時間へと垂直に脱自すると考えられる。著者はそれを「「我ない」とともに「我あり」の瞬間」であり、「私における自己の神秘的な再認識」（一四七頁）と言うのだが、問題はこのとき再認識される「自己」の有り様である。九鬼形而上学において、自己の同一性は、過去から未来へと水平に流れる時間のなかで成立するものとは考えられていない。その意味で自己とは「我ない」という存在である。一方で、現在の瞬間において垂直的に脱自するとき、そこには回帰する宇宙を貫いて自己の同一性が成立し、「我あり」となる。実体的な自我を認めない九鬼形而上学であるが、では、回帰する宇宙で成立する自己の同一性、「我あり」という事柄はどうやって認識され、それを認識するのは何者なのか。九鬼によれば、それは「潜在的な意志」である。そして、著者はそこに「阿頼耶識」の存在を見る。「阿頼耶識」とは、あらゆる存在の種子であり、その種子を蔵する識として潜勢的保持の力をもつと同時にその種子を現勢化させる力をもつ働きとされる。それは、個々の魂の根源であり、世界全体の現象を担うものであるゆえ、西洋哲学ふうにいえば、個物は阿頼耶識に与ることで「宇宙の生きた鏡」になりえるのである。こうした事態を著者は「宇宙内存在としてのわれわれの自己意識」と言い換えたうえで、しかし、そうした自己意識が単なる「類比」によって成立するのであってはならない、と指摘する。九鬼形而上学が求めたのは、「われわれの特異な「経験」がもつ時間性そのものに密着して、しかも経験の内側から、宇宙と我という関係において突きとめられるもの」（一七〇頁）として、類比を超えた存在論的次元の事柄なのである。現在という瞬間における「我なし」であり「我あり」であるという経験は、「宇宙内存在」としての自己意識に支えられている。そのとき、類比という形ではなく宇宙と個別の存在をつなぐもの、著者はそれをオスカー・ベッカーの「現前存在（Dawesen）」に見いだす。Wesenとは、本質であると同時に生成を意味する。ベッカーによれば、人間は同一性をもった「私」である以前に、生成する自然における「それ」（Dawesen）として存在し、一個のミクロコスモスとしてコスモスの全体に内属する。現前存在は、マクロコスモスとともに呼吸することで自己完足し、「永遠の現在」を生きることができる。「九鬼のいう「垂直的時間」とは、永遠であってしかも現在であるような、「それ」のもつ宇宙内存在としての時間性」（一七九頁）なのである。

こうした垂直的時間において、人は「我なし」と「我あり」の瞬間を経験する。だが、それを貫く「一にして多」という問題はまだ解決されていない。第七章「因果の法則と反復するイデア」では、いよいよ九鬼形而上学の核心ともいえる論理的・存在論的問い（第一章・第四の問い）に対する回答が試みられることになる。この章で著者は、同一の世界が永遠に回帰するという九鬼形而上学は、結果的に空虚な宿命論になり、エレア派がそうであったように無宇宙論に帰着するのではという懸念を紹介したうえで、そうした危険性を孕みながらも、九鬼が決定論的な回帰する宇宙を必要とした理由を解き明かしていく。その際、著者は、「因果律即同一律」に基づく「一即多」の宇宙観という九鬼の「エキセントリックな理屈」を解く鍵が「「イデア、形相」という形而上学的な存在者の同一性に関する、一つのきわめて特異な見方」（一九〇頁）にあることを指摘する。九鬼哲学が古代ギリシア哲学から影響を受けていることはしばしば言われてきたが、ここまで明確にその関係を描き出したのは、本書が初めてだろう。イデアを単なる形相ではなく、「本質」であるとともに「生成」と捉えるベッカーを引きながら、著者はプラトンが語るイデアの「一と多」をめぐる複雑な問題を分析する。その結果、明らかになるのは、プラトン的イデアを基礎にしてミクロコスモスとマクロコスモスが対応した宇宙の形を考えるのは困難で、宇宙内的存在者をミクロコスモス的なイデアとするなら、存在論的にその同一性を確保するのは不可能だということである。この困難を解消するには、多数の宇宙を想定するよりほかない。著者が指摘するように、「ある原宇宙の自己同一性は、それが生み出す不確定な多数の宇宙の無限の展開をまたずには、確定したものとは見なしえない」（二〇八頁）。そのなかで輪廻する個物は、多宇宙のそれぞれの次元において根本的な潜在性を帯びて存在し、それが無限に回帰し、反復することでようやく一つの存在者としての同一性を確保できるようになるのである。宇宙は同じことを繰り返すだけで新しいものは何もないが、無限の反復なくして、個物はその存在の軌跡を残すことすらできない。九鬼形而上学が語るのは、かなり厳しい宿命論である。だが、新しいものは何もないと自己把握をするとき、把握している自己それ自体は反復のただ中にあって、確定的にも完足的にも存在していない。反復のなかでのみ獲得される固有性、著者は、そこに不条理にも見える九鬼形而上学の「意義」を見いだしている。

こうした意義を語ったところで、回帰する世界のなかで輪廻し、同じ生を営み続けるというのは、やはり苦痛でしかないと多くの人は感じるだろう。厳しい宿命の輪廻をいかに生きるのか（第一章・第二の問い）、最後の第八章「解脱への道」では九鬼の人間観、倫理観の特徴を論じることでその問いへの回答が試みられる。率直に考えて、私たちがじっさいに輪廻を経験できるとは思えない。それでも九鬼が回帰する宇宙で同じように繰り返される生を語ったのには、理由がある。それは仏教が立脚する「人の生は苦である」という立場に由来する。輪廻で繰り返す生など苦痛でしかない。だが、そもそも、生とは苦なのである。この苦とは、具体的な苦痛ではなく、「生きる」ということそのものが抱える不安、それゆえの渇望、妄執といった「自我と世界の本質」を認識するとき成立する「形而上学的次元での真理の認識」を指すと著者は言う。世界は苦界であり、人生は煩悩であるという仏教の苦の認識は、ライプニッツの宇宙の調和説と最善説の真逆をいく思想と言えるだろう。しかし、人は世界を苦と認識するからこそ、そこからの解放を願って解脱を希求するのではないか。「苦の認識なくしては解脱がないこと、苦の理解なくしては解放の可能性がないこと」(二二五頁)を著者は的確に指摘する。ただし、九鬼が見た解放の道は苦界から離脱するのではなく、そこにとどまり、「永劫の劫罰として輪廻の流れに生きること」こそ解脱であるという厳しいものであった。だが、九鬼はシシュフォスの姿になぞらえられる、その姿を幸福だと言う。苦界を生き続けることこそ幸福であるという転倒した考えを、著者は第七章で見た「反復のなかで成立する固有性」という視点から次のように語り直す。九鬼形而上学とは、「意志の継続への志向が永遠の生の反復のなかで、少なくとも一つの人格となる可能性を孕むことを解き明かすこと」によって、苦界を生きる私たちの生が「完成へと意志する意気地をもちうる」(二三七頁)ことを示すものであったと。

ここまで見てきたように本書には、九鬼形而上学の存在論的構造の解明と、苦界であるこの世を生きる希望を実践的・倫理的に探るという二つの側面がある。二つの側面を繋ぐのが時間論であり、現在における脱自によって宇宙内存在となる自己というアイデアこそ、本書の核であると言ってよいだろう。宇宙内存在は、生成する自然を浮遊し、そのなかで今の永遠の継続としての時間を生きる。その時間は、完足したものとされるが、個人の意識に閉じたものではなく、Wesen において「精神の共存在」を可能にする開かれた時間の根源となるものだろう。評者が疑問を抱くのは、この展開である。本書では、多宇宙を支えとした開かれた時間が探られる一方で、人は回帰する宇宙のなかで苦の生を繰り返すしかないことが主張される。一体、この開かれた時間と個別の生はどのような関係に立つのか。そして、両者の関係は「苦」という世界観で語り尽くせるものなのか。評者のこうした問いは、本書において「潜在的意志」「生成する宇宙」が語られながらも、そこにいる存在者が「自己」という「一人の生」へと収斂していき、「他でもありえたかもしれない」という生の複数性への視点が少なかったことへの疑問を背景にしている。たしかに、九鬼形而上学は同一性を語る。だが、その同一性は、つねに偶然に産み落とされ、他でもありえた自己という存在から始まるものであったはずである。そして、そのことを私たちは宇宙における「精神の共存在」としてではなく、リアルな他者との出会いのなかで知る。だからこそ、九鬼はポンティニーでおこなったもう一つの講演で「これやこの行くも帰るも別れては知るも知らぬも逢坂の関」という蝉丸のかの有名な歌に「偶然の問題と循環する時の問題」を託したのだろう。この世は苦界である。だが、その世界を生き抜こうとシシュフォスの決意をくだすことができるのはなぜか。もちろん、本書が鮮やかに描き出したように、輪廻においてこそ一つの人格になれるということもある。だが、そうした一つの人格を生きる自己という存在の不可思議さは、他者との出会いという偶然を通じてもたらされる。苦界というペシミズムの認識のもとでも幸福の可能性を認めることができるのは、偶然と他なるものへの感覚があるからではないだろうか。だからこそ、九鬼哲学は形而上学として苦界を語ると同時に、「寂しさ」という感情において他者を知り、他者を求めることを語り続けたのではなかったか。本書で展開された同一性と多数性をめぐる議論が、偶然性の問題へとどのように繋げられることになるのか、その期待を胸に本書評を閉じたいと思う。

第十一章　言葉に出会う現在

――永遠の本質を解放する――

はじめに

「永遠の今」[1]の問題は、九鬼哲学の三本柱である偶然論・時間論・押韻論の交わるところに位置する。[2]「永遠の今」がこの三つのテーマを結びつけているとも言うこともできるだろう。しかし、「永遠の今」というアイデアは、各著作のなかで散発的かつ解説なしに登場することがほとんどで、詳細に論じられることはない。さらに、語られる文脈が大きく分けて二つあり、一見すると両者の内容には大きな違いがあるように感じられる。まず「回帰的時間」における「永遠の今」がある。それはある事柄が同一性をもって無限に繰り返される瞬間であり、形而上学的・神秘的体験として語られる。もう一つは偶然性の根柢で開示される「永遠の今」。こちらは、私たちが日常で経験する時間の流れの根柢にあって、現実を可能にするものと位置づけられる。本稿が目指すのは、この二つの「永遠の今」の関係を詩的言語、とくに押韻の問題から明らかにすることである。そのために、まず両者の「永遠」が何を意味し、その永遠が「今」という形で限定されることにどのような意味が見出されているのかを論じる。そのうえで、九鬼が詩のなかでも律格詩を重視し、押韻にこだわった理由を考えることから「永遠の今」の有り様を示していこう。

1　偶然性における「永遠の現在の鼓動」

偶然性の根柢で開示される「永遠の今」とはどのようなものだろう。まず『偶然性の問題』から偶然性の時間性について見ていこう。

偶然は、正視態として、直態として、現在に位置を有つ限り、時間性的優位を占めたものである。また瞬間としての永遠の現在の鼓動にほかならない（二／二一二）[3]

ポイントは、偶然が現在において成立するものであり、過去や未来が「斜態」とされるのに対し、現在は「直態」と位置づけられていることである。そうした「直態」としてのあり方が「永遠の現在の鼓動」につながると九鬼は考えている。

偶然が現在という時間性に成立すると考える九鬼の立場は、現実に対する見方に起因する。彼が『偶然性の問題』で目指したのは、与えられた現実を所与のものとして、その原因を（いわば後追い的に）明らかにすることではなく、現実が生まれてくる生成の動性それ自体を摑むことであった。偶然はその生成の動性を示すメルクマールと言える。もう少し具体的に説明しよう。たとえば、私の目の前に四つ葉のクローバーがある。なぜ、このような形なのだろう。それは成長段階で踏まれて葉に傷が入り、日当たりの良い場所に生えていたからである。こうして原因が発見されるとき、現実は動かしがたいものとして固定的に捉えられている。だが、それは現実を結果論的に見ているにすぎないのではないか。成長段階で踏まれたとしても、なぜ、そのタイミングだったのか、少し違えば異なる葉の形になっていたであろうし、このクローバーがなぜこの地に根を張ったのか、どのような天候の変化をうけてきたのか……など、「このような四つ葉のクローバー」に至るまでには他の様々な可能性があったと考えられる。その意味で、今ある現実は様々な可能性のうちの一つが現れたものであり、そこにはつねに「他でもあり得た」という不確定性が存在する。「このような四つ葉のクローバー」では「なかった」かもしれないという虚無に晒されつつ、今の現実は「このようになった」。彼は「広義の偶然」を「可能が現実面に出会う場合」と定義しているが、そこには、現実の根柢にある虚無性、不確定性を捉えて、無から有へと現実が生成する運動の瞬間を摑もうという狙いがあった。

こうした偶然は、現実が生成する「非存在的一点」において成り立つものであり、それは時間的にみれば「「一点に於いて過ぎ行く」無に等しい現在」（二／二一二）である。だが、九鬼はこうした現在において「現実としての偶然を正視することが根源的一次的の原始的事実」であって、過去や未来は「現在の現実性に立つ者が右へ左へと「斜視」することによってはじめて視圏に入れることが出来るものである」（二／二一一）と言う。ここで彼が意図しているのは、未来や過去は存在せず、現在だけがある、ということでは決してない。未来も過去も私たちは経験することができる。ただし、その経験の仕方を見たときに、今ここに生成する現在だけが、「直接」に体験されるものであり、未だ来ない未来やすでに過ぎた過去は人間が与える何らかの意味を通じて間接的にしか経験されない、ということである。時間性よりも様相性に重きを置く九鬼は、ハイデガーの「被投的企投」を念頭に置きつつ、未来は可能性を期待と不安混じりに展望するところで感じられ、過去は回想のなかで今へつながる意味を与えられて成立すると考える。[4] 一方、現在の偶然性とは、こうした意味づけを与えることができないもの、人間の意味づけを破るところで成立するものである。様々な可能性のうち、いずれかの可能性を現実にもたらすのは人間の力だけで果たすことはできないし、その現実化を完全に予想することもできない。可能が現実化するときには、無の可能性との接触という断絶がつねにあり、無をくぐり抜けて有となる「偶然は現在性に於いて創造される」（二／二一〇）。その瞬間、人間の手が届かない生成というむき出しの事実を前にして、人はただその現実と「邂逅」するだけである。自己の枠組みを突破する現実の直接性を捉えて、九鬼は現在を「直態」と位置づけた。さらに、この直接性との邂逅は「偶然はただ現在性に於いてのみ触発されるものでなくてはならない」（二／二一〇）と言われる。[5]

この「触発」という言葉使いに九鬼はどのように意味を込めているのだろう。もちろん、それが直接性の経験であるということは言うまでもない。しかし、「触発」というとき、そこには何らかの力の働きによって刺激を受けるという意味が含まれている。では、偶然の現在において、力をもって私たちに働きかけてくるものとは何か。その答えは、本章冒頭で引用した文章のなかにある。九鬼は偶然を「瞬間としての永遠の現在の鼓動」と述べていた。彼は偶然の有り様を「ひょっこり」や「ふっと」という運動性を伴う擬音でしばしば表現し、偶然によって現実が生成する運動を捉えようとする。これと同じように、偶然の現在は「鼓動」が響く運動であり「時のはずみ」（二／一二六）と呼ばれる。では、どのようにして時ははずみ、偶然の運動は引き起こされるのか、その力の主体となるものは何か。「瞬間としての永遠の現在の鼓動」という言葉を文字通りに捉えるなら、鼓動の主体は「瞬間としての永遠」である。ただし、彼が言う「永遠」は「実体」や「本質」といったものではない。芸術、とくに文学をめぐる別の論文で彼は「すべての存在者にあって究極的なもの絶対的なものは静止している実体とか永遠の形式とかではなくて生である」（三／三四〇）と述べている。また『偶然性の問題』では、偶然の特徴を「生命感を伴う」ものとしたうえで、「自然現象の偶然性は予知し難いもの、法則に捉え得ないものである。そこには個性と自由が現れている。生命の放恣と恣意の遊戯とが現れている。その生命、その遊戯が美しいのである」（二／二三二）と言う。以上からわかるように、流動する生命の力を彼は「永遠」および「究極的なもの」と考えていた。同時に、この生命の力は、「個性と自由」の根源、つまり、「このような」形をもつ現実の個別的存在を可能にするものである。生命の力が働き、無が有へと生成し、可能が「ひょっこり」と「このような」形で現実化すること、その動性を様相的に捉えたのが偶然性であった。このような偶然性と私たちは現在という「直態」において出会う。したがって、現在における直接性とは、偶然の根柢にある人間の力ではコントロールできない生命の力による触発と言えるだろう。私たちは偶然において、「このような」現実が生成する瞬間に立ち合う。それは「このような」現実を可能にする生命の力、すなわち永遠との遭遇でもあり、私たちはこうした偶然の動性において

「瞬間としての永遠の現在の鼓動」を聞き取るのである。

2　回帰的時間における「永遠の今」

先に見たように、九鬼は現在が時間の「直態」であり、根源であると考えていた。彼によれば、時間契機のいずれを根源とするかによって、時間のあらわれ方も変わってくる。ここでは「文学の形而上学」で論じられる四つの時間現象を紹介し、九鬼独自の時間論である「回帰的時間」における「永遠の今」の有り様を明らかにしよう。

第一に「過去から未来へ流れる」ものとして時間を捉える立場がある。この時間の力点は「過去からの持続としての記憶」にあり、記憶によって過去から未来への連続性を確保する。第二に「未来を起点として」「未来から生まれて逆に現在へ過去へと流れて行く」（四／三二）時間の捉え方がある。意志をもった人間が未来を「予料」し、そこから現在と過去が意味づけられる。第三の時間は、起点を「現在」に置き、時間は「現在から過去及び未来に流れ広がる」（四／三三）と捉える立場である。それぞれの「今」が「現れた今を僅かに把持し、現れる今を僅かに先取」し、「現在は直観として現前する」（四／三三）。「今」は過去と未来を含みつつ、瞬間ごとに更新されて時間が進んでいく。第三の時間は、九鬼が考える偶然の現在に立脚する時間のあり方に近い。前節で明らかにしたように、偶然とは可能が現実面に出会い、「このような」現実が生成する瞬間であった。この偶然としての現在は、「非現実と虚無との中に永遠に死んでいる不可能性をして現実に向かって飛躍せしめる……神通力」（二／一八八）をもった「生産点」であると彼は言う。それは、偶然という予測不能な事態ゆえ、過去の連続性から切り離され、未来の予料の範囲を超える。だからこそ、現在は「時のはずみ」という生成の刹那として現れる。偶然において、不可能だったかもしれない可能が現実面へ飛び出してくる。未来の可能性は、この偶然性によって産み落とされ、現実にならなかった他の可能性は不可能性に沈み、過去が確定されていく。「生産点」としての偶然とは、現実が生成する現在において、可能性と不可能性の総体が刷新され、そこから未来と過去が「流れ広がっていく」ことで時間が成立することを指している。

以上の三つの時間では、過去・現在・未来のいずれかの契機が中心となり、他の時間契機がつながられることで、時間は流れるものとなる。こうした流れる時間契機の連続性を九鬼はハイデガーの言葉にならい、「水平のエクスタシス」と呼んでいる。これに対し、第四の時間は過去・現在・未来が流れのなかを過ぎ去ってゆくのではなく、繰り返し回帰する円形の時間として提示される。この時間は、人生が輪廻するという時間の繰り返しを大きなパッケージで捉えるだけではなく、その回帰を現在という瞬間において経験するというところにポイントがある。九鬼によれば、ある現在において、この現在と同じ瞬間がかつて全く同じようにあり、これからも同じようにあるということが、無限の今の繰り返しとして感じられるとき、回帰的時間は成立する。「この現在は現在のままで無限の過去と無限の未来を有っている」（四／三三）。それを現在において感じ取るとき、「無限の深みを有った永遠の今」（四／三三）が開かれる。時間は、水平につながり流れてゆくのではなく、「垂直のエクスタシス」において現在が深められてゆく。先にあげた三つの時間が私たちの体験する時間の流れを解明しようとするのに対し、回帰的時間で語られる事柄は、きわめて神秘的である。そのことは九鬼自身も認めており、この時間を「形而上学的時間」と呼んでいる。ただし、彼によれば、「水平のエクスタシス」と「垂直のエクスタシス」、「この二面の交わりが時間の構造にほかならない」（三／一九二）。

では、回帰的時間における「永遠の今」とは何を指すのか。その問題を「形而上学的時間」[6]から見ていこう。この論文は「時間の本原」を無限性と考えたときに可能な時間の形はどのようなものか、という思考実験的な問いかけから始まる。[7]そこで導出されるのが形而上学的時間である。彼によれば、無限な時間にも二つのタイプがある。一つは始まりと終わりがなく完結しない直線としての無限な時間、もう一つは始まりと終わりが結びつき完結する円を描き繰り返す時間の無限性である。前者の時間は、断片的で非完結なものになるが、九鬼は時間の全体性を重視し、後者の時間をとる。その結果、「回帰的形而上学的時間は一方に回帰性によって争われざる完結性を示している。しかし他方に回帰が無窮に繰り返さるるという点で、なお潜勢性をもっている」（三／一八〇）と特徴づけられる。こうした無限に回帰する形而上学的時間において成立する「未来と過去とに没交渉」の「永遠の現在」とは具体的にどのような事態なのか。まず、回帰的時間における「永遠」とは上記の引用からわかるように、「無窮」の繰り返しによって成立する無限を指している。このとき重要なのは、無限が時間のなかに潜勢しながら繰り返す運動[8]と捉えられている点である。九鬼は回帰する時間において「新たに生を開始し、新たに生を終結する」「万物再生」を語るが、こうした再生を可能にするものが、繰り返しの運動を起こす潜勢力としての無限であり、永遠とはその運動のあり方を指す言葉だったと考えられる。その繰り返しが、現在における同一事の回帰として経験されるとき「永遠の現在」が成立する。

ただし、同一事の回帰とは、現在生じたことと同じことが過去にもあったし未来にも繰り返し起こるという事象レベルの同一性を経験するだけではない。たとえば、回帰的時間における「永遠の今」の例として九鬼が好んで挙げる「橘やいつの野中のほととぎす」という芭蕉の歌がある。ここで詠われているのは、花の香のなかでホトトギスの声を聞くという事象の繰り返しだけではない。「いつの野中の」という問いかけのうちには、この事象が生じた世界の有り様と時間の流れ全体が含まれている。(9)回帰的時間の「永遠の現在」とは「宇宙的に完結している。小宇宙的ではなく、むしろ大宇宙的である。この現在は静止しないで円を描いている」(三/一九三)と言われるように、花の香のなかでホトトギスの声を聞く瞬間、その事象を含む世界に流れる時間全体が凝縮され、その時間全体が繰り返し回帰する。回帰的時間は「円を描く」と九鬼は言うが、現在において経験されるのはその円の一点としての事象ではない。円の一点を通じて、円環する時間の運動を一挙に経験する。その事態が「無限の深み」をもつ「永遠の現在」が指すところのものである。したがって、「垂直のエクスタシス」とは、今という一瞬に凝縮された時間の内に潜ることで、円環する時間の厚みに開かれ、そのなかで世界と時間を可能ならしめる潜勢力としての永遠に触れることを意味している。だからこそ、先の芭蕉の俳句の後に九鬼はプルーストの「平常は事物の内に隠されている永遠の本質が解放される」(一/四二四)という言葉を解説としてつけていた。

以上、二つの「永遠の今」の有り様を概観してきた。偶然性における「永遠」とは、現実を「このような」形へともたらす生命の力、回帰的時間の「永遠」とは、無限の繰り返しを担う潜勢力と一旦はまとめられるだろう。おそらく、この二つの「永遠」は通底している。(10)一方、そこで経験される「今」は異なった様相を呈する。偶然性における「永遠の今」は、過去と未来を可能にする「生産点」として流れる時間の根源となると同時に、それはつねに更新され、時間の流れのなかでかき消されていく虚無に接する尖端的刹那である。それに対し、回帰的時間の「永遠の今」は時間全体を凝縮し、厚みを増した瞬間として、流れることがない。では、虚無性と厚みという異なる「今」の様相は一体どのような関係にあるのだろうか。

3　詩の時間性

ここまで二つの「永遠の今」を見てきたが、回帰的時間における「永遠の今」は神秘的・形而上学的な特権的体験ゆえに通常の生活でアクセスすることはほぼ無理である。一方、偶然性における「永遠の今」は私たちがふだん体験する時間の流れの根源にあるものの、虚無的存在として時間の流れのなかに消えてゆく。どのようにすれば「永遠の今」にアクセスできるのか。そこで「永遠の今」にアクセスする方法として注目されるのが詩、とくに押韻を用いた律格詩である。

詩と「永遠の今」の関係を明らかにする前に、まず「文学の形而上学」から九鬼の考えた文学全般と時間性について見ておこう。彼によれば、文学の時間的特徴は三つある。まず、現在的であること。その現在とは、同質な一瞬として計測できる量的時間ではなく、「一定の持続を有った」現在として「流動そのもの、推移そのもの」（四／一四）が含まれ、「多様性の相互浸徹を特色とする質的時間」（四／一九）である。文学作品では、こうした質的現在のうちに、様々な広がりをもつ時間が成立する。そのとき実際に作品を読む量的時間と、体験される質的時間の間にはズレが生じる。ジョイスの小説のように、ごく短い一瞬の出来事を膨大な長さをかけて描くことはよくあることだ。こうしたズレは「言語の感覚性と観念性との二重性格に基づいて……現象」し、そこに「重層的時間」（四／二一）が成立すると九鬼は言う。したがって、文学の時間性とは「重層性を有った質的な現在」を本質とする。そのなかでも詩は「現在の感動と直観とを端的に表現する」（四／四五）ゆえに、きわだった形で「現在的現在」が表れている。「感動と直観の表現」として詩を捉える素朴な考え方の当否はとりあえず問わない。重要なのは、九鬼が詩の成立を「投網を引きあげるとき、拡がった網が龍頭の一点に集注して来るように、すべてが現在という中心に集まってくることによって詩が成立する」（四／四六）と述べ、現在への集注化というはたらきに注目している点である。

「現在の一点に集注」するとは、単に今の感情が歌われる、あるいは瞬間の情景が捉えられるということではない。詩の中で複数の時間や流れる時間が詠まれようとも、その時間の流れは現在という一点において経験されるということだ。詩を散文と異なるものにするのは、こうした現在への時間の凝集であり、それは詩の持つ形式性——リズムや行分け、韻など——によって可能になると九鬼は考える。たとえば、萩原朔太郎の「天景」から「しづかにきしれ四輪馬車／ほのかに海はあかるみて／麦は遠きにながれたり／しづかにきしれ四輪馬車／光る魚鳥の天景を／また窓青き建築を／しづかにきしれ四輪馬車」という一節を引用したうえで、彼は次のように説明を加えている。

現在が深みを有つように繰り返すのである。多少長い詩形にあっても、すべてが現在の一点に集注するように、技術上リズムとか韻とか行とか畳句とかまたは反歌というようなものを用いて飽くまでも繰り返すのである。長い詩形をそれによって謂わば短縮するのである。詩のそういう外形上の技術は詩を同じ現在の場所に止まらせて足踏みさせているようなものである。詩を永遠の現在の無限な一瞬間に集注させようとするのである（四／五一）

「しづかにきしれ四輪馬車」の句のあとにはそれぞれ異なる光景が続く。しかし、この句が繰り返されることで、この句はフラッシュバックのトリガーの役割を担い、四輪馬車のきしむ音のうちに、海の明るさも棗の流れも、窓の青さも取り込まれてゆく。異なる時間が一つの句の表す一点へと折りたたまれ、四輪馬車のきしむ音が響く一瞬に、その折りたたまれた時間を体験する。詩それ自体のうちで長く言葉が紡がれようと、流れる時間が描かれようと、詩の形式はその経験を現在という一点へまとめあげ、そのなかで現在という時間が厚みを帯びてゆく。彼はそうした詩の時間を「永遠の現在の無限な一瞬」と呼んだ(11)。

リズムや行を反復することで、時間を現在へと折りたたんでゆく。それは、九鬼が重視する押韻も同じことである。押韻は音や形を反復し、特定の響きを強調することで、その響きの瞬間に時間を凝縮する。こうした詩の形式は「同じ現在の場所に止まらせて足踏みさせる」と言われるように、一見すると回帰的時間における「永遠の現在」を想起させるし、九鬼自身も「永遠の今」を体験する方途として詩の形式を捉えていた。だが、いくつか問題はある。まず、詩の形式と偶然性における「永遠の今」の関わりである。さらに、詩の「永遠の今」が回帰的時間の「永遠の現在」だとして、詩の形式のもつ現在性はあくまでも流れる時間を凝集するだけであって、回帰的時間で語られる時間全体を経験する同一事の繰り返しの経験とは異なるのではないか、という問題がある。そして、偶然性、回帰的時間の「永遠の今」双方の根柢にある「潜勢力」に詩はいかにして触れるのかということも問わねばならない。これらに答えるために、押韻という経験についてさらに考えていこう。

4　押韻と偶然性

「日本詩の押韻」は九鬼が亡くなるまで改稿を続けていた『文藝論』におさめられた中心論文である。ここで彼は詩の形式全般を重視しつつ、そのなかでも特に押韻を取り上げる。なぜ、押韻なのか。それは韻が際だって哲学的・形而上学的であるからと彼は言う。

九鬼が韻の重要性を訴えるとき、二つの一般的疑問が想定されている。第一に、韻は「単なる音の遊戯に過ぎない」（四／二二九）という問い、第二に韻を「修飾であり、修飾は虚飾である」とする「無技巧主義」（四／二三二‐二三三）による批判である。

まず一つ目の問いに対し、九鬼は、韻が言葉の音、あるいは形としての文字(12)の偶然の一致にすぎないことを認めたうえで、その「偶然」こそが「哲学的驚異」を呼び起こし、押韻の美の「味得」につながると述べている。では、偶然に一致したことの何が「哲学的」なのか。例として九鬼は岩野泡鳴の以下の詩を取り上げている。上側が元の詩、下側は、泡鳴の詩から九鬼が韻を取り去ったものである。(13)

雨に濡れて忽ち

雨に濡れて忽ち

乾くに早きかたち　　日の照るままに乾く
涙もろきには　　　　涙もろきものには
住まい易きこの庭　　ここは住まい易きか

下側の韻を除き、ただ行分けされただけの文章は「感情と言語のありふれた塊り」にすぎないが、韻を踏むことによって「音楽的理念の客観的姿」（四／二二八）が掘り出されてくる、と九鬼は言う。それは同じ音が響くことで印象が深まるというだけのことではない。彼によれば押韻とは、「詩を自由芸術の自由性にまで高めると共に、人間存在の実存性を言語に付与し、邂逅の瞬間において離接肢の多義性に一義的決定をもたらすものである」（四／二三二）。韻を取り去ってみるとよくわかるが、ある感情や事柄を表すには、様々な言葉や文章が選択肢として存在する。たとえば、「涙もろきもの」は「すぐに涙するもの」としてもいいし、「忽ち」を「ただちに」としてもいい。韻を除いた途端、代替可能な言葉が浮かびあがり、事柄は拡散していく。この離接肢の多義性を前にして、なぜ「この言葉」でなければならないと選ぶことができるのか。あるいは、上側の押韻された詩を読んだとき、代替可能な言葉が浮かぶことなく、事柄にぴたりと密着しているように感じるのか。韻がもたらす「この言葉」の「しっくりくる」感覚がいかに成立するのか、それを古田徹也がカール・クラウスの言語論を用いて論じている。

韻を踏むというのは、ある意味では偶然的な結合であり、個々の言葉の意味や文脈によってあらかじめ決定されているわけではない。しかし、ある言葉と言葉が実際に韻を踏み、それが豊かな意味の広がりをもたらす創造的な効果を発揮したならば、両者は韻を踏むのにはじめからふさわしかったもの――必然的な結合であったものとして――立ち上がってくる（古田、二〇一八、一八九－一九〇頁）

言葉がある文脈にぴったり合うことで、「アスペクトの変化をもたらす起点」となったとき、私たちは「この言葉でなければならなかった」と感じる。それをクラウスは「創造的必然性」と呼び、古田はこの創造的必然性が成立するとき、言葉は私たちに「新鮮かつ自然な印象」をもたらすと指摘している。注意してほしいのは、その「しっくりくる」感じは、事柄に一致する言葉が事前に存在し、それを探し当てることで可能になるのではないということだ。「創造的」と言われるように、ある言葉が特定の文脈で使われることで「「自分が以前から思っていたこと（感じていたこと、見ていたこと等）」が遡及的に浮き彫りになる」（古田、二〇一八、一九二頁）。このように、事柄をあらわにする言葉の働きを古田は「形成としての言葉」と呼んでいる。

ただし「創造的必然性」が成立するような「形成としての言葉」を、無数にある離接肢の中から探し出すのは簡単なことではない。そのとき導きとなるのが、音の一致や言葉の形の一致という押韻なのである。九鬼が注目したのも、押韻によって潜在していた事柄があらわになるという形成力であった。それを彼は次のように述べている。

言葉と言葉との交わす微笑みとか色目とか云うべきものを生かし、言葉のもっている潜在的な素質を押韻という現勢的なものとして存在せしめるというところに詩の力のゆたかさがあらわれて来る

（一一／一二）

韻が踏まれることで、無数の選択肢の中から「しっくりくる」言葉が浮かび上がってくる（潜在的素質が現勢化する）。「当該の言葉で表現されなければならなかったものが、その言葉の創造において初めて浮き彫りになるというパラドキシカルな構造」（古田、二〇一八、一九七頁）こそ創造的必然性の発現である。

こうした創造的必然性が、押韻という偶然においてあらわになるというとき重要なのは、その「しっくりくる」言葉が十全な意味を具えているというだけではない。和歌研究者の渡部泰明が、掛詞[14]や押韻といった形式の力点は「言葉の持つ意味に依拠しているというより、言葉が存在していることそのものの重みによっている」（渡部、二〇〇九、七五頁）と言うように、「しっくりくる」言葉が韻を踏むことのできるような音や形をたまたま持ち、特定の文脈に集まってきたことこそ、驚くべきことなのだ。それは言葉が「このようにある」こと、言葉の存在そのものへの「哲学的驚異」と言える[15]。偶然の押韻のなかで「しっくりくる」言葉の存在に触れ、その言葉の創造的必然性を通じて、ある事柄が「これしかないもの」として生成してくる。第一節で、偶然性とは、生命の力が「このようなもの」として生成してくる動性を捉えたものと述べたが、押韻における経験とは、この生命の力に言葉（その言葉が「このようにある」ということの偶然性）を通じて触れる瞬間であると言える。だからこそ、九鬼は押韻を「生

の鼓動を詩に象徴化すること」（二／二二〇）と位置づけた。

こうした創造的必然性をもった言葉は「浮かび上がってくる」と言われるように、自力で選びとられるというよりもむしろ「到来」するものである。この点が先にあげた押韻に対する「虚飾の技巧だ」という二つ目の疑問に対するポイントになる。九鬼は、素朴に自らの心情を吐露するような「無技巧主義」を「幼稚な考え方」だと批判している。感情のままに詠えば詩が生まれるのではない。それは「主観的現実」かもしれないが、「恣意に近い」自由にすぎず、「客観的自由」から生まれた言葉とは言えない（四／二二六）。自由詩と律格詩は共に発展していくべきだと言いつつ、九鬼は「客観的自由」から生まれる詩の「真言」をより重視する。[16] その理由を彼は「表現界の客観的法則に従う主観の受動は、表現界を創造する主観の能動にほかならない。受動はパトスであることによって受動から能動へ反転する」（四／二三九）と述べている。つまり、押韻をはじめとする詩の形式は単なる拘束としての受動ではなく、能動を可能にする跳躍台であり、表現における客観性につながると彼は考える。彼のこの考えの目指すところは何なのだろう。

改めて考えてみると、私たちはいったいどのようにして、ある言葉を「これしかないもの」と決めるのだろうか。私たちはすでに出来上がった言葉の体系のうちに生まれ落ち、そのなかで可能なのはふさわしい言葉を探すことくらいだ（新たな言葉を一人で作ることなどほぼ不可能だ）。しかし、いくらこねくり回してみたところで、「しっくりくる」感覚を自分で作り出すことはできない。「ああ、この言葉だ」という感覚は不意に到来する。古田の言葉を借りるなら、「結果として出てくる言葉は、言うなれば「向こう」から訪れる……言葉のそうした自律性こそ、言葉をめぐる創造性の源泉であり、同時に、この言葉でならなかったという必然性の源泉でもある」（古田、二〇一八、一九七頁）。詩の言葉は突然私たちにやってくる、その意味で受動としてしか始まることができない。

その到来を呼び込むために様々な方法が模索されてきた。自己に内省し、心情を叫ぶのもその一手だろう。だが、言葉が自律性をもつものとして、自己のコントロールの及ばないところで到来するものであるのなら、単に自己の想いを語るのは「主観的現実」にすぎず「客観性」を持たないのではないか。これに対し、形式とは、長い時間をかけて彫琢され、歴史的な集合知として客観性を宿したものであり、無数にある言葉をある程度限定する機能をもつ。いわば、律格という形式は、創造的必然性を宿す言葉を客観的に呼び込む場を開く装置であったと言えるだろう。そのなかで定型詩のリズムは音数に関わるものである一方、押韻とは「言葉の有っている被投的素質を一つの新しい投企の機能」（四／二三三）とするものである。つまり、押韻は言葉の存在そのものに関わる。そこで提示される言葉は、長く多くの人によって使われ、意味やニュアンスを深めながら、代替不可能な一つの言葉として使われてきたものだ。たとえば、「ほととぎす」という言葉を聞けば、私たちは春の訪れやあの鳴き声や緑のかわいい姿を思い浮かべざるをえず、「ほととぎす」という存在は「ほととぎす」という言葉でしか表しようがないように感じる。(17)私たちは言葉の被投性の無数の網目のなかにあり、その網目のなかから偶然に響き合う言葉がふと到来し韻が踏まれるとき、その偶然的な結びつきを通してある事柄が「これしかないもの」として浮かび上がってくる。それは詠み人の手が届かないところで言葉が自律性をもったものとして立ち現れる瞬間でもある。九鬼は、そこに押韻という形式の客観性を見たのではなかったか。さらにこのとき大切なことがある。それは、このようにして到来する言葉をそもそも「私の言葉」と言えるのかという問いである。九鬼が自由詩に対して厳しい立場を取るとき見据えていたのは、偶然に到来する言葉の存在を「私」に閉じ込め、単なる主観的現実に貶めてしまうことの問題点であった。それに対して、律格詩は「現実の合理的超克」をおこない、「客観的自由の境を創造する」（四／二二六－二二七）と彼は訴える。形式は、技巧や虚飾などではない。むしろ、形式は「言葉の潜勢的素質」と九鬼が言う、存在そのものを開示する言葉のもつ潜勢力、その根柢にある生命の力に触れることを可能にする通路なのである。さらに、形式のもつ客観性は、「私の言葉」を今ここの現実から解き放ち、言葉が宿す長い時間と多くの人とつながることを可能にする。それは「私」だけの言葉ではない。いつか誰かが詠った／詠うであろう言葉なのだ(18)。

先に指摘したように、詩という表現は流れる時間を現在へと集注する機能をもつ。問題は、こうした現在が偶然および回帰する無限といかに関わるのか、また潜勢力にどのようにして触れるのかということであった。押韻は、偶然に音や形が一致する瞬間であり、到来する言葉と邂逅する刹那でもある。そのとき私たちは、言葉の存在そのものに触れると同時に、その言葉が創造的必然性をもって当該の事柄を「これしかないもの」と立ち現させることに「哲学的驚異」を覚える。それは、言葉がもつ潜勢力、言葉と事柄の根柢にある生命の力に触れる経験である。さらに、韻が踏まれるたび、言葉は「私」から解放され、その言葉を受け取る者は流れる時間から自由になって、過去現在未来を含む時間全体を繰り返し体験することができる。それはまさに、偶然に言葉と出会う今が、回帰的時間の無限へと開かれていく姿だったのではないだろうか(19)。

おわりに

改めて問いを確認しよう。問題は九鬼の「永遠の今」における「永遠」の内実と、なぜ、永遠を「今」という時間性で限定せねばならないのかということだった。永遠に関しては、偶然性および回帰的時間の分析から共通した特徴が取り出せた。それは、存在を可能にする生命の根源的な潜勢力であるということだ。生命の力が「このような」現実として生成する、その動性を「現在」という時間で捉えたのが偶然性における「永遠の今」だった。一方、回帰的時間では生命の力が潜勢力となって時間の繰り返しをおこない、その繰り返す時間の全体が「瞬間」に凝縮され「永遠の今」が成立する。

現実が生成する偶然の消えゆく一瞬と、時間全体が繰り返すことで凝縮された現在という二つの「永遠の今」、この二つの時間経験が交わる位置にあるのが押韻論であった。詩は流れる時間を現在へと折りたたむことを可能にする。そして、押韻の偶然において言葉と出会うとき、「このようにある」事柄がいきいきと立ちあがると同時に、私は「私」から解放される。それは事柄が一回性を持ちつつも、時間の限定から自由になって無限に開かれるということである。もちろん、押韻の「永遠の今」は回帰的時間で示される同一の現在の繰り返しとまったく同じ現象とは言えない。しかし、言葉と出会う偶然の現在を、ただはかないだけの刹那ではなく、時間を超えた永遠へと接続する方法であったことは間違いない。だからこそ、九鬼は蝉丸の「これやこの行くも帰るも別れては知るも知らぬも逢坂の関」という歌に「偶然の問題と循環する時の問題を省察」(二／四二五)することを任せたのではないだろうか。

(1) 九鬼の諸著作には「永遠の今」と「永遠の現在」という言葉が混在している。『偶然性の問題』をみると、ハイデガーにならい時間図式としての時間は「今」と呼び、「現在」を通俗的な意味で用いている箇所もある。一方で、文学論や時間論では明確な区別をしていない(「底なき今」「永遠の現在」「永遠の今」という言葉が同じように用いられる)。本稿では基本的に「永遠の今/現在」を同じ用語として用いる。

(2) この三者の関連については長きにわたる小浜善信の研究(二〇一七、二〇一六、二〇一三)がある。本稿もそれらから大いに学んでいる。

(3) 『九鬼周造全集』(岩波書店、一九八〇-一九八二)からの引用は引用箇所のあとに(巻号/頁数)で示し、適宜新字に改めた。

(4) こうした九鬼の議論立ては、ハイデガーが様相性の根源に時間性を捉えた分析の逆を行くものであり、そもそも九鬼のハイデガー時間論の捉え方に問題があるという批判は十分にありうる。しかし、今回はその点については触れない。

(5) 触発する現在が出会いの偶然であるということについてはシモン・エベルソルト(二〇一七)に詳しい。

(6) 九鬼は回帰的時間の問題をすでにフランス滞在中に扱っている(「時間の観念と東洋における時間の反復」)が、この段階では未だ「永遠の今」としての議論ができていないことを檜垣立哉(檜垣、二〇一六、一四〇頁)が指摘している。実際、ポンティニー講演での九鬼がどこまで「偶然性」と「永遠の今」の問題を関連づけて考えていたのかについては議論の余地がある。

(7) この点については、小浜善信が「九鬼は、カント流に言えば、そのような回帰的形而上学的時間が可能であるとすれば、その構造は「事実としてどのようになっているか」という事実問題(quid facti: quaestio facti)ではなく、それは「このようでなければならない」あるいは「こうなっているはずである」という権利問題(quid juris: quaestio juris)を問おうとする」のであると的確に指摘している(小浜、二〇一七、一〇頁)

（8）筆者による強調は「・」、原著者による強調は「、」で示している。

（9）「橘の匂いがする。嘗て同じ匂いをかぎながらほととぎすを聞いたことがあった。あれはいつのことだったろう」（二一／一六三）と九鬼は別の箇所でこの句を解説している。このときの「いつ」が指すのは、今の時間系列の中のいつではなく、異なる時間系列のうちのいずれか、ということである。あるいは、「可能が可能であったところ」への志向がここにはある、ということもできるだろう。

（10）回帰的時間の根柢にあるとされる「潜在的意志」のあり方を伊藤邦武は「「生命の流れ」という意味での輪廻に関与する基体」（伊藤、二〇一四、一五九頁）と指摘している。九鬼の回帰的時間の成立については、伊藤（二〇一四）に詳しい。

（11）萩原朔太郎の永遠や無限への志向については、詩の形式と同時にそもそも「無限志向のモチーフ」があり、その一方でその無限が「地上的有限」に引き戻されるところで、朔太郎独特の律が生まれているということを歌人岡井隆は指摘している（岡井、一九七七、五六－六二頁）

（12）九鬼は「文字上の韻が成立し得ることも、わが国の文字の特色に基づくものとして注目に値する」（四／二八七）として、たとえば芭蕉の「奈良七重七堂伽藍八重桜」などの「眼の韻」を積極的に評価している。

（13）元の泡鳴の詩は「円き石」（岩野泡鳴、一九九五、八七－八八頁）と題され、行分けやスペースの仕方にも工夫があるが、九鬼自身が引用する際それらを取り除き、韻だけを強調するようにしているため、本稿でも九鬼が引用した通りに引用した。

（14）九鬼によれば掛詞は「韻の応和が一音の中に包摂されているもの……謂わば止揚された韻である」（四／二五四）。

（15）「詩にあっては、言葉と言葉との交わす「双生児」も、音色と音色との間に響く木魂の問答も、それ自身において自己の存在を主張する意味自体である」（四／二三三－二三四）

（16）「日本詩の押韻」の冒頭で「寧ろ自由詩と律格詩は相並んで発達して行くべきものと信じている」（四／二二

六）と言う一方で、その最後で短歌や俳句の自由律に対しては「絶対的に懐疑的である」（四／四四九）と表明している。

(17) これは固有名の問題ではないかという指摘もあるかもしれない。しかし、「サクサク」と「ザクザク」という食感が明らかに異なる事柄を表し、それ以外に表現しようがないように、それぞれの言葉はまさに「それでしかない」意味をもって私たちに与えられていることがある。

(18) 詩の形式がもつ客観性は、その背景として歴史性をもっている。それゆえ、詩はときにナショナルな感覚を刺激することに私たちは注意しておかねばならない。実際、九鬼自身も「日本詩の押韻」の結論部で伝統的な詩の有り様を称揚したあと、日本という国を「言霊のさきはふ国」（四／四四九）と述べている。自由詩において「個」を求めつつ、形式へと回帰することで民族や伝統といったナショナルなものを見出す過程は、近代日本の多くの詩人たちが通ったものであったといえる。その代表として九鬼と同じく晩年に押韻やリズムの問題を論じた萩原朔太郎がいる。

(19) 九鬼のこうした「永遠の今」のあり方を檜垣は「偶然的な離接肢のなかでの「あるもの」の発出が徹底した不合理を背景とした事態であり、九鬼においてはそれと同時に、それが「そのもの」としてしかありえない必然性を運命的にそなえていることこそが、現在にかかわる重要な問題とされる」（檜垣、二〇一六、一三五頁）と言う。檜垣は九鬼と西田の「永遠の今」の共通点として「無に晒された根底から、何かがたち現れる「発生」の尖端を現在とみなしている」（檜垣、二〇一六、一三五頁）ことを挙げている。

■参考文献

伊藤邦武『九鬼周造と輪廻のメタフィジックス』、ぷねうま舎、二〇一四年
岩野泡鳴『泡鳴全集』、臨川書店、一九九五年
エベルソルト、シモン「与えられるものとしての偶然——九鬼偶然論の現象学的解釈の試み」、『理想』、六九八号、

二〇一七年
岡井隆『韻律とモチーフ』、大和書房、一九七七年
小浜善信「永遠回帰の思想――九鬼周造の時間論」、『神戸市外国語大学研究叢書』、第五一号、神戸市外国語大学外国学研究所、二〇一三年
――「九鬼哲学における根本問題――押韻論、偶然論、時間論」、『現代思想　総特集　九鬼周造』、青土社、二〇一六年
――「九鬼周造における「永遠回帰の思想」」、『理想』、六九八号、理想社、二〇一七年
檜垣立哉「偶然性と永遠の今――現在性をめぐる九鬼と西田」、『現代思想　総特集　九鬼周造』、青土社、二〇一六年
古田徹也『言葉の魂の哲学』、講談社メチエ、二〇一八年
渡部泰明『和歌とは何か』、岩波新書、二〇〇九年

編集後記

本書は、宮野真生子が生前に何らかの媒体で公表した著作から、既刊の二冊の単著（『なぜ、私たちは恋をして生きるのか――「出会い」と「恋愛」の近代日本精神史』ナカニシヤ出版、二〇一四年、および、『出逢いのあわい――九鬼周造における存在論理学と邂逅の倫理』堀之内出版、二〇一九年）に収録されていないもの、論文十一本、書評五本、エッセイ六本を厳選し、編纂した著作集である。本書に収録されたすべての著作がすでに公刊されており、誰かに読まれることを意図して書かれたものであることから、実質的に彼女の三冊目の単著と位置づけてよいだろう。各著作の文言についても、明らかな誤字の修正、数字表記や節見出しの形式などに関する平仄の調整など、一冊の本として成り立つために必要な程度の字句修正を何点か編纂者の責任で施したことを除いて、すべて宮野自身が承認した文章の姿形を保持している。

また、収録された十一本の論文は、発表年順に掲載することにした。それにより、宮野真生子という一人の哲学者が綴ってきた思考の軌跡を辿ることができるだろうし、また、この順に読み進めていくことで、複数のテーマ（道具論、押韻論、恋愛論、災禍論、母性論、会食論など）が相互に緩やかに関連し合いながら宮野自身のなかで少しずつ、大きな像を結びつつあった様子を捉えられるだろう。別の観点から言えば、収録論文の選定にはどうしても編纂者の判断が介在することになるのだが、発表年順に論文を配置することで宮野自身の辿った時間の堆積がそのまま示され、そこに本書を一冊に束ねる著者・宮野真生子の意思の現れをみいだすこともできるかもしれない。少なくとも、編纂者としては、そのような願いを込めて本書を編纂した。また、これら十一本の論文を柱として、そこに、関連するテーマの書評やエッセイを付し、それぞれのテーマに対する宮野の視野の広がりに接していただけるよう構成した。なお、これらの書評やエッセイについては、内容上のつながりを重視し、発表年順の収録とはなっていないので注意されたい。

宮野の著作はいずれも、彼女自身の実存の軸足に重心が乗って、ある種の「熱気」を放ちながらも、明晰かつ柔らかな筆致で読者を彼女の哲学的思考の深奥へと誘うものばかりであり、編纂者がここで下手な解説を加えて屋上屋を架すことは望ましくないだろう。読者の方々それぞれに、著者・宮野真生子の言葉が直接届くことを願う次第である。

なお、本書編纂の企画は、宮野と生前親交のあった様々な人たち、いわば、あれこれの面白い事柄へと宮野に巻き込まれ宮野を巻き込んだ〈巻き込み巻き込まれ関係〉を築いていた人たちとともに、そして、これから新たにそうした関係を築いていく人たちとともに、この先の新たな知的光景を拓くべく旗揚げした「PROJECTマキコミヤ」によるものである。本書が、多くの読者の方々にとって、〈この世界にある「驚き」に知性と感性によって形を与え、様々な人たちとともに楽しむプラットフォーム〉となれば、望外の喜びである。

末筆ながら、本書編纂をお認めくださった宮野祥子さん、そして、本書企画を実現へと導いてくださったナカニシヤ出版の石崎雄高さんに感謝申し上げたい。

二〇二二年七月十七日

ＰＲＯＪＥＣＴマキコミヤ

巻き込まれ人　奥田太郎

初出一覧

【論文】

第一章「道具・身体・自然――宗悦と宗理」
木岡伸夫・鈴木貞美編『技術と身体――日本「近代化」の思想』ミネルヴァ書房、二〇〇六年、三二八-三四一頁。

第二章「押韻という夢――ロゴスからメロスへ」
平成十九年度科学研究費補助金助成基盤研究（B）『「作ること」の視点における一九一〇-四〇年代日本近代化過程の思想史的研究」成果論集』、二〇〇九年、一三一-一四一頁。

第三章「恋愛・いき・ニヒリズム」
竹内整一・金泰昌編『「おのずから」と「みずから」のあわい――公共する世界を日本思想にさぐる』東京大学出版会、二〇一〇年、二七七-二九三頁。

第四章「死と実存協同――無常を超えて偶然を生きる」
日本倫理学会編『倫理学年報』第六十二集、二〇一三年、二二一-二三三頁。

第五章「恋愛という「宿痾」を生きる」
『ニュクス』第二号、二〇一五年、二四八-二六三頁。

第六章「近代日本における「愛」の受容」
藤田尚志・宮野真生子編『愛・性・家族の哲学1　愛――結婚は愛のあかし？』ナカニシヤ出版、二〇一六年、一七一-二〇五頁。

第七章「母性と幸福――自己として、女性として生きる」

『社会と倫理』第三十一号、南山大学社会倫理研究所、二〇一六年、一九－三三頁。

第八章「「いき」な印象とは何か――「いき」をめぐる知と型の問題」

『社藝堂』第五巻、社会芸術学会、二〇一八年、九三－一一二頁。

第九章「カウンターというつながり――『深夜食堂』から考える」

國際學術工作研討會「臺灣與日本的近代性思考：『吃』與文化的基底」(The Conference "Modernity Thinking in Taiwan and Japan: Eating and the Cultural Base")、会場：國立臺灣大學校總區文學院２樓會議室、主催：國立臺灣大學藝術史研究所 亞洲藝術史研究班、京都工芸繊維大学 日本近代思想研究会、二〇一八年三月八日での配布原稿。

第十章「食の空間とつながりの変容」

伊藤徹編『空間感覚の変容』京都工芸繊維大学、二〇一九年、三七－四五頁。

第十一章「言葉に出会う現在――永遠の本質を解放する」

『西田哲学会年報』第十六号、西田哲学会、二〇二〇年、四二－五七頁。

【書評】

伊藤徹編『作ることの日本近代――一九一〇－四〇年代の精神史』

『社会と倫理』第二十七号、南山大学社会倫理研究所、二〇一二年、一九三－一九七頁。

佐藤康邦・清水正之・田中久文編『甦る和辻哲郎――人文科学の再生に向けて』

日本哲学史フォーラム編『日本の哲学』第一号、昭和堂、二〇〇〇年、一一四－一一九頁。

佐藤啓介『死者と苦しみの宗教哲学――宗教哲学の現代的可能性』

『宗教哲学研究』第三十六号、宗教哲学会、二〇一九年、一〇七－一一〇頁。

谷口功一・スナック研究会編『日本の夜の公共圏――スナック研究序説』

『社会と倫理』第三十三号、南山大学社会倫理研究所、二〇一八年、二二三頁。

伊藤邦武『九鬼周造と輪廻のメタフィジックス』
日本哲学史フォーラム編『日本の哲学』第十六号、昭和堂、二〇一五年、一二七－一三五頁。

【エッセイ】

恋とはどういうものかしら？
福岡大学人文学部文化学科公式ブログ「文化学科へようこそ」二〇一七年三月三十日

ここにいることの不思議
福岡大学人文学部文化学科公式ブログ「文化学科へようこそ」二〇一五年三月十四日

愛
藤田尚志・宮野真生子編『愛・性・家族の哲学1　愛――結婚は愛のあかし？』ナカニシヤ出版、二〇一六年、iii－vii頁。

性
藤田尚志・宮野真生子編『愛・性・家族の哲学2　性――自分の身体ってなんだろう？』ナカニシヤ出版、二〇一六年、二一七－二二〇頁。

家族
藤田尚志・宮野真生子編『愛・性・家族の哲学3　家族――共に生きる形とは？』ナカニシヤ出版、二〇一六年、二一二－二一四〇頁。

カウンターには何があるのか？
福岡大学人文学部文化学科公式ブログ「文化学科へようこそ」二〇一八年三月三十日

ダイニングキッチン　261-262
他者　30, 40, 43-47, 56-57, 61-62, 66-67, 71-72, 73-75, 93-94, 98-101, 124-125, 159, 161-162, 170-171, 180, 199, 212-213, 222-224, 230-231, 238, 243, 249, 274-275
他力道　14
知識　179, 197, 206-207, 221, 225-226
超越（性）　24, 30, 35-36, 40-41, 101, 106, 110, 190-191, 196, 266, 269
出会い　27, 31, 41, 49, 62, 73, 85, 102, 105, 236, 248, 274
デザイン　15-18, 121
道具的理性　116
同性婚　136, 138
（独立の）二元　40-41, 50, 72, 123-124, 131, 211, 215, 218, 222
都市　9-10, 13, 14, 19, 20, 29, 231, 253-254

ナ　行

長歌　38-39
日常　6, 12, 44, 53-54, 58, 65, 112, 115, 158, 167, 171, 184, 234, 238, 249, 260, 276
ニヒリズム　70, 74, 92, 214, 266
日本　8, 15, 20, 30-31, 38, 48, 54, 65, 83, 87, 89, 111, 138, 139, 159, 211, 234, 238, 253, 260, 265
日本語　36-37, 58, 145
妊娠　83, 178, 180-183, 184, 192-195

ハ　行

美　11-14, 16-18, 28, 36, 60-62, 127, 131, 206, 211, 217, 288
非人称の関係　226
批判的知見　214
風土　8-21, 54, 55
普遍　24, 29, 54-55, 57-58
変容　55, 224, 262
母性　177-179, 182, 183, 193-197, 198
母性保護論争　195, 197
母胎　21

マ　行

民芸運動　8, 20
むき出しの自己　224
むき出しの事実　279
むき出しの生　110
無常　88-89, 91-92, 99, 101, 213
もののあはれ　46, 49, 231

ヤ　行

やまとことば　144, 148
遊郭　60, 117, 124, 152

ラ　行

リアリティ　70-72
律格詩　35-36, 277, 285, 292, 294
良妻賢母　178, 183, 186, 260
旅行者　55-56
隣人愛　146, 154, 158-159, 162, 170
輪廻　268-270, 272-273, 282
倫理　76, 107, 109, 206, 272
歴史　8, 23, 30, 31, 143, 293
レベリング／平等化　237-238, 241, 242, 249

241, 242, 244, 247, 250
価格　117-119, 126-128, 132
科学　11, 15, 52, 178-179, 182-183, 197
覚悟　75, 97
賭け　100, 119-123, 128, 132
家事　167, 259-262
家族　136, 187, 203-205, 252, 256, 261-262
型／形式　27, 76, 206-208, 221, 224, 225, 286-287, 292, 293
可能性　84, 94, 98, 119, 217, 278-279
我有化　25, 67
記憶　44, 107, 173, 281
共同性　208, 231
キリスト教　65, 139, 146-148, 152, 154, 158, 162, 170
偶然性　34, 41, 44-45, 50, 72, 84, 89, 94, 98-99, 107, 119, 273, 275, 277, 280, 291, 295
形而上学　36, 264-275, 283, 288
結婚　63-65, 84, 114, 137, 139, 142-143, 152-154, 161, 165, 168-169, 193, 256
恋／恋愛　3-6, 40-41, 63-72, 74, 83, 111-116, 136, 141-142, 148-163, 184, 192, 223, 256
51C モデル（間取り）　261
公共圏／公共性　208, 226, 230, 232, 243-244
幸福　118-119, 125, 167, 178, 198, 200, 273, 274
コケットリー　116-123, 126-128, 132, 213
言葉　26, 48-50, 143, 288-294
個別性　89, 102, 274
根源的社会性　45-50
痕跡　108, 130, 216, 222, 223

サ　行

サードプレイス　227, 233, 237-238, 242-244, 248-250
詩　33-42, 97, 164, 285-294
死　68, 87-101
時間　44, 56-57, 264, 267, 270-271, 274, 276, 281-287, 294, 295
自己　40, 43, 55, 66-67, 70-72, 92, 98-101, 113, 115, 124, 156, 169, 184, 187-188, 190, 199-200, 218, 222, 270, 274
自己実現　112, 115-116, 121-122, 158, 188, 196, 262
死者　92-96, 106-109
自然　8, 10-15, 17-18, 20, 35, 89, 109, 175, 188-192, 195-196, 274
実存　41, 264, 289
実存協同　95, 101
死復活　91-93, 95
社交　116, 152, 227, 231, 232, 244
自由　35, 75, 96, 112, 124, 151, 164, 169, 188, 199, 237, 239, 248, 280, 289, 292, 294, 295
自由詩　35, 292, 294
儒学　144, 147
常連　226, 242-243, 247
食　203, 234, 240-242, 247, 252-262
食卓　254-256
食欲　241
女性　65, 117-119, 126-127, 151-152, 164, 169, 178-179, 187, 194, 200, 217, 261, 262
所有　70, 116, 126, 127, 131
神義論　108
震災　86-88, 101
身体　8, 9, 11, 17, 19, 20, 21, 31, 129, 175, 180, 182, 215, 241
信頼　49, 56-57, 102
スナック　226, 230-232, 244
性　175, 197
性欲　150
ソネット　38

タ　行

胎児　179-182
代替不可能性　112, 114-116, 122, 293
台所　257-258, 259, 261

野上弥生子　185

ハ　行

ハイデガー，マルティン　267, 279, 282
パース, チャールズ・サンダース　265
萩原朔太郎　286
波多野秋子　68
バッキー井上　239, 250
原田皐月　179, 182, 184, 185, 192
檜垣立哉　119-122
ヒューム，デイヴィッド　208
平塚らいてう　164, 185, 187, 192, 195, 257, 260
フェノロサ，アーネスト　83
ブラウニング，ロバート　193
プラトン　138, 158, 272
プルースト，マルセル　284
古田徹也　289
ベッカー，オスカー　271
ベルク，オギュスタン　8
ベルクソン，アンリ　190, 267

マ　行

松尾芭蕉　284
マラルメ，ステファヌ　96
萬鉄五郎　26
三木清　25
三好達治　36
武者小路実篤　10, 191
村上春樹　88, 91
メレディス，ジョージ　160
本居宣長　231
モラスキー，マイク　236, 248

ヤ　行

保田與重郎　30
柳宗理　8, 15
柳宗悦　7, 10, 28
柳父章　148
山川菊栄　195
横濱竜也　230
与謝野晶子　195

ラ・ワ　行

ライプニッツ，ゴットフリート・ヴィルヘルム　267, 273
ル・コルビュジエ　15
渡部泰明　291
和辻哲郎　8, 42, 52

事項索引

ア　行

愛　93, 95, 98, 99, 106, 137-140, 141-171, 183, 193, 198, 204, 242, 260
間柄　42-45, 53, 98
遊び　122, 128, 226, 232
阿頼耶識　270
有り－難さ　94, 98
いき／粋　60-62, 72-75, 123-131, 206-227
居酒屋　236, 238, 247
印象　208-210, 219-221, 290
宇宙　266-274, 284
永遠　68, 74, 91, 267, 271, 276-277, 280, 283-284, 287, 295
押韻　33-42, 47, 48-49, 277, 285, 287, 288-295

カ　行

邂逅　41, 44, 50, 72, 86, 279, 289, 294
会話　4-5, 237, 248, 256
カウンター　5, 231, 233, 235, 239-240,

人名索引

ア　行

阿部次郎　69
安倍夜郎　235
有島武郎　67, 191
アリストファネス　158
飯島奈美　236
生田春月　36
伊邪那岐　40, 42-43
伊邪那美　40, 42-43
石毛直道　252
石坂美那　114
伊藤整　170
伊藤徹　23
伊藤野枝　184, 185, 192
岩野清　184, 186, 198, 200
岩野泡鳴　37, 65, 184, 288
岩元禎　266
巌本善治　63, 152, 158, 161
上野千鶴子　111, 163, 252
江國香織　203
江原由美子　191
岡倉天心　83
奥村博史　185, 192
小浜善信　264
小原國芳　30
表真美　259
オルデンバーグ，レイ　233, 237-239, 242, 248-249

カ　行

茅野雅　185
カント，イマニュエル　35, 266, 267
北村透谷　64, 113, 122, 155
九鬼周造　33, 59, 69, 72, 83, 98, 123, 128, 206, 210, 264, 276
クラウス，カール　289
黒澤亜里子　168
ケイ，エレン　195
ケーベル，ファラエル・フォン　266
小谷野敦　61, 150

サ　行

佐伯順子　161
堺利彦　255, 258
坂部恵　264
沢山美果子　181
ジェイムズ，ウィリアム　265
下田次郎　178, 182, 195
ジンメル，ゲオルグ　116-119, 122, 126, 128, 132
杉村靖彦　93
鈴木成文　261
関根英二　61
蝉丸　274, 295

タ　行

高田保馬　29
高村光太郎　163-164
竹内整一　190
田辺元　90-97, 99-102
谷口功一　226, 243
谷崎潤一郎　69
綱島梁川　190
坪内逍遙　149
テイラー，チャールズ　116, 121
戸坂潤　209, 219

ナ　行

中井正一　27
長沼智恵子　164
中村正直　148
夏目漱石　24, 159, 253
西村茂樹　260

■著者紹介
宮野真生子（みやの・まきこ）
1977年大阪府に生まれ，その後和歌山県で育つ。京都大学大学院文学研究科博士課程（後期）単位取得退学ののち，福岡大学人文学部准教授。2019年，大阪大学より博士（人間科学）。著書に，『なぜ，私たちは恋をして生きるのか――「出会い」と「恋愛」の近代日本精神史』（ナカニシヤ出版，2014年），『出逢いのあわい――九鬼周造における存在論理学と邂逅の倫理』（堀之内出版，2019年），『急に具合が悪くなる』〔共著〕（晶文社，2019年）など。2019年逝去。

■編者紹介
奥田太郎（おくだ・たろう）
南山大学人文学部教授。南山大学社会倫理研究所所長。著書に，『倫理学という構え――応用倫理学原論』（ナカニシヤ出版，2012年）など。

言葉に出会う現在

2022年7月17日　　初版第1刷発行

著　者　宮野真生子
発行者　中西　良

発行所　株式会社　ナカニシヤ出版
〒606-8161　京都府左京区一乗寺木ノ本町15
TEL（075）723-0111
FAX（075）723-0095
http://www.nakanishiya.co.jp/

印刷／製本・モリモト印刷
＊乱丁本・落丁本はお取り替え致します。
ISBN978-4-7795-1679-5　Printed in japan